Mærkedage

Af samme forfatter
Udvikling til fremtiden, *digte*, 1971
At ende som eneboer, *roman*, 1972
Gøremål, *tekster*, 1973
Tydelig, *tekst*, 1974
Byggeri, *roman*, 1975
13 stykker af en drøm, *noveller*, 1976
Skoven nu, *roman*, 1978
Mit danske kød, *roman*, 1981
En musikers bestemmelse, *roman*, 1982, *2. udg.*, 1993
Nytår, *børnebog*, 1982
En virkelig historie, *børnebog*, 1984
Det menneskelige princip, *noveller*, 1985
Hjælp til Anders, *roman for unge*, 1985
Svineavl, *radiospil*, 1985
Resultatet, *radiospil*, 1985
Årstidsbilleder, *tekster* (med fotografier af Kirsten Klein), 1986
Lyset over Skagen, *filmmanuskript* (med Franz Ernst), 1986
Katastrofe, *roman*, 1989
Breve, *noveller*, 1992
Kulturlandsbyen, *roman*, 1996
Af ord, *noveller*, 1999
Det eftersøgte barn, *skuespil*, 2001
Farer på skolevejen, *børnebog*, 2001
Der fortælles om dette sted, *tekster*
(med fotografier af Kirsten Klein), 2001
Sommerfest under jorden, *skuespil*, 2002
Noveller, *udvalgte noveller*, 2002
Et ansigt og en brækket arm, *børnebog*, 2002
Jern. Morsø Jernstøberi A/S 1953-2003, *fortællinger*, 2003
Grisen, hesten, hunden og hende, *børnebog*, 2003
Astrid, *roman*, 2004
Lokale historier, *samlet udgave af Der fortælles om dette sted og Jern*, 2005

JENS SMÆRUP SØRENSEN

Mærkedage

En historie

Gyldendal

Mærkedage
© Jens Smærup Sørensen & Gyldendal 2007
Omslag: Ida Balslev-Olesen
Bogen er sat med Palatino hos Pamperin · Grafisk
og trykt hos Narayana Press, Gylling
1. udgave, 6. oplag
Printed in Denmark 2007

(*ISBN 87-02-05806-5*)
ISBN 978-87-02-05806-2

www.gyldendal.dk

Ord mærket med · er nærmere forklaret på side 377-78.

*Kunstrådets Litteraturudvalg har støttet forfatteren
under arbejdet med denne bog.*

Indhold

I

I

En lørdag aften

Den endnu kraftige sol over bakken kunne nok fylde de øjeblikke. De voldsomme, gyldne strøg gennem græsset, og fjorden derude – som med sortblanke felter alligevel var ved at give slip på dagens overvældende blå – og så tæt omkring dem jordens lugt af råd og vækst.

Det kunne have fået dem til at glemme resten af verden, og hver især glemme sig selv også. Som de gik sammen dér, i det lave lys, op ad skråningen, i stilheden den forårsaften, dengang.

De var forbundne. Det blev aldrig på noget andet tidspunkt nævnt imellem dem, og heller ikke den aften, alligevel havde det virket som om. Det blev mumlet frem af stilheden selv, kunne de synes. Det blev af lyset så godt som skrevet over hele himlen: at de hørte sammen. Og de mente jo også alle tre at det var godt, vældig godt at det bare sådan blev liggende i luften. Det behøvede slet aldrig blive sagt, med de ord der så skulle til dét. En slags ord der måske i samme nu kunne rive båndene imellem dem i stykker.

Så skrøbelige var de. Det kunne de alligevel mærke, bare et enkelt højt og klart ord kunne bryde dem. Men samtidig så stærke, de der usynlige og unævnelige bånd, stærke nok til at de skulle kunne holde, så længe de levede. Det var de næsten også sikre på, og det var *lige* ved at blive sagt den aften. Som de gik der i græsset op mod bakketoppen, uden at sige et ord.

Hele dagen var forsvundet bag dem. Hele byen, deres familier og deres gårde, selv næste dag var ved at forsvinde. Alt hvad der næste dag skulle ske af stort. Det forsvandt bare nu.

Flagene der skulle hejses. Og gæsterne der lige fra morgenstunden ville arrivere fra alle verdenshjørner, skvaldrende og skrattende. Og turen i kirken, og hvad præsten mon kunne finde på at spørge om, og festen i forsamlingshuset, det hele var helt væk. Hele den der konfirmationssøndag var i løbet af ingen tid lagt langt tilbage for dem eller skudt ud i det fjerne, som noget der engang bare var drømt.

At han jo endda ville blive dagens hovedperson, Peder, og det lige fra han vågnede og røg ud af fjerene til han igen skulle i seng, det kunne ikke røre en nervespids i hans hjerne her. Alle hans tanker var blidt sunket sammen i hans krop. Det eneste der i dette blå og purpurlysende vindstille kunne betyde noget, det var at gå her: sammen med Axel og Ellen at gå her.

De var forbundne, og det var gennem Ellen at Peder var blevet det med Axel, og Axel med Peder, og det var gennem deres fælles omsorg for hende at hun så havde knyttet sig til dem, ja, og var blevet så grænseløs glad for dem begge to.

Fra hun var et par år, eller så snart også hendes forældre havde opgivet det sidste håb om, at hun kunne komme til at gå, da var Peder begyndt at komme hos dem på Kristiansminde og hjælpe hende omkring. Han hæflede hende op over ryggen eller rendte rundt med hende på en trækvogn, han var da fem eller seks.

De havde så førhen, længe før Ellen blev født, taget Axel til sig, hendes forældre. De havde adopteret ham fra moderens kusine, eller hvad det var. Fra én som vistnok var blevet enke. Eller hvad der var sket. Han var under alle omstændigheder født langt herfra, og det vidste de fleste godt, selv om der aldrig skulle snakkes om det, og det var selvfølgelig også lige meget. Axel var nu engang søn på Kristiansminde, og han var bror til Ellen og så meget bror som nogen kunne være for en søster. Han havde straks haft det på samme måde som Peder, han ville hjælpe hende. Han ville sørge for at hun alligevel kunne færdes alle vegne.

De var da blevet to om hende, Axel og Peder. Og de var siden hen altid fælles om alt det med hende, i hvert fald, selv om Axel var så meget større. Han var fem år ældre end Peder, men Ellen kunne få den slags forskelle til at virke meget små. Hun kunne stryge skellene. Og hvis noget trods alt kunne true med at blive hårdt og koldt imellem Axel og Peder, så kunne hun bløde det op og smelte det, bare med sit blik og sit smil.

Og de tre går så der op ad bakken i den endnu lune aftensol, og det er Axel der har Ellen siddende højt oppe på sine skuldre. Og det siger sig selv, det kunne også have været Peder, der bar hende, hans kræfter er fulgt helt godt med hendes vækst og hendes vægt. Han kan stadig gå et pænt stykke med hende på ryggen, men det kan han så gøre, når de skal ned ad bakken igen.

For selvfølgelig er Axel langt den stærkeste. Han bliver nu snart nitten. Han er en fuldvoksen karl, og han må altså bære hende opad og har ikke engang sagt noget om det, og Peder har heller ingen ting sagt til det. De ved det alle tre, ja – han kan jo bare bære hende den anden vej. Og Ellen har aldrig nogen sinde blandet sig i deres fordeling af den byrde hun er. Som om hun faktisk aldrig har tænkt på sig selv på den måde, og hun sidder da også deroppe på Axels skuldre som det selvfølgeligste i verden. Og hun vil om lidt lade sig hale op over ryggen på Peder, og hendes ansigt vil ikke strejfes af den flygtigste forestilling om, at alting ikke er lige præcis, som det skal være.

De blev nu først stående en tid deroppe på bakketop-
pen. Axel løftede hende frem over sit hoved og ville sætte
hende ned mod jorden. Sagde så i det samme til Peder at
han skulle tage fat i hendes arm, mens han selv tog den
anden, et solidt tag oppe under hendes armhuler fik de
begge to, og stillede hende sådan imellem sig, som om hun
stod der på sine egne ben. De hang ned fra hende, så hen-
des fødder lige rørte græsset. Men hun stod alligevel imel-
lem dem i sin fulde højde, og det snakkede de lige om, Pe-
der og Axel, at hun sgu var groet meget godt til. Og hun
var jo nu også ni år gammel, og hun nåede Axel til op over
livet og Peder næsten over skuldrene. Og de blev så helt
stille igen, og blev stående der på rad og række en tid.

Og nogenlunde sådan har også Søren Lundbæk fortalt
det. Mange år senere. At det var sådan han havde hørt om
den aften fra sin far.

Men så fik Ellen øje på en stor fugl oven over dem. Og
hun pegede, og de kiggede, og i går og i morgen var sta-
dig ligesom en drøm, men den fuldkommen virkelige fugl,
lige nu der, var med det samme også blevet som en drøm
i drømmen. Den glemte de heller ikke.

Den store fugl svang sig på sine brede vinger højt op
over bakken. De drejede lige så langsomt ansigterne og
fulgte dens svæv ned over byen. Og fuglen vendte tilbage
over deres hoveder igen, og den sejlede ned over mar-
kerne en gang til. Over den nyligt frempiblede byg og de
tynde roerækker, videre ud over kæret, og den løftede sig
højere over fjorden, og den vendte endnu en gang, en
tredje gang, tilbage mod dem, den store fugl. Fløj da lige
op over skoven før den slog en kreds omkring bakken.
Dykkede så brat ned mod bækken. Styrtede ned, i det høje
græs dernede, de kunne ikke få øje på den igen.

Peder havde stået og vugget i hofterne, som mærkede
han fuglens svinglende og dejsende luftsejlads i sig. Nu

holdt han sig atter i ro og sagde til dem at det nok havde været en af de store ørne. Men Axel sagde at det havde det måske nok alligevel ikke været. For ørne var så sjældne, og så kæmpestore igen. Og Ellen sagde at det i al fald også havde været en meget stor fugl.

De blev endnu stående lidt der i græsset, øverst oppe på bakken, og de var igen alene, de tre, og der var kun himlen over dem, og jorden under dem, og et stadig mere glødende lys fra en stadig større sol over fjorden i vest. Andet var der ikke, og det var som en lille evighed, og i næste øjeblik allerede som noget de altid ville huske.

II

1934

Hvis gæsterne hver især følte sig særligt velkomne – og alle, der overhovedet røbede nogen følelse, kunne se sådan ud – så var det ikke fordi Søren Godiksen tog så overstrømmende imod dem. Han så knap på nogen. Lod dem bare tage fat om sin slappe forlab, som han temmelig fraværende holdt lidt frem for sig, og deres hjertelige klem og taknemmelige latter satte ikke den mindste af hans ansigtsmuskler i bevægelse.

Han så ud som han altid gjorde. Ja, som når han gik og passede sine grise, med den samme fjerne antydning af et smil om sin halvt åbne mund, men det var nok for enhver. Heller ikke når han med de vanlige mellemrum spidsede læberne en smule og frembragte et par fløjtelyde, kunne nogen finde anledning til at dæmpe sine lykønskninger. De var stadig mere end tilfredse, mange var sjæleglade – og det gjaldt både blandt byens folk og dem fra familien – over dette øjeblik, hvor han altså blot lod dem gribe et par af sine tommetykke fingre; ingen havde noget ønske om med sin nyankomne person også at forstyrre hans blå blik ud i luften.

For Søren Godiksen havde noget særligt over sig, noget *godt* ville nogle mene. De ville i mange år endnu blive ved med at gentage at godheden lyste ud af ham. Andre ville måske ikke bryde sig om så stort et ord, og det var da heller ikke helt ligetil at sige hvori det lå, det der lys, eller hvor det egentlig kom fra. Det bredte sig jo kun meget blakket fra hans store koldblodsfjæs under den høje, tynd-hårede isse – vel så snarere alle vegne fra hele hans tunge krop. Mærkes kunne det i al fald, end ikke egnens gamle spottefugle stillede sig fuldstændig uberørte, det var rart at nærme sig ham, og der var en tryghed også i at komme her som hans gæst. Det var allerede en sjælden fest at stå her og tænke på de kommende aftentimer, at man snart kunne sætte sig ved hans bord, for med ham for enden ville ingenting vist for alvor gå galt.

Han var gået udenfor. Det havde været endnu en lun og tør forårsdag, og han stod der neden for forsamlings-husets trappe, mens Stinne var blevet inde i salen. Der ville hun så tage imod og byde velkommen, og det så højlydt og så lattermildt, vidste han også, at det kunne være rige-ligt for dem begge to.

Herude hørte han en endnu lidt forsigtig mumlen om-kring sig. Folk ville helst putte deres stemmer i den al-mindelige pludren om det skønne vejr og den milde aften. Efterhånden som flere og flere kom anstigende, begyndte enkelte røster så at bryde igennem, med en sært knæk-kende klang som krævede det alligevel for stort et bryst at gøre sig bemærket, og Søren hørte da igen og igen det samme spørgsmål: hvad var det han sagde, drengen, ja, hvad var det dog det var, at Peder havde svaret præsten, der i formiddags, oppe i kirken? Og han hørte her og der, foran sig og bag sig, de bratte skraldgrin, og mange vendte sig om eller rykkede ud til siderne for igen at spørge og igen at grine sammen med andre. Inden længe behøvede svaret slet ikke at falde, før et skvalder kunne ryste nok et gran forlegenhed løs af liv og lemmer.

Man var ligesom nødt til at lære hinanden at kende igen. Fordi man nu kom her i stadstøjet. Det havde virke-lig magt til at gøre én til en fremmed, hvor komisk det end kunne lyde, og endda fremmed for én selv også. Så det var blevet utrolig svært bare at gøre og sige som man plejede, det var en anstrengelse. Og selv om man selvfølgelig søgte hen til dem, man ellers kendte allerbedst, og selv om man måske stod her med en nabo, som man et par timer før havde sludret med om lidt og ingenting, en stærekasse eller prisen på salpeter, så var det nu ikke til at komme videre med noget.

Det var helt umuligt, og man måtte alligevel prøve, for slet ingenting at sige, det føltes trods alt endnu dummere. Det var at lade sig kue for meget af for lidt at stå her som et kreatur og gabe ud i vejret. Man måtte da finde på et eller andet, det kunne være noget der havde stået i avisen, noget om politik, om statsministerens tale i Rigsdagen måske, eller om en opfindelse de havde gjort et sted i udlandet. Hvad som helst ville for så vidt være i orden, og man kunne jo sagtens have fået en snak ud af det, hvis man altså ikke lige havde stået her og ventet i sit kravetøj og med læder på fødderne. Hverken naboen eller én selv kunne nu finde på noget fornuftigt at svare og fortsætte med, man var tom. Man var ikke andet end en klump valent kød inde under sit stive tøj, og det lugtede endda, som om det tilhørte en anden, et menneske man aldrig havde mødt.

Ikke med noget kraftopbud kunne det blive anderledes. Ikke før senere hen, når det så i grunden skete af sig selv, når det hele var kommet i gang. Når festen havde taget ordentlig fat om én og alle andre, så kunne man godt være så heldig at opleve sig som nogenlunde den samme, som man syntes, man plejede at være. Om end ikke fuldstændig den samme, og det var vel heller ikke meningen. Man ville blive lidt *mere* end sig selv, og det ville dem man kom til at sidde sammen med selvfølgelig også. Stemningen ville gøre dem alle sammen noget *større*, og det ville blive af betydelig interesse at høre dem sige, hvad de altid gik og sagde. Og skulle man selv komme i tanker om en vittighed, ville de andre jo også straks grine, som om de aldrig havde hørt den før.

Men herude – mens der åbenbart stadig er enkelte der ikke er kommet – og mens man selv bare må blive ved med at stå som en forskrækket tyrekalv på et dyrskue – her er det ikke langt fra at man virkelig forbander alt festeri i verden og sværger ved sig selv, at man resten af sine dage vil holde sig helt og aldeles fra det.

Ja, hvor inderligt man end glæder sig til at frådse i en syndig gudsvelsignelse af god gildemad, så kan det nu med ét tegne sig så ubegribeligt tillokkende bare at sidde derhjemme i sit gamle tøj og hugge nogle stuvede kartofler i sig.

At det så var Søren Godiksen der holdt gildet, det forbedrede for så vidt ikke den situation. Når det var ham og Stinne, slap byens folk nemlig ikke med bare at blive fremmede for sig selv. Der kom også så mange udefra, som de faktisk aldrig anede, hvem var, eller måske højst havde truffet på Bisgaard en gang eller to.

Nogle af dem var kommet aftenen før, og det var hans mors slægtninge fra Thy og Han Herred, enkelte vist også fra Mors, og hvor langt der end var, havde Ane jo altid villet holde forbindelsen ved lige med dem. Og Søren havde da også selv hentet sin Stinne langt oppe i Vendsyssel, og hun skulle nok også sørge for at der i mange år endnu ville blive indbudt godt med udensogns gæster. De fleste af vendelboerne havde kunnet nøjes med at køre hjemmefra tidligt samme morgen, og de var så fremme hen sidst på eftermiddagen. I tide til at få deres heste sat ud på vangen, hvor dem oppe vesterfra hele dagen havde haft deres til at græsse. Tolv eller tretten spand gik der nu, for en del var selvfølgelig kommet kørende sammen i jumberne, og dem med landauere eller charabancer havde flere steder samlet op undervejs.

Nu lige før aften var det så rygtedes at et enkelt hold var arriveret i bil her i Staun. Den skulle stå oppe på gårdspladsen, og det var en amerikaner, blev der sagt, ingen havde ellers kunnet nå op omkring Bisgaard og kigge på den. Men de bilende skulle da trods alt også overnatte, der blev mulighed for at studere deres køretøj, inden de startede det igen, i morgen formiddag.

Ane skulle nu hellere se at komme inden døre, tiskede man rundtom. Det var alligevel blevet lidt for køligt for sådan en gammel kone at stå herude. Hun skulle ind i varmen, det kunne alle og enhver forstå ville være langt det klogeste, men mange var da også kloge nok til at se, at hun ikke ville.

Hun *ville* ikke væk fra sin familie. Og så længe de blev herude, blev hun også, hun havde lige fra morgenstunden klinet sig til dem og fulgt dem overalt, hendes ben havde ikke så længe, nogen snart kunne huske, holdt til det halve. Men heller ikke her til aften var der den ringeste træthed at spore. Ane var fortsat i fuldeste vigør, og hun tog i den ene og den anden af thyboerne, holdt dem om armene, klappede dem på kinderne, grinede og flirede. Som om der endelig var noget ved livet igen, nu de var her, selv om hun i over tres år havde levet hér og været helt tilfreds med dét, så vidt nogen kunne skønne. Og selvfølgelig havde hun altid været glad, når hun så dem, den ene gang om året som regel, alle sine søskende deroppefra, og sine svogre og svigerinder, fætre og kusiner, og efterhånden, ja, næsten kun næstsøskendebørnene nu. Men det var vel blevet en tand værre med det, efter at gamle Peder Godiksen havde sat træskoene.

Som om hun nu kun havde dem fra sin ungdom her i verden. Som om hendes egne og nærmeste ikke altid var omkring hende, og kulde eller ej, hun ville tydeligt nok hellere dø i morgen end undvære sine folk et sekund i dag.

Også sit eget sprog var hun allerede i løbet af formiddagen tyet til igen. Eller thyboerne havde kaldt på det, dybt i hende, og det var hurtigt trængt op i hende og havde spoleret alt hvad hun i sit liv havde fået lært af himmerlandsk. Og hun frydede sig over det. Det var nemt at se, hun svælgede i fejlene og sagde 'bygge en hus' og 'oppe i en træ dér'. Og her stod hun nu og hørte om endnu et dødsfald, og hun sagde 'nej, men hvans var da det', og lå der en tyngde af sorg og af savn i det spørgsmål, så løftedes det straks op i syngende jubel af det ord 'hvans'. Det rigtige, det skønne ord, som de her kun havde kunnet håne hende for, dem med deres drævende 'hvornår'.

Nej, byens egne var i dag verfet ud til siderne. Der kunne de stå og skule og vende og vride på deres klamme naller. Kunne man så alligevel ikke smutte fri af dette endeløse betryk ved at liste frem og give sig i snak med en af de her fremmede? Kunne godt fornemmes som lå der en mulighed dér, at man i grunden burde forsøge sig med den. Men der stod ikke just hvert øjeblik en dør på klem fra de fremmedes side. De så næsten ud til at have nok i sig selv, og skulle man endelig fange én af dem, var det så én man trods alt burde kunne huske, hvem var? Kom man til at antage vedkommende for en helt tredje, der måske for længst var afdød, og ikke engang tilhørte den samme gren af familien?

Man risikerede med det samme at virke ubehøvlet eller småkørende. Og var der ellers noget naturligt at spørge om? Om de havde haft godt vejr på rejsen – der var vist ikke nogen steder faldet en dråbe vand i fjorten dage.

En sidste udvej for staunboerne – og for simpelt hen frit at kunne trække vejret i deres egen by – det var vel at rykke endnu længere uden for kredsen – lade sig uddrive og forjage til det yderste, burde man nok sige – men så i det mindste kunne snakke *om* de her mennesker, når man nu ikke kunne snakke *med* dem.

Jo, man kunne da stille sig ud til vejen eller hen om hjørnet ved den vestre gavl, og et par af konerne var de første til omsider sådan afsides at få munden på gled. Flere listede ligesom tilfældigt efter dem, og det blev så med ét som en hemmelig aftale. Der var opstået en indenbys sammensværgelse som i sig selv kunne sætte både den ene og den anden i et helt fjantet humør, og snart blev der sladret og fislet, så det var en lyst.

Det var om familielighederne det gik, for langt det meste. Sådan kunne der siges et par ting om de fleste, først fra Anes og så fra Stinnes familie. For begge deres træk var nu alligevel så nemme at få øje på derinde i kredsen, i adskillige udgaver og afarter, og Søren Godiksen selv, kunne man pludselig se, han havde vist heller ikke arvet så lidt af thyboernes underlige, lange ører. For ikke at tale om deres lidt sære måde med sådan at stå og se ud som om de uafbrudt morede sig indvendig over et eller andet. Ingenting af dét var selvfølgelig ondt ment, men også Søren og Stinnes børn bar nu tydeligt deres præg af, hvad de var kommet af. Og Emma havde helt bestemt ikke sine smilehuller og sit vanskelige hår fra andre end hende den noget kraftige i den blåblomstrede. Og Mary, hvis hun havde været så heldig at få nogle gode store fødder at færdes her på jorden på, så kunne hun i hvert fald nok takke hende derhenne med den lille knyst ved det ene øje. Vist også for sin skogren. Den var i al fald hele tiden til at høre nu, og konfirmanden selv ville allerede knap kunne lyve sig fra at hans uregerlighed, som man sagde, at den var lagt ham dybt i blodet, Peder. For gemte der sig ikke noget nærmest vildt i øjnene på flere af vendelboerne?

Skønt de selvfølgelig var skikkelige nok. Hver og en af dem. Og lille Dagmar, nå ja, hun var jo endnu barn, og man måtte da så håbe at hun ville komme til at slægte nogle af de mere statelige af dem på. Og det var selvfølgelig heller ikke for dét, de så da alle sammen rigtig godt ud, såmænd også i begge familierne. Det var da lutter velskabte mennesker. På enhver måde pæne og ordentlige folk.

Men nu var det så omsider ligesom de var begyndt at søge mod døren. Og man burde måske igen trække lidt nærmere derhenad. For Søren Godiksen var heller ikke længere at se. Han havde da nok alligevel givet besked på at de alle sammen skulle følge med ham indenfor.

Han ville have hørt hvad hun mente, Stinne, om de så småt skulle til at tænke på at sætte sig til bords. Hun havde stadig alt for travlt med at hilse på folk. Han kantede sig ind ad døren til salen. Måtte nøjes med at stille sig der et par skridt bag hende.

Hun bød jo så hjerteligt velkommen. Og hun takkede så mange gange enhver for at han eller hun var kommet, og hun takkede for gaver, igen og igen, og for lykønskninger, og frem for alt da også på Peders vegne, og her og der kunne hun i det samme nå at spørge til helbredet eller til børnene og de gamle. Ingen slap i al fald forbi hende i en ny kjole, eller bare med en anden broche, uden at hun havde fået den rost i høje toner, ja, de fik alle sammen ros, konerne, de var alle sammen så skrækkelig kønne, og indimellem kunne hun også lade en af mændene vide, at han skam slet ikke var at foragte heller.

Hun var sådan på enhver måde så anderledes end han var. Hun slog rask væk en skraldlatter op som var hun endnu atten. Hun pløkkede sine flunkende fugleøjne lige ind i hovedet af hvem som helst, og grinede. Hun pirkede overstadigt til enhver undselighed med sit fjas og sin uforstilthed. Al den lebendighed, også i hendes bevægelser, det underligt gesvindte der var over hele hendes væsen, det var jo ikke kun de år hun var yngre end ham. De havde

24

altid været så himmelvidt forskellige som nogen menne-
sker kunne være. Og alligevel så de på hinanden som var
de hinandens legemsdele. Mange andre havde tit bemær-
ket det, deres måde at snakke til hinanden på, næsten som
om det var til en livløs ting. Så fuldkommen rolige var de
begge to ved tanken om hvordan svaret kunne lyde. Og
nu måtte det også være ved tiden.

Han rakte frem og ville tage fat om hendes albue. Hun
havde da allerede vendt sig en kvart omgang i den uven-
tede retning. Han måtte prøve igen og fik da grabben lagt
op på hendes skulder.

Men Stinne, sagde han. Det kan være vi skulle til det?

Jamen, hvor er Peder? Øjeblikkeligt var hun drejet om
igen og lige ved at råbe til ham, hun kom til at grine: Vi
kan da ikke begynde at spise uden at have Peder med!

Søren Godiksen så ud over salen. Dagmar kunne måske
hjælpe med at finde knægten, og han mumlede det ned
mod Stinne. Men hun var nu allerede væk igen, han så ef-
ter omkring sig, noget efter at der ikke var blevet svaret. I
stedet hørte han hende så more sig ovre på den anden side
af kakkelovnen, hun var nok på vej ud i den lille sal, ville
selv sørge for at der blev ledt. Han behøvede ikke tænke
mere på det.

Stinne havde fat i Axel, derude i den lille sal. Han stod
der i flokken af skaffere og opvartningspiger, hun gav ham
instruksen, og det kunne ikke gå stærkt nok. Peder skulle
ind og sidde til højbords, folk var jo snart ved at gå til af
sult, og hendes kogekone var sikkert også klar. Stinne
vendte sig mod køkkenet, fik et smil derudefra, mens hun
puffede til Axel, af sted nu med ham.

Kogekonen kom frem i køkkendøren og sagde at de kun
ventede på at øse op i terrinerne. Hun var ung, Else Ander-
sen, det var første gang de brugte hende. Men hun kom fra
en plads som kokkepige på en landbrugsskole, og det var

også takket være hende de nu først skulle have suppe. For det var det der var moderne selvfølgelig, og Stinne havde gerne villet have det sådan, men ikke kun derfor. Det var også meget bedre at begynde med suppe end det sædvanlige smørrebrød og alt det brændevin, folk så fik drukket dertil, og blev pjokkede med det samme. Nej, her fik de ene varmt, og så en øl eller en sodavand til.

Det lugter vel nok også rigtig dejligt, sagde hun til Else Andersen. Og hun ville ind i den store sal igen og have gæsterne sat ned, så snart hun lige også havde fået rost alle de unge mennesker, der hjalp til, især pigerne selvfølgelig. Hver eneste fik at vide at hun var noget så ubegribelig køn eller fin i tøjet, endda også hendes egen Mary. Selv om de begge sørgede for straks at skylle den selvros, der kunne ligge i det, langt væk i en latter. Men Mary blev holdt om og kærtegnet af de andre, idet hendes mor gik fra dem. Som om de nu skulle have sagt, at det slet ikke havde været nødvendigt at grine, og at Mary virkelig havde fortjent al tænkelig ros, ja, langt mere end nogen af dem selv.

Med sine femten år var hun den yngste her, og hun havde måttet trygle om det, at få lov til at være med til serveringen, og blive fri for at sidde med ved bordet. For hun var stadig så alt for tøseagtig i sin måde at føre sig på, havde hendes mor først ladet hende vide. Og ulyksaligt nok havde hun det endnu, i sin tankeløshed, med at tabe hvad hun stod med i hænderne. Og hendes evige fnisen over hvad som helst kunne også snart blive meget ubehagelig for gæsterne, de måtte jo tro det var dem, hun gjorde nar ad.

Men da det endelig blev bestemt at Emma alligevel ikke skulle rejse hjem fra sin husholdningsskole i Sønderjylland – her i anledning af lillebrors konfirmation – så havde deres mor jo givet sig. For at der alligevel skulle være en af hendes egne med til at varte op, og så de trods alt selv kunne stille med to piger fra Bisgaard.

Nu altså Mary, og så Frida. Deres tjenestepige, som det var meningen skulle være en slags anfører for tropperne. Og som de fleste af dem vel kunne indse også var den bedst egnede til det. Skønt hun samtidig var den, de havde udset sig som det bedst egnede offer for deres trang til at have én at føle sig hævet over. Jo, en hel del af dem syntes virkelig godt at Frida kunne fortjene at være uafladelig til grin. Og det kunne være begrundet i hendes knoklede skikkelse, eller det kunne være de akavede armbevægelser hun havde tillagt sig, måske for at aflede opmærksomheden fra sit korpus.

Hun skulle nu nok alligevel være kapabel til at holde styr på dem, Frida. Uafbrudt se til at de rubbede sig, og at alt blev udført på fornemste vis. Hun var jo selv sjældent dygtig, hun vidste besked. Havde allerede i mange år været under Stinnes tugt, hun kunne for længst have stået for sin egen husholdning, selv den allerstørste, hvis ellers nogen mand ville have haft hende. Nu måtte hun så stille sig tilfreds med at være den betroede, og så snart hendes madmoder var ude af syne, havde hun også fjernet sig nogle skridt fra flokken, som for igen at kunne inspicere den. Hendes brede og svedige ansigt dirrede af en samvittighedsfuldhed der ikke lod nogen i tvivl om, at enhver slags jask og sløseri nok skulle blive observeret og af hele hendes hjerte fordømt.

Der var desuden Helene, tjenestepigen fra Kristiansminde, som så tit undrede sig over så meget. Man kunne knap få sagt noget almindeligt sludder, om sine klemte tæer, en syg ko, et skønt lille minde fra ens egen konfirmation, eller om sin nattesøvn, tandpine, sin kusines kæreste, hvad som helst, uden at hun var der med sit: Det var da i grunden mærkeligt, eller: Hvorfor egentlig dét?

Og hun stirrede dødsensalvorlig op i loftet og kælede med fingerspidserne for sin smalle kæbe. Og man ville have sagt at hun hørte hjemme på et seminarium, hvis ikke langt størsteparten af det, der kom fra hende, trods alt havde lydt for tåbeligt.

Og der var Emmas veninder, søstrene Else-Marie og Inge-Merete, som af alle mennesker, vist undtagen dem selv, blev regnet for egnens skønhedsdronninger. En perlehvid hud dækkede kun lige akkurat deres rødglødende kød. Nogle kunne også mene at deres kjoler var blevet for snævre til dem, men det gjorde dem i mange andres øjne overhovedet ikke ringere. Deres allerede dengang ret svære balder holdt endnu den allermest beundringsværdige facon.

Mens de var små, Else-Marie og Inge-Merete, havde snakken især gået om, hvor uhyggeligt dygtige de var i skolen. Og naturligvis havde de bevaret det overskud af kløgt i deres milde blikke, men efterhånden hæftede man sig altså mere ved det legemlige. At de store piger ligesom var sat sammen af sprængfærdige gasballoner. Og den tanke lå ikke fjernt for adskillige karle at de kunne have behov for hjælp, og at passende berøringer, selv af de begærligste hænder, måske ville lindre og afsvale dem. Men man kunne også sagtens forestille sig det modsatte, og at bare et enkelt kys ville antænde dem, og at de så i løbet af to sekunder gik tabt i blå og gyldne flammer.

Endelig, fra den østre ende af byen, et par meget fornuftige piger som vist kun i dagens anledning slap nogle næsten pjankede sider af sig løs, og af skaffere var der så, ud over Axel, da også deres andenkarl fra Kristiansminde. Ivar hed han og var lige nu Marys foretrukne legekammerat. Så snart han var inden for rækkevidde, skubbede hun til ham med skulderen, gav ham en knytnæve i mellemgulvet eller hev hans skjorte op af bukserne bagtil. Og hun kunne ikke blive træt af det, fordi et glad lille smil hver gang sprækkede hans massive ansigt og nærmest mirakuløst forstyrrede hans ellers så okseagtige udtryksløshed. Deres egen forkarl på Bisgaard skulle ligesom Frida have et vist overopsyn. Ja, hvis nogen bar ansvaret for, om der når som helst kom nok af drikkelse på bordene, så var det klart nok Hans Peter Selvbinder, og det havde nu allerede, før det hele rigtig var begyndt, gjort ham meget mere nervøs, end han nogen sinde i sit liv havde troet det muligt, og nogen sinde senere ville indrømme. Men hans hår faldt endnu meget tiere end til daglig ned i øjnene på ham, og han fremmumlede hvert andet øjeblik meningsløse kraftudtryk.

'Vi skal denondelyneme' eller 'Jeg har fandenedme'. Som om han dermed kunne give indtryk af, at han overhovedet ikke var det mindste eksalteret. Og der var selvfølgelig også Orla, deres andenkarl, og han tog sig hverken af Hans Peters virren omkring eller af hvad nogen anden foretog sig eller forsøgte at underholde med.

Orla havde alle sine tanker i sin højre bukselomme. For der lå et brev fra Emma, adresseret til Ivar på Kristiansminde, for hun syntes vist ikke hendes forældre behøvede at høre om, at de skrev lidt sammen, Orla og hende. Og han havde modtaget hendes brev fra Ivar nu her til aften, og han havde kun haft tid til at læse det et par enkelte gange. Derfor måtte han uafladelig have hånden ned og mærke på det. Og han kunne godt mærke at konvolutten var ved at blive krøllet af det, og midt i sin uhørte fryd vidste han også at den blev mere og mere fedtet. Og han skammede sig over sin evindelige famlen, men han kunne ikke lade være.

Det er så kun et spørgsmål om minutter nu. De skal til det. Det bliver alvor. Der vil komme nogle timer hvor de bare må halse af sted mellem køkkenet og bordene, og faktisk har de allerede gjort sig færdige med enhver slags løjer. Flere og flere af dem er ved at samles ved døren til den store sal.

Der kan de nu følge hvordan stole og bænke er ved at blive beslaglagt. Der er et bord på tværs oppe ved den anden ende, det er hovedbordet, og nogle af gæsterne søger deropad, og ind mod midten. Andre tværtimod mod de yderste af de fire langborde, og ud i krogene. Nogle spejder åbenlyst efter passende selskab, andre slår sig ligesom bare ganske tilfældigt ned hvor der ellers ingen sidder. Og der er nogle igen der tøver og tænker – tør de her, gider de der – og der er atter andre der smiler stort og kæfter begejstret op over de pladser, de tilfældigvis havner på.

Man vil more sig, eller man vil være i fred. Man vil beskytte sig eller vise sig. Men man vil måske også have ordnet et eller andet med en eller anden: benytte sig af festligheden til at slå en streg over gammel kiv; genoptage et sværmeri; sikre sig en støtte eller få betalt af på noget taknemmelighedsgæld; i en let stemning komme af med dén uforbeholdne mening man alt for længe er brændt inde med.

Og de unge står så nogenlunde tavse ved åbningen til den lille sal og kan tydeligt se alt det. Hvordan alle de her gæster stiller sig an og grubliserer, hvordan de ·hjanter fra side til side og pludselig styrter sig frem, og det er alligevel overvældende med al den menneskemasse. Alle de hoveder og hjerter og øvrige indvolde der her er trængt sammen, og som hver især gisper og higer så anspændt efter at være med i det hele, og alligevel udgøre sit eget uforvekslelige selv. Selv om de hele eftermiddagen har gået og dækket op til de hundrede og otteogtres, så er det altså ikke rigtig til at rumme længere. For det er jo ikke et nok så drabeligt antal kuverter der nu fylder salen, men lige så mange mennesker med alt deres kød og deres larm og deres lugte, og tusind ting i sinde.

Godt nok noget af et gilde, mumler Else-Marie så.

Man skulle tro det var et helt sølvbryllup, svarer Inge-Merete. Så ·overstilt det er!

Sådan så det nu heller ikke ud da jeg blev konfirmeret, griner Mary. Og heller ikke engang til Emmas! Og den lille Mary lader sin forunderligt dybe og alligevel pigede latter rulle videre. Også længere end nødvendigt, for hun véd selvfølgelig godt, at ingen af dem mistænker hende for den mindste misundelse. Hun véd jo godt at de alle sammen véd, at det selvfølgelig er noget helt andet, nu det er Peder det drejer sig om – og hvor bliver hvalpen for resten af?

Der er med ét flere som det slet ikke ville undre, om han nu skulle vise sig at være komplet umulig at finde! Og overhovedet ikke når at komme med til sin egen konfirmation!

Men altså, selvfølgelig, noget helt andet er det da, med ham. En helt anden slags fest. Og det vil ingen af gæsterne heller være i tvivl om. De vil alle sammen være fuldkommen klar over at den her konfirmation har så meget mere at sige end som så. For det er jo den kommende ejer af Bisgaard, de nu er samlede om. Det er derfor de er her, hele familien og det halve af byen. For at enhver kan føle sig endelig forvisset om, at det er sådan det vil blive og ikke anderledes.

Derfor har den selvfølgelig måttet blive så vældig, Peders konfirmation. For at den kunne rumme tanken om så betydningsfuld en fremtid. Men måske også for at drengen selv så småt kan begynde at fatte, at han nu snart vil få andet end sin egen lille person at beskæftige sig med.

Jo, de unge opvartere mærker det nu i sig. Alt dette *mere* end den almindelige nervøsitet, her lige før det går løs med flasker og terriner. De mærker jo nu også det her *store* der er over det, og de fleste af dem ender trods alt med at lade det løbe af med sig i rørelse. Lige nu er der enkelte af dem der endda må gnide sig en gang i øjenkrogene. Lige et øjeblik nedsænker de al sund fornuft i sød og selvopgivende benovelse. Ellers vil de naturligvis have både den ene og den anden mening om sagen. Konfirmandens fremtid er jo også deres. De kan komme til at leve med ham resten af deres dage, og han vil ikke være til at komme udenom der i byen. Han vil altid have et ord at skulle have sagt, og det vil mange gange kunne blive svært og pinagtigt at sætte sig imod ham. Hver af dem må da inden længe til at tænke over, hvordan de i grunden skal se på ham. Hvordan de skal vurdere hans evner, hans sindelag. Hvordan de bedst, ja, eller bare så nogenlunde fredsommeligt vil kunne få krammet på ham.

Sådan som deres forældre for længst har lært sig at få det bedste ud af Søren Godiksen, og af Ejnar Lundbæk for så vidt også. Af de to der, som de nu lige har set stille sig op ved siden af hinanden, ovre ved ribberne. Et kønt syn ellers. Det ville enhver anden dag fremkalde hånske grin og knyttede hænder i lommerne, synet af de to, som aldrig har været i tvivl om, at de skulle være så meget mere end alle andre. Aldrig har kunnet forestille sig andre end sig selv som formænd, hverken for sognerådet eller mejeriet eller noget som helst andet.

De to så hjertens selvtilfredse tyranner. Mange ville bandende og svovlende have vendt sig væk fra dem, som de står der, side om side, med deres blanke, fromme fjæs. Men også dem kan det særlige øjeblik så alligevel strække sig ud over. I det mindste for ungdommen dér i døråbningen ud mod den lille sal. Også synet af Søren og Ejnar i al deres vælde derovre foran ribberne kan nu et øjeblik omfattes af deres opblødte stemning for den givne orden.

Som om den virkelig var bestemt af en højere magt.

32

Næsten sådan føler de det, de her sekunder. Som om det i al fald er lige præcis som det skal være, at de nu har stillet sig op sammen der, de to. Det gør med det samme sådan en fest til noget større, trods alt. Det gør det altså nu engang lidt stort også – med hele sit eget troskyldige kadaver – at være med i det hele.

Men så var det også nok. Det var allerede blevet rigeligt for flere af dem med al den vaghed og svuppen i mellemgulvet. Det var virkelig hjertestyrkende at kunne vende sig mod Axel, da han nu omsider kom slæbende med en usædvanlig tvær og slukøret Peder. Man kunne lige på stedet få enhver underdanighed grinet af sig.

Hvor fanden har du været, knægt? Både Hans Peter og Ivar råbte op.

Jamen, hvad helvede har du da gjort af dig selv? Du ligner jo én der har ædt rottegift!

Han har bare røget sig en del tobak!

Axel bad dem med en slags medlidende grimasse lade være med at grine alt for meget.

Men så har du vel også fået det lært, Peder?

Og Peder nikkede tugtigt. De var jo altså bare kommet fra Vendsyssel med den her pibe til ham. Og halvtreds gram tobak. Der for nogle timer siden.

Jeg tror sgu allerede han har røget det hele, blev Axel ved. Har du ikke, Peder? Du har sgu røget alle de halvtreds gram! Han er da i hvert fald fuldkommen hudløs i hele kæften!

Peder havde vendt sig og ville gå fra dem. Kunne måske så ikke få øje på andre steder han havde lyst til at være. Og Mary nåede frem og tog om hovedet på ham og ynkede ham. Og han stirrede på hende som om hun med sine hænder var i færd med helt at tage livet af ham.

Han kan jo ikke snakke, sagde Axel til hende. Så han vil nok helst have vi bare lader ham være lidt i fred, vil du ikke, Peder? For han kan jo alligevel ikke rigtig snakke, Mary, det gør vel så helvedes ondt! Så var det da godt du fik svaret præsten, mens du stadig kunne bruge mundtøjet! Det var Hans-Peter, og synd eller ej, de måtte slippe grinet løs igen.

Hvad var det du svarede præsten, spurgte Helene, og hun havde alene bevaret alvoren og sendte et langt blik op mod forsamlingshusets loft. Og det var da så typisk for hende at spørge sådan, og måske virkelig ikke engang at kende svaret, og ingen ville have kunnet holde det ud, hvis ikke det havde været så sjovt at fortælle historien en gang til. Hun blev da straks omringet af villige fortællere, og det var hun slet ikke vant til, og derfor kunne hun måske også for en gangs skyld se ud til at høre efter.

Peder overgav sig alligevel til Mary, mens de fortalte. Han lukkede øjnene og lagde ansigtet ind mellem hendes bryster. Mens de fortalte og fortalte, der bag ham.

De fortalte om det meste af hele præstens overhøring, for at få en ordentlig historie ud af det. Og han var jo for resten da så rar en mand, var præsten, det mente vel næsten enhver, men altså, ja, de fleste andre konfirmander havde skam også klaret sig så fint. Men da nu Peder viste sig måske ikke at være helt så stiv i de ti bud, så havde præsten – jo fordi han nu engang var så rar – spurgt Peder, om der ikke bare skulle være et par stykker af dem, han særlig kunne huske. Og da Peder heller ikke sådan lige med det samme kunne komme i tanker om hverken det ene eller det andet, så havde præsten sagt, at man heller ikke behøvede at vide alt. I hvert fald ikke om alt hvad man *ikke* måtte. Ja, sådan noget lignende havde han sagt, præsten. Og hvis bare man vidste, hvad man *skulle*, så kunne det vist også være godt nok.

Og hvad er det da Gud vil, at vi skal? Sådan havde han altså til sidst spurgt Peder.

Hvad er i grunden det eneste Gud forlanger af os?
Og så vidste Peder omsider hvad han skulle svare! Så var det endelig svaret kom:
Vi skal passe vore høveder!
Vi skal passe vore høveder! Heller ikke de fornuftige piger fra den østre ende af byen kunne nu nære sig for at tage de grinagtige ord i munden og sprutte dem ud omkring sig.
Vi skal passe vore høveder! Og Peder forstod måske i det samme at også han kunne føle trang til at slå ihjel.
Til at skyde og svinge en økse og meje dem alle sammen ned. Eller i det mindste slippe fri for dem ved at stikke af, flygte – løbe og løbe alt hvad han kunne, sejle langt ud på havet. Eller måske få sig en bil.
Men komme væk. Rejse længst muligt ud i verden. Finde sig et fjernt og øde sted helt for sig selv.

Det blev hans mor der hjalp ham over det værste. Stinne var kommet til igen, og de store tøser holdt inde med deres fnis og brøl. Peder lod sig mere villigt end længe omslutte af mors arm.
Kom nu med mig, sagde Stinne. Folk begynder jo snart at gå igen, hvis ikke snart der kommer noget på bordet! Op på din plads med dig!
Han kan alligevel ikke få det mindste ned, sagde Mary. Han har gået og røget sig hudløs helt ned i mavesækken!
Ja, så har han da også selv været ude om det, sagde Stinne. Måske som om hun ikke helt havde hørt det, mens hun trak af sted med ham.
Til højbords skal han i al fald! Kom så, Peder!
De kom op forbi Rigmor Lundbæk, de var ved at sætte sig der, dem fra Kristiansminde. Og Ellen sad selvfølgelig allerede, Ejnar var på vej ovre fra den anden side af salen, og Stinne fortalte i farten hvordan det var fat med Peder.

At han vistnok allerede havde haft ild i sin pibe, ja, måske også allerede røget sig en hel pibefuld tobak. Men det kunne så nok lære ham at holde måde en anden gang. Mage til lille idiot, sagde Rigmor. Og hun rakte ud efter ham og kørte hånden rundt i hans hår. Og hun smilede, men det var alligevel ikke langt fra at hun også ruskede i ham.

Peder så på Ellen. Den eneste der var til at holde ud at se på her. Den eneste efterhånden der kunne se på ham, sådan som hun altid havde gjort. Ikke det fjerneste i hendes øjne med at han pludselig skulle være en dum snothvalp eller noget. Heller ikke som om han skulle have bedrevet noget særligt med sin pibe.

Bare som om han var den almindelige Peder. Den der ellers aldrig behøvede at tænke over sig selv. Aldrig når det var hende, der så på ham.

Hun havde snart siddet der længe. Var jo blevet sat med det samme og før nogen andre, med sine lamme ben, og så havde hun siddet der og moret sig på sin måske ikke særlig synlige måde. Jo, alligevel nok med lidt krummede mundvige, og med sine klare, glade øjne. Havde siddet der og ladet sig underholde af hvem og hvad der foldede sig ud foran hende.

Og det kunne have været Thomas Poulsen der aldrig et sekund, sådan en dag, kunne glemme, hvor godt han så ud. Og han stod der nok så ·stredde midt i det hele, og han skød sit hvide skjortebryst frem og lagde sin galante arm om Hortense, og han smilede så charmant til alle sider, som optrådte han i et teaterstykke.

Eller det kunne være Peders moster Dagny der altid indlevede sig så stærkt i, hvad andre fortalte hende, at hendes egen store mund bevægede sig i takt med deres, og hendes ansigt fortrak sig fra øjeblik til øjeblik i kval og i fryd over alt, hvad hun hørte. Men som regel altså langt ud over hvad den, der fortalte, selv kunne føle ved det, og der var noget rørende ved det også, det var ikke bare så grinagtigt at se på.

Eller Ellens blik kunne være faldet på Theodora Mathiesen der vel ligesom ikke kunne tro, at hun var god nok til at være med her. Hun der sad som barnløs enke på et usselt krumsted, hun som aldrig havde set ud af noget, et magert gespenst som ingen nogen sinde havde haft den mindste grund til at regne med. Ja, sådan var hun tydeligvis beskæftiget med sin egen ringhed, og hendes mørke øjne var uafbrudt på flugt hen over gulvbrædderne, og hun krummede skuldrene sammen for ikke at fylde, og hun humpede til den ene side og til den anden side. Alt efter hendes løbende beregninger af alle andres kurs og gangart, og hvor hun selv ville være mindst i vejen.

Men Ellen ville måske så snart have foretrukket at finde noget lystigere at kigge på, og det kunne for eksempel have været Frederik Halkjær, der stadig var for nærig til at skifte sin nedbrændte pibe ud. Det her snorketræ var nu ikke stort andet end en pind med et sodet hul i enden, og der kunne ikke være to trevler tobak i det ad gangen. Frederik stoppede og tændte uafbrudt, og han bappede og bankede ud over skohælen og stoppede og tændte igen. Hvor klog og dygtig han jo ellers kunne være, Frederik, så var han nu engang med sin usle snadde blevet et klovnenummer. Som hele tiden truede med at stikke ild i enhver, der kom i nærheden.

Og hun kunne uden tvivl have fortsat meget længe endnu med sådan at rette sin diskret forlystede opmærksomhed mod den ene og den anden i salen. Og det ville måske oven i købet have været en retfærdighedsgerning således med det samme at få omtalt langt flere af de tilstedeværende, når det nu kunne ske i det mildt drilske lys, der allerede dengang strålede så stort og funklende fra Ellen Lundbæks ansigt.

Men hun blev nu afbrudt.

Ellen blev afbrudt, eller hendes synsretning blev pludselig styret af andre hoveder end hendes eget. Nogle stykker ved det nærmeste af midterbordene, og så straks en hel del flere, var begyndt at stirre på et par folk, der sad der. Og i den vildeste hast greb bevægelsen nu om sig, hele vejen ned langs det bord og op langs det næste, og kredsen af gæster, der fik øjnene klistret fast på de her mennesker, og blev stumme som skrubber af det, strakte sig på sekunder ud mod alle salens fire vægge.

Hun måtte da simpelt hen glo med. Hun måtte fortabe sig i den almindelige måben.

Det drejede sig om Tove og Volmer Viderup. Dem oppe fra Møllen, som man kaldte deres enlige boelssted, skønt der ikke havde stået nogen mølle deroppe, så længe nogen kunne huske, førhen måske heller ikke, så afsides det lå. Men her var de nu blevet sat sådan cirka midt i det hele, var Volmer og Tove, og det var jo en af grundene til at det ikke kunne overhøres, i samme øjeblik de var kommet ordentlig i gang – og de var da knap på plads – med at bide så grimt ad hinanden.

En anden ting der gjorde det praktisk taget umuligt at lade som ingenting, eller bare vende ryggen til og lade dem være, det var at Tove og Volmer – lige indtil nu her – havde gået for at være det skønneste par mennesker, man snart kunne tænke sig. De så begge ret godt ud. De tog med åbne arme imod enhver der kom forbi, bød hjerteligt indenfor i deres mugne ·rålling, trivedes vist endda så herligt med deres børn. Andet havde ingen – jo altså lige indtil nu her – rigtig kunnet mene, og der havde måske oven i købet været dem der en gang eller to, ved tanken om netop Volmer og Tove, forbandede deres egen tilværelse, for som ind i helvede da, sådan som de to skulle man selv have haft det.

Derfor *var* det altså ikke til at få øjnene fra de her onde fjæs de med ét kunne vise hinanden. Man ville virkelig også *høre* hvad der dog gik af dem. Og stilheden bredte sig som en kvælende luftart omkring dem, og de kunne ikke selv sanse det, før deres hvislende stemmer havde hugget sig ud i de yderste kroge.

Lige meget hvordan du skaber dig og stiller dig an, så tror du da ikke, din store torsk, at folk sgu da ikke for længst har fundet ud af, hvad for en skiderik du er, og er så fuld af løgn, og du aldrig har været til at stole på og snyder og bedrager, hvem som helst du kan komme af sted med.

Lød det fra Tove.

Og fra Volmer: Jeg tør i hvert fald slet ikke tænke på hvad de tror om dig, og du skulle komme fra så store forhold, vorherrebevares, din so, vi er jo ikke alle sammen idioter, nej, de skulle bare se dig i din møgbeskidte særk, og hvor svinsk du er med alting alle vegne, mage til møgso skal man denondelyneme da godt nok lede længe efter.

Og fra Tove: Du skal vist ikke ønske der bliver snakket højt om ret meget, så bliver det da sidste gang, du sidder til sådan et gilde og kan spille så pæn og glat, dit liderlige dyr, for så skal der nok være nogen der for alvor kom efter dig, ja, også nok et par mandfolk imellem her, der endelig kunne tage fat i dig og give dig alle de tæsk, der kan ligge på dig.

Og fra Volmer: De ville sgu alle sammen ynke mig hvis de vidste, hvad jeg må finde mig i og slide og slæbe for sådan en doven kællings skyld og altid komme hjem til din jammer og åh, du havde selvfølgelig fortjent en hel anden, og det kunne da aldrig blive stort nok til sådan en forbandet fisse, der fandeme da ikke engang gider lave mig et ordentlig måltid mad.

Og det var så nogenlunde hvad de fleste i salen nåede at opfange, inden Tove og Volmer omsider kunne mærke, at de optrådte for hele forsamlingen.

De fik da lukket deres giftige bøtter. De var så heller ikke længe om at skifte masker. I løbet af nul komma fem kunne de nikke og smile nok så godmodigt omkring sig. Som om der i grunden ikke var sket det mindste. Som om det slet ingenting betød.

Sådan nærmest sad de nu der og dristede sig til at se andre mennesker lige op i deres ansigter og flire så fortroligt til dem, som skulle *de* nu også uden videre have del i deres skam. Og der var selvfølgelig ingen der kunne holde det ud, sådan at føle sig trukket nedad, ned i deres rådne stank, ned i deres møg.

Der var ingen der kunne holde ud at se på dem, da de omsider igen havde fået øjnene vristet fri. De færreste kunne heller holde ud at se på nogen andre. Overhovedet ikke holde ud at sige noget til nogen, og de allersidste kom så i en fart ned at sidde, hvor det nu kunne falde. Dér sad så hele selskabet og kunne ikke komme over den afgrund som Volmer og Tove med deres djævelskab og deres dumhed havde gravet.

Mellem alt som det skulle være og som det nu var blevet. Ja, mellem dem selv, hver især, lige her, og så det almindelige liv, det rigtige, i al fald dét man hidtil havde følt sig nogenlunde tilpas med. Og havde man så bare kunnet grine ordentlig. Som de fleste vel næsten ikke kunne lade være med, lige først. Så bardus kom alt det lort fra de der pæne mennesker, og rigtig alvorligt var det i sig selv jo heller ikke. Sådan var der nu engang nogle der kunne få sig til at behandle hinanden, men at de nu sad der og ville have alle andre med i det – som om det pludselig skulle være tilladt midt på offentlig vej at trække bukserne ned, sætte sig henne foran brugsen og skide!

Nej, ingen kunne hverken bare grine ud eller få den mindste anelse om hvordan de ellers skulle komme over det. Ingen kunne komme i tanker om noget der bare kunne ligne et par brugelige ord, heller ikke engang degnen. Også han sad og glanede hjælpeløst frem for sig og turde knap nok rokke en finger, lærer Enoksen. Af frygt vel for at jorden så for alvor ville åbne sig under dem, og de alle sammen styrte durk ned i det sorteste helvede.

Ingen kunne, ingen turde. Og alligevel klyngede de fleste sig måske så allerede til en forestilling om noget helt tredje, der snart igen måtte kunne hjælpe dem: festen selv. Hvad ingen af dem havde kræfter til, det måtte *festen* stadigvæk kunne udrette, som et andet mirakel. Og bare den da nu kom i gang.

Ansigterne vendte sig mod Søren Godiksen. Det var i hans magt at give tegnet. Der skulle vel ikke være mere til hinder for det – bortset fra alting. Men tiden var jo da inde for længst. Og han sad deroppe ved hovedbordet med Stinne, og de havde fået Peder sat imellem sig, og deres lille Dagmar.

Så kunne han nu ikke godt tage at få slået på glasset?

Ikke endnu, åbenbart. Søren rørte sig ikke. Han blev ved med at kigge ned i sin tallerken, uden så meget som at glippe med øjnene. For han der, trods sin legemlige tyngde, mange gange – når det *skulle* være – kunne tænke og handle så meget hurtigere end langt de fleste, han havde nu vist fået brug for mere tid end nogen anden.

Han kunne ikke komme af sted med at rejse sig op og byde velkommen, før han syntes han forstod lidt af det, han havde været vidne til. Og Søren forstod slet ingenting. Og det ene ulideligt tavse minut gik efter det andet, og han forstod fortsat intet som helst af det.

Det stod lidt for ham som hvis en rask og rørig ko pludselig var faldet om og var død. Eller som hvis der i laden med ét skulle slå en mægtig revne, fra sokkel til rem. I en kampestensmur, man ellers havde regnet med kunne stå til evig tid. Men det var jo heller ikke for ham skaderne i sig selv der gjorde det. Tabet af sådan en ko, hvor god hun end havde været, kom man selvfølgelig også nok over. Og lademuren, man fik vel mureren til at komme, og med et par jernankre og noget mørtel fik han den så stivet af. Så den blev så stærk som måske aldrig før.

Nej, men at det overhovedet skulle forekomme. Det var dét. Som nu med Volmer og Tove. Det var dét. At sådan noget, helt uden nogen mening, altså alligevel – og når man jo allermindst ventede det – skulle ske i verden.

Stinne måtte så slå på hans glas. Og hun rakte bag om Peder, og hun stak sin pegefinger ind i siden på sin mand, hårdt ind mellem hans ribben. For han var nødt til at gøre noget nu, hvis ikke de *selv* skulle komme til at stå som dem, der havde vist sig for ringe.

Han måtte op og tale. Endelig fattede han det selv. Så meget af det hele kunne han forstå, i det mindste, og han rejste sig, og han kunne da så også se helt roligt ud over salen. Som stod han her bare ret fornøjet og kiggede på sine grise.

Velkommen til – alle sammen. Talte Søren Godiksen. I skal have tak for at I ville komme og fejre vor drengs konfirmation sammen med os. Og hvis I nu har husket at få salmebøgerne med jer, så vil vi begynde med at synge – I al sin glans. – I al sin glans – nu stråler solen. Ja, og når vi så har – ja, så deripå – så håber Stinne og mig at I vil tage til takke med, hvad vi kan byde jer.

Ellen

I 1976, først på året, var Søren Lundbæk – det opkaldte barnebarn af Søren Godiksen – nogle uger i New York. Det var kommet på mode i Europa at rejse derover. En hel masse unge mennesker, som måske ellers lige havde afbrændt amerikanske flag under den nyligt afsluttede Vietnam-krig, ville nu alligevel med egne øjne bese den imperialistiske mastodont. Ville mærke den på egen krop, inhalere og smage på hele dette – måske alligevel – ganske vidunderlige svineri. Og når de så godt som usvigeligt bedårede kom hjem igen, fortalte de naturligvis enhver, der gad høre, om deres oplevelser og fik dem mange gange også i avisen.

Da Søren nu drog af sted, vidste han altså udmærket, hvad der ventede ham, og skulle der have været et hjørne af byen, han ikke havde hørt og læst om, så kendte han det i det mindste fra en eller anden film. Det skuffede ham heller ikke engang, i dagene efter sin overstadige ankomst, at han ikke kunne få øje på noget som helst, som talløse andre ikke allerede for længst havde set. I virkeligheden eller måske også kun på film.

Søren Lundbæk var fuldt ud tilfreds med at lægge hovedet provinsielt tilbage og svimle over de sejlende glasfacader. Netop sådan som han snart i årevis havde vidst, at man slet ikke kunne lade være med. Han var alment benovet og betaget af den enorme bys multietniske menneskevrimmel, af dens humør og puls og hastighed, dens storsmilende kynisme og dens arkitektoniske underværker i det himmelblå. Lige så vel som af de endeløse avenuer med svuppende flydere gennem dampudslip fra undergrunden og de rygende gadekøkkener med saftige minder fra alverdens ildsteder.

Wow, sagde Søren bare.

En mangeårig kæreste og han var for nylig skiltes, og han havde endnu ikke mødt Ulla Bang. Til gengæld ventede der ham ved hjemkomsten en stilling i Danmarks Radio. Han var fri og forladt, en fremtid var dumpet ind ad brevsprækken, og passede dén ham alligevel ikke, ville han lade en anden komme til sig.

Og som det endnu hørte sig til på den tid, gennemvandrede han også jævnligt et slumkvarter i Bronx eller Brooklyn, ja, han boede en uges tid i et af dem. Og det frydede ham – hvor uoriginalt det end var – hver gang han blev truet på livet og måtte spæne rundt om gadehjørner, for da ret ofte at befinde sig i så skumle afkroge, at farerne var til at fornemme helt ind i skelettet. Nøjagtig ligesom talløse gispende slumturister før ham havde oplevet fattigdommen i verdens rigeste land, og samtidig sig selv som medvirkende i en af de der film. Og ligesom sine forgængere måtte Søren nu spørge sig selv, om dette mon ikke var den eneste sande måde at leve sit liv på.

Alligevel falmede det alt sammen uhjælpeligt ved tanken om Ellen.

Faster Ellen tilhørte for Søren et mytologisk univers som intet i den håndgribelige virkelighed kunne hamle op med. Heller ikke de få gange han havde mødt hende ansigt til ansigt, havde han tænkt den tanke til ende, at hun simpelt hen var et menneske. Bestående af de samme grundstoffer som han selv, bundet af tyngdeloven og flere andre mindre guddommelige reglementer.

44

Selv om han af og til hørte hvor på kloden hun nu op-
holdt sig, og hvilke bedrifter hun netop var i færd med at
fuldbringe, så satte den slags kendsgerninger ham kun i
stand til at operere med forestillinger, der var endnu flyg-
tigere end dem hans fantasi – i fuldkommen frit svævende
tilstand – kunne fremstille.

Alene det at hun i 1953, som 28-årig, var blevet udsat
for et *mirakel* – andet havde han i al fald aldrig fået forkla-
ret om det. Faster Ellen havde nære kontakter til det mira-
kuløse, og han gik omkring i New York i de første fjorten
dage, inden han kunne tage sig sammen til at undersøge,
om hun faktisk i eget kød og blod, og samtidig med ham
selv, skulle befinde sig der i byen.

Selv ikke dér, midt i denne uhyrlige ophobning af de
mest fabelagtige foreteelser, havde hendes konkrete eksi-
stens fundet en indramning, der rigtig passede og var på
niveau. Men hans mor havde dog sagt det inden han rej-
ste. Faster Ellen var der. Det skulle virkelig forholde sig så-
dan. Han ville kunne aflægge hende et besøg.

Ville kunne, og skulle og burde, havde Mary understre-
get. Og han henvendte sig da omsider i FN-bygningen. Og
han ventede illusionsløst en halvanden time, mens en
dame i receptionen – tilsyneladende uden at mistænke
ham for at være en bombe – arbejdede på at opspore *your
auntie, sir.*

Og så stod hun lige med ét foran ham.

Og hun havde et minut til Søren. Men det var jo nok til
at træffe en aftale, og et par dage efter, hen på aftenen,
mødtes de så ude i byen. For Ellen boede også på hotel,
skulle snart videre, han fik ikke fat i hvor. Men tid lod hun
nu i al fald til at have rigeligt af, da de først var blevet sat
i restauranten.

De sad der længe nok til at hun aldrig igen kunne blive
så ulegemlig i hans tanker. Men meget mindre eventyrlig

45

end hun altid havde været for ham, det blev hun dog ikke ved samme lejlighed, og heller aldrig siden.

Restauranten var vist vældig fornem. Søren Lundbæk var endnu ikke nogen kender af nogen gastronomi, der skulle vel så godt som ingenting i den retning til at imponere ham. Han havde hidtil på den tur stillet sin sult i al hast, med hamburgere eller græske salater. Men her fik de altså hummer og kalvenyrer og udspekulerede saucer, franske oste og kage, og i timevis, og de havde uafbrudt to eller tre tjenere duvende omkring deres lille bord. Han måtte mene at det var fuldkommen enestående.

Og der blev meget jævnlig skænket vin han heller ikke kunne lade stå, og en cognac syntes faster også han skulle have til kaffen. Og det var alt for meget, sagde han, og han regnede da også med at hun selv var helt klar over, at det var at kaste perler for svin. Men det kunne nu snart være lige meget, både for den ene og den anden, de snakkede uafbrudt løs.

Ellen havde selvfølgelig først forhørt sig om alle dem derhjemme, i Staun eller hvor de efterhånden befandt sig. Og Søren havde fortalt hvad han sådan vidste, eller hvad han stadig gik ud fra slog til, eftersom ingen havde meddelt ham noget andet.

Han havde alligevel ikke fået mere end et par glas på den måde før han så småt kunne samle sig til også at tage *hende* i forhør. For det havde han bestemt sig til på forhånd. Nu han endelig skulle møde hende, rigtig. Han ville ikke lade hende slippe fra sig uden at få spurgt hende, hvordan hun *selv* så på nogle af de der historier, der gik om hende.

Ikke fordi han i grunden betvivlede dem. Han følte sig temmelig sikker på at de i det store og hele og på en eller anden facon måtte være foregået i en slags virkelighed. Men de lå dog svøbt i så fantastisk et skær at enhver – der ikke samtidig ville anse sig selv for et tossehoved – var nødt til at forholde sig en lille smule skeptisk. Og Søren ville endda meget nødigt anses for bare at være ubegavet, men heller ikke gerne for at være ubehøvlet. Og der sad han nu i den klemme og sprang så halvt uforvarende ud i den mest fantastiske af alle Ellen-historier: om dengang hun blev gående.

Dén historie havde trods alt også den fordel at den i sit hovedindhold var bevisligt sand. Endvidere var det den eneste han kunne siges selv at have været noget nær vidne til. Alligevel var den – naturligt nok jo – og sådan som den altid siden hen fortaltes – blevet ved med at ligge *lige* på den anden side af grænsen af, hvad han ellers mente, han burde være villig til at tro på.

Ellen kunne også godt huske at han havde været med. Mente hun nu. Men der havde været så mange, og han var kun, hvor meget – syv år gammel? Og han var for sit vedkommende temmelig sikker på at hun selv, den dag, havde haft hovedet *så* fyldt af *så* meget andet – og især af en anden – at hans kortbuksede eksistens må have befundet sig i den yderste margen af hendes opmærksomhed.

Jo, men der var blevet taget et billede af nogle af dem, og det havde hun også. Og Søren stod altså der på billedet i korte bukser, ganske rigtigt, og stribede seler. Selvherlig i midten af det hele, den lille Søren, oppe på trinbrættet af Chevrolet'en. Med Axel og Mary fremme ved reservehjulet på køleren, og bagude en af deres vandkæmmede karle, med armene omkring hans søskende: Anne Marie langt væk i sit glamoursmil; Henrik energisk skeløjet og med abemule.

Det var på flyvepladsen i Aalborg. En søndag eftermiddag der i 1953. Juni må det have været, og der skulle være flyveopvisning, og det kunne på den tid samle et kæmpestort publikum. De var der i hvert fald fra Staun, alle dem der havde noget at køre i, eller nogen at komme op at køre med, og de var der selvfølgelig *alle sammen* både fra Bisgaard og Kristiansminde. Selvfølgelig var de det, for ikke nok med at der skulle være flyveopvisning: det var deres egen Peder Godiksen der stod for den. Han var oberstløjtnant i Flyvevåbnet, og det var ham der førte an og havde bestemt det hele.

Før det kom rigtig i gang, var Peder endda ude og hilse på dem. Han kom frem fra en af barakkerne sammen med nogle af sine piloter, men så gik han alene ud mod det hegn, der adskilte publikum fra den egentlige flyveplads. Og han spejdede op og ned langs rækkerne. Og de ventede åndeløst. Indtil han endelig fik øje på dem, og de gav sig først da til at vinke, og hans ansigt flækkede i et stort grin, og han vinkede tilbage. Og han styrede videre frem mod dem, og han var jo i sin uniform, med stjerner på skuldrene og udmærkelser på brystet. Og selv om mange af tilskuerne måske ikke vidste, hvem han var, så kunne ingen jo være i tvivl om, at han var en stor mand, og det var *dem*, han standsede op ved. Og han gik rundt og gav hånd til de voksne, så godt han kunne komme til det gennem hegnet, og de havde alle sammen moret sig over alt og ingenting, at de var der, at *han* var der, det virkede helt utroligt.

Søren huskede nu også at Peder havde sagt et eller andet til *ham*. Som han så var alt for genert til at kunne svare på.

Men det kom under alle omstændigheder meget hurtigt til at dreje sig om Ellen. Hun sad der jo imellem dem i sin rullestol, og hun havde fået det dårligt. Vistnok allerede da de havde parkeret, og det var så blevet værre og værre. Hun havde kvalme, hun var hele tiden ved at kaste op, mere og mere bleg. De kunne alle sammen se det var skidt med hende, hun var kridhvid i hovedet, da Peder rakte hende hånden. Og hun havde jo ellers sådan glædet

48

sig, det sagde sig selv. Hun havde glædet sig endnu mere end nogen anden til den dag.

Axel spurgte da Peder om ikke der var et sted, hvor Ellen måske kunne komme ned og ligge lidt. Og Peder vinkede med det samme efter et par soldater, og de fik besked på at hente noget værktøj.

Ellen skulle køres ind gennem hegnet og over til den barak, hvor Peder havde sit kontor. For der havde han også en briks, dér kunne hun ligge til hun fik det bedre.

Soldaterne kom løbende tilbage, og de gik løs på hegnet med knibtænger, og dem fra Staun var ved at blive mast af alle de andre, som også ville se, hvad der foregik. Som om det pludselig var det her med et hul i hegnet, de var kommet efter. Men så kunne Axel altså trille Ellen ud igennem det og hen over den forbudte jord, som Søren for sig selv havde kaldt det militære område. Og Peder stod lidt tilbage hos dem, som om han skulle tænke over noget. Men der var åbenbart ikke noget alligevel. Og han lettede lidt på kasketten og nikkede rundt. Gav soldaterne ordre til at reparere hegnet.

Jeg kører selv med Ellen derover, sagde han så til Mary eller Emma. Og Axel – går du ikke også med?

De var da gået. Axel og Peder havde hver en hånd på kørestolen, og de andre stod der og så efter dem. Og Mary havde igen forsøgt sig med en lille latter, og hun havde sagt:

Ja, se bare, de går deres vej, de tre! Det er jo som det altid har været!

Og hvem véd om ikke det er indbildning, sagde Søren nu til Ellen og nippede nok en gang. Men Peders ansigt – da han der en sidste gang vendte sig og vinkede til os – jeg tror stadig jeg kunne mærke, at det satte sig i min hjerne. At han nærmest fysisk tog plads i mig!

Det er klart, sagde Ellen. Det gjorde han jo.

I hvert fald har jeg altid siden set ham, og det hele – de der minutter – fuldkommen tydeligt for mig. Det smil der bredte sig over hans ansigt! Men ligesom han også ville have sagt at det var da synd for *dig*, Ellen – at du nu lige præcis den dag skulle blive så utilpas. Men snart skulle vi andre så alligevel se løjer! Og det skulle Peder Godiksen nok sørge for!

Jo, sit allermest lysende lømmelgrin havde han sikkert sendt dem alle sammen. Men frem for alt var han naturligvis blevet til sådan et billede af sig selv, både for Søren og de andre, fordi det nu var sidste gang, de så ham. Umiddelbart efter at han endelig havde vendt sig fra dem – og Axel og han trillede videre over mod barakkerne med Ellen – var Søren selv i al fald mere optaget af de soldater, der sad på knæ dér foran ham og makkede med at få hegnet lappet sammen.

Axel nåede lige tilbage og kunne krænge sig igennem det, inden hullet var helt lukket igen. Og så startede opvisningen. Jetjagerne fløj i formationer. De tegnede figurer på himlen med farvede røghaler, og de loopede og roterede omkring sig selv. Og de fløj ganske tæt sammen, og ganske tæt over jordoverfladen, og de stejlede i vifteformer højt, højt oppe i det blå.

Det var det mest fantastiske cirkus, og Søren var jo ved at tabe både næse og mund, alt imens det tordnede og hvinede i ørene på ham. Men hvor mange ture fik han med, inden ulykken skete? Inden en jager ligesom snublede i luften, og styrtede nedad, og slog kolbøtter hen over betonbanen.

Da forsvandt jo alt andet fra den dag. Og måske fra mange andre dage: i dette ene flammende og bragende katastrofesyn. Hvad de ellers havde kunnet rumme i sig derude ved hegnet, ja, hvem de hver især var, og hvorfor de stod der – det dukkede kun sådan underligt stødvist og ligesom tilfældigt op. Pinagtigt, lidt efter lidt, som efter en bedøvelse. På samme måde som de efterhånden kunne få øje på en forbrændt og forvredet vragstump her og der ude over terrænet.

Der gik uendelig lang tid, og måske virkelig en hel time, inden de fik noget at vide. De bemærkede i mellemtiden et par ambulancer. Et par brandbiler. Nogle militære køretøjer, og af og til nogle soldater der flintrede af sted, frem og tilbage.

Mange tilskuere havde trukket sig noget væk. En del var sikkert allerede kørt hjem. Men *de* måtte jo blive der, *måtte* jo. Uanset hvor længe det ville vare.

De måtte have besked. Og selvfølgelig også have tilladelse til at gå over efter Ellen, i en barak et sted derovre, i nærheden af det sted hvor hovedparten af det forulykkede fly var strandet. Det var vel i grunden det der hele tiden gjorde dem mest urolige, tanken om Ellen derovre. Om hun skulle være kommet til skade. Det tænkte de allermest på. For det med flyet, det med piloten dér, hvorfor skulle det da lige være dét fly?

Det kunne de næsten ikke tænke. Så galt kunne alting vel ikke gå for dem på én gang. Og så kom beskeden over en sireneagtig højttaler. Vores chef. Oberstløjtnant Peder Godiksen.

Han blev kun treogtredive. Og Søren var syv år, han kunne ikke føle sorg. Eller kun flygtigt. For naturligvis kan drenge i den alder, børn i det hele taget, slynges ud i de voldsomste følelser, men døden, den kan de nok ikke for alvor tage ind. Ikke i andet end en drømmeagtig gysen. Dens virkelighed vil de endnu støde fra sig, som en hund over for en fært af noget, den ikke vil ud i. Men som måske *alligevel* bliver ved med at pirke til dens vildt snusende og snappende nysgerrighed. Og det var sådan Søren kiggede på sin morfar, Søren Godiksen.

51

Søren kiggede op på det gamle hoved, som han jo syntes det var, med sådan en hundsk nysgerrighed. Også fordi han havde forstået, året før, hvor forfærdelig hårdt det havde været for hans morfar, da hans mormor var død. Han ville nu *se* det på ham. Se hvad sorg og tab var for noget. Hvordan det var i sin fulde styrke og dybde at måtte føle det. Og han fik set en tåre i hvert af Søren Godiksens øjne.

Men også at det lille smil, som hans halvåbne mund plejede at antyde, at det alligevel blev siddende på hans ansigt. Det virkede bare uhyggeligt.

Hvad der videre skete, fik han slet ikke ordentlig rede på. I bilen, på vej hjem, gik det først op for ham, at Ellen åbenbart var blevet taget med af en ambulance, og at hun var indlagt på Aalborg Amtssygehus. Og at de ikke kunne få mere at vide.

Det var for så vidt heller ikke for at fritte om flere detaljer at han havde siddet her – på denne her chikke restaurant i New York – og så vidt og bredt fortalt hende, hvad han huskede om Peders ulykke.

Han vidste jo at hun allerede var kommet over sin lammelse, da de dagen efter flyveopvisningen igen kørte til Aalborg for at besøge hende på sygehuset. En læge havde vist også allerede sagt det til hende selv. At det kunne se ud til, at hun måske kunne komme til at gå igen, eller rettere: til at gå for første gang i sit liv.

Men hvad Søren nu meget gerne ville høre, det var om hun selv havde tænkt på sin helbredelse i lige så mystiske forestillingsbaner, som alle andre altid havde gjort.

Jeg havde nok alligevel fået en slags kristelig opdragelse af dine bedsteforældre, sagde hun. De var i gang med kalvenyren. Hun lagde bestikket fra sig.

Kristelig nok i det mindste til at jeg skyede al overtro!

Og at Peder skulle gå op i flammer, i et fly til en million, for at jeg kunne komme på benene, det ville da virkelig være for vulgært. Synes du ikke? I al fald et arrangement jeg altid har anstrengt mig til det yderste for at holde Vorherre uden for.

Det var så bare et underligt tilfælde, mumlede han.

Det værste er at jeg havde drømt det, Søren! Mange gange endda. Og så længe jeg kan huske tilbage. Sådan en drøm der kom tilbage igen og igen. Og selvfølgelig nok lidt forskellig fra gang til gang, men altid noget med at jeg befandt mig alene i et stort hus, eller en lade eller en slags pakhus. Og der lå jeg på gulvet, i halvmørke. Eller der var måske faktisk bælgravende mørkt, og jeg havde ikke en trevl på kroppen. Og så med ét skete det der meget voldsomme! Og jeg kunne ligesom også i drømmene huske de tidligere drømme. Altså hvad der skete fra drøm til drøm. Så jeg vidste altid, nu sker det igen! Huset bliver bombet! Eller taget braser sammen. Et tog kører igennem! Murene vælter. Og der bliver meget lyst, og stille. Og omkring mig ligger et eller andet fantastisk landskab. Og det har hver gang føltes lige dejligt, og alligevel også altid helt forfærdeligt!

Et landskab ligesom det derhjemme? Og du har så rejst dig og er gået ud i det?

Vel har jeg ej, og jeg skulle aldrig have fortalt dig om det! Men nu er jeg jo begyndt. Ja. Jeg drømte altså også den drøm den dag der ude på flyvepladsen. Hvor jeg lå og sov inde på Peders kontor. Men allerede inden det skulle ske. Eller inden jeg i drømmen vidste at det var *nu*. Så skete det bare! Hele rabalderet. Og jeg havde jo også følt mig syg, i nogle timer før. Hele dagen. Og jeg lå så der, og drømmen var begyndt. Men så blev jeg altså bare væltet omkuld, med briksen. Og der lå en halv vinge oppe over mig. Og ydervæggen var smadret. Så jeg kunne kigge lige ud. I et ganske vist ikke særlig indbydende tjørnekrat! Men alligevel, og er du så tilfreds?

Jeg er måske tilfreds med ikke at skulle ændre min opfattelse af noget som helst! Jeg kan roligt blive ved med at forstå det, sådan som jeg har lært det skulle forstås, helt fra jeg ikke var større end som så. Det var et mirakel!

Det var et tilfælde, lille Søren! Det véd du da? Det er jo den eneste måde man kan forstå sådan noget på. I hvert fald den bedste. Det var selvfølgelig et rent tilfælde. Mere fornuftigt kan ingen mennesker overhovedet se på den sag. Og jo heller ikke mere irrationelt!

Som faster vil, sagde han.

Desuden har jeg aldrig bekymret mig særlig om at *forstå* det i det hele taget, sagde hun. Eller overhovedet beskæftiget mig ret meget med det. Jeg har jo heldigvis haft nok andet at tage mig til. Og hvis du tror, og det gør du jo nok, at jeg har gået og følt mig inderlig taknemmelig over at det skete, så tager du i al fald halvvejs fejl. Og nu ser vi altså også helt bort fra Peder. For det kommer jeg vel aldrig over. Men det var jo ikke fordi jeg havde et dårligt liv, før jeg gik. Jeg havde det fint!

Jeg tror godt jeg kan huske, at du virkede sådan, sagde han.

Jamen, det *havde* jeg! Jeg klarede mig jo lige så godt som de fleste andre. Havde skam endda været en af de dygtigste på Ranum Seminarium! Og jeg var glad for mit job på Nibe Folke- og Realskole. Var jo også begyndt at skrive lidt om uddannelsesspørgsmål, og de varme lande og sådan noget. Og modtog så allerede små hilsner fra folk jeg beundrede højt, højt. Jeg følte mig da helt kolossalt i vælten! Og jeg skænkede det faktisk aldrig en tanke at jeg skulle kunne udrette mere, hvis jeg ikke sad i kørestol. I hvert fald ikke før jeg havde gået allerede ret længe og første gang kom til Afrika. Da kunne jeg da godt se at det var meget praktisk at kunne rende rundt og kigge her og der. Uden hele tiden at skulle have en eller anden korrupt embedsmand til at sætte kursen.

De snakkede om Afrika. Og om hvad hun havde foretaget sig dernede, og hendes beskedenhed virkede stadig så ureflekteret, at den uafbrudt kunne gå hende bag om ryggen. Jo mindre hun lod det lyde af, jo vældigere måtte det forekomme ham. Og han forhørte sig selvfølgelig også om Pedershaab. For nok havde han heller ikke tvivlet om dette fabelagtige fænomen, men han ville dog gerne for en enkelt gangs skyld have det bekræftet af hende selv. Tusind gange havde navnet jo allerede gjaldet derhjemme, og altid i samme øjeblik faster Ellen kom på tale.

Ja, Ellen, og man hævede stemmen: Hun har jo grundlagt Pedershaab i Afrika!

En slags skole skulle det være, for en lille bys fattige børn. Men det kom altid til at lyde som om det var en institution, der fyldte det halve af kontinentet. Ingen kerede sig åbenbart om at vide noget mere konkret om den. For det storslåede var naturligvis ikke bare at nogle negerbørn var kommet i skole, det var jo frem for alt at Ellen havde sat sin fætter Peder et evigt minde. Pedershaab! Det var næsten ikke til at sige for nogen uden at få vand i øjnene.

Ellen kunne dog nu aldeles tørt orientere ham om skolens beliggenhed i Bazunga. Og om dens elevtal, og om dens finansiering, og at hun i øvrigt ikke i flere år havde været på den. Men det ville hun altså også snart igen. Hun havde i sin tid fået lov til at give den et navn. Meget mere havde hun ikke haft lejlighed til at bidrage med siden.

Jeg kan jo ellers ikke huske ret meget andet om morbror Peder, sagde Søren.

Han var en dejlig dreng, svarede hun.

Og hun kiggede ned på sin kage, som om det var et emne de ikke for hendes skyld behøvede at komme yderligere ind på. Så de snakkede endnu en gang om alle de andre derhjemme, mens han spekulerede videre over det med hende og Peder. Men så især over det andet, med hende og ham negerhøvdingen. Og han kunne stadig ikke finde ud af hvordan han skulle få spurgt til det.

Det var heller ikke noget de nogen sinde var kommet direkte ind på i Staun. Og at Ellen selv engang havde nævnt forholdet, mens alle hørte på det, det havde ikke fået følger i nogens hukommelse. I al fald ikke i den del af den som man nogen sinde lod få ordet.

Søren regnede alligevel med at flere end han selv i al gedulgthed havde været ret glade for at tænke på, at Ellen ikke hele sit liv var blevet hængende ved tanken om Peder – en barnekæreste som måske end ikke kunne kaldes dét. Det var da meget bedre lige så stille at forestille sig at hun også havde haft sit sjov med nogle af de sorte. Og han ville nu høre det igen. For fanden da, han ville *høre* det fra hende selv. For endelig at kunne give helt los for et indre hurra.

Men der lå så ikke alene det i det, at hun skulle have giftet sig med den her høvding. Der gemte sig noget endnu langt mere unævneligt i den historie. Og derfor sad han temmelig længe og famlede med sin cognac, inden han fik lusket en forsigtigt spørgende antydning ud mellem tænderne.

Om jeg var Adams *første* kone, grinede hun. Eller om jeg var hans eneste? Det er det du mener, ikke?

Søren nikkede en lille smule, med glasset oppe for næsen.

Du har ret, Søren, det er jo sandt i al sin skandaløse trivialitet! Det ene her, og det andet der. Og mit hoved var meget *der*, da jeg giftede mig. Jeg havde næsten glemt hvad der er god skik og brug i Danmark. Og så syntes jeg selvfølgelig også at ham der Adam var smaddersød. Og at han så havde et par koner i forvejen, det gjorde det sådan set bare endnu bedre. For jeg synes næsten endnu bedre om dem end om ham selv!

Du ser dem måske ikke så tit længere?

Så tit jeg kan. Hende der lever. Ayisha – hun er jo mit livs lykke! Nå okay, en af dem. En af alle lykkerne.

Jeg kan alligevel godt forstå at mor, sagde hun så. At mor – for eksempel – vist ikke syntes, det var så rart at tænke på. Ærlig talt. Det kan jeg ærligt talt også selv. Godt forstå.

Bedste var pavestolt af dig til det sidste, sagde han.

Derhjemme har jeg jo heller ikke benyttet mig af hver eneste chance til at gøre rede for mit ægteskab i alle detaljer! Det har jeg da næsten altid, *næsten* altid, været for fej til. En af undtagelserne var faktisk her for ikke så længe siden, jeg var i København. Men da kunne jeg så pludselig *bruge* det! For ikke at blive udnævnt til en eller anden slags heltinde. For der kom sådan en rødstrømpe – var hun vel? – hun ville skrive en bog om mig. Og en meget sød pige, det var ikke dét. Men jeg sagde så til hende at jeg bare var en ganske almindelig haremskone. Og hvis hun ville skrive om mig, burde hun skrive om os alle tre. Eller to i al fald. Nå, ja, det ville hun da så tænke over. Svarede hun. Ret tappert. Selv om det selvfølgelig kun var alt for tydeligt at hun ikke hurtigt nok kunne komme langt nok væk fra mig!

Ellen Lundbæk kunne underholde sin nevø Søren i det endeløse. Da hun også beskænkede ham så generøst, kom hendes ægteskabelige liv måske aldrig til at stå helt skarpt for ham. Noget andet som, sent på aftenen, alligevel bed sig fast i hans svinglende bevidsthed, var et stemningsskift. Og han havde måske lidt for plørefamiliært takket hende for at hun sådan havde fortalt ham alt om sit liv. Og hendes blik på ham ændrede sig da. Eller fjernede sig. Eller det *så* rigtigt på ham.

Det er jo kun historier, syntes han så, hun sagde. Og at hun tilføjede noget lignende som: Bare et billigt *drug*.

Ja, bare et billigt *drug*, sagde hun. Men okay, kære lille Søren, du som vil tale med mig om livet, okay da. Jeg kan da heller ikke selv klare mig uden sådan et billigt *drug*!

Hun håbede vist også for ham at han nu havde fået en passende dosis.

Det havde han måske netop ikke. De dage han havde tilbage i New York nærmede sig under alle omstændigheder et *bad trip*.

Han mistede nu smagen for slummens pittoreske kriminalitet og hæftede sig mere ved den kriminelle brutalitet i *hele* det amerikanske samfund. Ved den allestedsnærværende sociale terror der fik folk til at halse hysterisk omkring efter penge. Han fik med det samme mindre sans for charmen ved så mange automatisk smilende menneskers næsten altid totale uvidenhed om alle andre lande og deres deraf følgende tåbelige overbevisning om, at de levede i det allerbedst tænkelige. Hans begejstring for selv den åbenlyse dynamik og det selvtillidsfulde gåpåmod hos dem, der ikke balancerede alt for tæt på afgrunden, ja, den faldt da nu også brat, og han kunne så næsten ikke se andet end en trist og indskrænket materialisme, pumpet op med infantilt selvkredsende religiøsitet.

Det var naturligvis uretfærdigt set af Søren Lundbæk. Det forstod han alligevel også selv, og allerede da han havde vendt næsen hjemad og sad ti kilometer over Nordatlanten.

Det var ikke rimeligt at bedømme Amerika på den baggrund han nu havde gjort. Det var simpelt hen ikke *fair* at holde noget land i verden – end ikke det allermægtigste – op imod hans faster Ellen.

1967

Allerede mens de første vers af den her sang blev sunget, sad man og spurgte sig om forskelligt. Måske ikke så længe lige om hvem den var *fra*, sangen. Nok stod der ingenting forneden, men man kunne jo med det samme forstå, at det måtte være sønnerne. Det var ligesom deres barndomsminder, og som en tak til Emma og Orla var det hele selvfølgelig ment. Ingen havde vist heller forestillet sig andet end at de altid havde været et par gode forældre.

Men om Anders og Niels Jørgen selv havde skrevet den? I så tilfælde måtte de siges at være sluppet pænt fra det, ualmindelig endda. Kunne selvfølgelig også tænkes at de havde fået hjælp fra deres moster Mary. Hun havde jo evnerne. Læste alverdens bøger. Kendte alle ord. Eller Søren Lundbæk kunne have ført pennen for dem. Deres fætter Søren, for et eller andet havde han vel fået ud af at gå på universitet?

Eller var de mon bare – som så mange andre ville have gjort – kørt til Nibe og havde fortalt Johannes Ebbesen et par ting de sådan kunne huske. Der skulle aldrig så meget til, så var han klar med den første halve snes vers. Han havde hele sit liv siddet i Sparekassen og kendte de fleste af egnens folk. Hvis dét alene kunne gøre det, nej, noget af en digter måtte han nok siges at være, Ebbesen, vel nærmest en halv Aakjær, hvem havde forestillet sig det i alle de år, han bare sad dér ved kassen? Og sangen her, jo længere man nåede frem i den, det *måtte* være en af hans. Med

59

alt hvad han lige nøjagtig kunne få til at rime, og uden så meget som en stavelse der ikke fuldstændig passede til „Fiskerpigens Sang".

Men om der så kom flere fra Ebbesens hånd? Senere hen på aftenen? Havde flere andre måske også været nede ved ham, eller kunne det tænkes at nogen til lejligheden havde lagt hovederne i blød og selv fået noget skrevet sammen? Ja, hvor mange sange ville man i det hele taget nå op på ved sådan en fest?

Der var flere vers endnu, og både den ene og den anden fik også tid til at spekulere over, hvem der mon ind imellem sangene, og maden da, ville rejse sig og holde en tale. Eller hvem der kom først, og hvor mange det så kunne blive til? Hvis man så bort fra dem der måske bare lige lettede på sig for at udbringe en skål og råbe hurra. Hverken degn eller præst var jo med. I Enoksens tid havde man i det mindste kunnet være sikker på at der blev holdt en enkelt tale. Og en *ordentlig* tale. Hvor der ligesom blev sagt, hvad der egentlig var at sige. I hvert fald af den slags der kom andre mennesker ved.

Så havde der førhen været noget familie, på Emmas mors side, oppe fra Vendsyssel, og især en morbror der kunne tale så vældigt, og lidt ud i det blå måtte man vel sige – om alle bondelivets herligheder, og om fryden over lærken og det nyspirede korn, og så videre, og den gyldne augustaften hvor de sidste neg blev kørt i hus.

Kunne nu bare se ud til at det var gledet ud med ham. Med de fleste andre der nordenfjordsfra, Stinne havde nu også været død i mange år. Men Axel Lundbæk ville da nok tage ordet. Og de måtte sikkert endnu en gang høre hvad Thomas Poulsen kunne finde på at forlyste dem med. Og så vel også Dagmars mand, skulle man tro, Jens Vilsted, Farsø. Det kunne snart ikke tænkes at han ville lade nogen lejlighed gå fra sig. Og så – selvfølgelig jo –

Orla Jensen selv. Og det kunne nu nok blive hvad øjeblik det skulle være.

Det var også hvad han selv tænkte, Orla. Og hvad han på det nærmeste besluttede sig til, mens de sang det sidste vers. Han overvejede det stadig, da både Anders og Niels Jørgen havde dirigeret deres tre hurraer – og så det lange – og så en omgang 'De skal leve' – overvejede det fortsat, da han også selv var kommet op af stolen, for at skåle med sine sønner.

Han overvejede at blive stående. Måske få begyndt på den måde: Nu jeg alligevel er oppe at stå – ja, så lad mig da også lige sige et par ord – til Emma. Men dem han så skulle bruge, de ord han nu igen under sangen havde siddet og tænkt over – og det var bare lige de allerførste til at komme i gang på – de var allerede ligesom ved at smutte fra ham igen.

Nu hvor det gjaldt. Og han satte sig. Og Emma stak en hånd ind under hans arm, og det var for at de sammen skulle glæde sig over hvor godt det gik, og hvor flot drengene havde klaret det. Men det var også for at minde ham.

Sådan mærkede han det. Emma mente bestemt at det skulle være *nu*. Men hvad var det så i grunden hun ville have ham til at sige? Hvad var det han også selv havde tænkt sig, og endda gået og gumlet på i ikke så få dage her?

Vel bare noget i retning af at femogtyve år nok i nogens ører – og selvfølgelig da især i de unges – kunne lyde som lang tid. Men det *kan* også føles som om det næsten ingen tid var. Og det er på den måde jeg har det med de år, jeg har været så heldig at være gift med Emma!

Jo, noget i den stil havde han pønset på. Og så ville han allerede være et pænt stykke ude i det. Hvis det altså alligevel ikke ville lyde helt forkert?

Ikke fordi nogen her ventede at han skulle folde sig ud

som den store taler. Det vidste de alle sammen at han aldrig havde været, og det var nu sådan set en fordel. Men de ville til gengæld regne med at han mente hvert ord, han sagde. Det ville han også selv. Og han ville for ingen pris risikere at komme til at stå og sige noget der kunne virke på nogen måde forlorent eller opstyltet, som det rene bavl. Tanken om dét fik ham med det samme til at føle sig endnu tungere af flovhed. Fornemme en slags skam som aldrig ville være til at ryste af sig igen.

Og den begyndelse han altså havde fundet frem til, mon ikke den simpelt hen var for stor i slaget? Kom den alligevel ikke til at virke sådan lidt for blærerøvsagtig? Uanset hvor jævnt og almindeligt han fik det sagt. Ville ligegodt lyde som om han prøvede at spille fin mand. Og det var vel også grunden til at alle de fine ord blev ved med at slippe fra ham igen. Måtte hellere tage det som et vink. Han gjorde helt sikkert bedst i at glemme dem.

Emma havde omhyggeligt skålet ned langs hvert af bordene og var nu tilbage med en hånd på hans arm: Jeg går ud til Else og hører om hun kan vente nogle minutter med stegen!

Og så var hun allerede oppe og på vej, og Orla Jensen forstod. Han havde nu fået nogle minutter, til at samle sig. Vel ikke engang ti minutter, slet ikke så meget som et helt kvarter var der længere tilbage af hans femogtyveårige ægteskab. Nej, nogle få minutter, sådan var det nu bestemt. Mindre end fem minutter var det nok i virkeligheden. Ikke et sekund længere havde han. Så var det slut.

Hvor mange sekunder kunne der så alligevel ikke være i de minutter? Emma skulle trods alt ud i køkkenet, hun skulle knevre noget derude, og tilbage igen. Et par tre hundrede i hvert fald, måske endda oppe omkring fire hundrede sekunder, og de var alle sammen stillet til hans rådighed, hvert eneste af dem, det var da nådigt! Hvor mange flere fine ord kunne de ikke give plads til at hitte på!

Og idet Orla sådan gjorde sig klart at hans hoved for længst var lagt på blokken, indså han med det samme flere andre ting. Frem for alt: han måtte begynde forfra. På en frisk, mumlede han, på en frisk, og han vidste også allerede hvordan dét så skulle gøres, så nogenlunde. I hvert fald at den facon på hans tale nok ikke ville passe hende.

For ham selv, og det måtte han vel også et øjeblik have lov at tænke på, for ham var der nu ikke andet at gøre. Sådan havde det med det samme bestemt sig i ham. Ikke andet at gøre nu. Ikke som den han var. Det havde han i grunden også vidst lige fra de satte sig til bords: han ville blive nødt til bare at sige alting som det var. Andet og mere end det ville han aldrig kunne se til ende. Og så måtte Emma jo mene at han var pinlig. Og alle andre at han var et forfærdeligt drog at høre på. For var det bare sandheden der skulle frem, så kunne det ikke blive til stort mere, end hvad enhver vidste i forvejen.

Ikke noget der kunne lyde af noget som helst. Det måtte de så finde sig i, dem alle sammen. Så kunne de da endelig også få at høre af hans egen mund, hvad de selv tænkte. Få at høre at sådan *var* det altså bare, og noget som helst andet ville der heller aldrig blive at sige om den sag. Og Emma, ja, hun måtte sgu da nu også – i dagens anledning – hun måtte lige det par minutter kunne holde ud at han snakkede om alt det, der var kommet til at betyde allermest for *ham*, i hele *hans* liv. At han selvfølgelig altid havde været den lille!

I forhold til hende, det sagde sig selv. Og jo i forhold til hendes familie. I forhold til gården. At han lige fra de blev gift, ja, længe før det også, havde været den lille, og stadig var den lille! Eller den der i al fald ikke uden videre var så meget værd. Den der altid måtte tænke på at anstrenge sig.

Og simpelt hen fordi han altid havde villet have hende mere – og stadig ville have hende mere – end hun havde villet, og ville, have ham.

Der kunne være andre grunde. Som jo kun var alt for nemme at forstå for hvem som helst – jo, jo, at han uden at eje noget var blevet mand på Bisgaard. At han havde opnået alting gennem hende. Det var der endnu så mange der godt kunne lide at huske på. Ja, alt det der forbandede gamle lort!

Men det havde slet ingenting haft at sige, hvis det ikke var for det andet. Aldrig det mindste, hvis Emma ikke altid *selv* havde fået ham gjort til den lille! Til den ringere.

Eller hun havde *måttet* gøre det. For hun ville da ikke. Det vidste han trods alt også. Hun ville da gerne have haft at han kunne have været hendes ét og alt.

Hun var nu ikke kommet længere end nogle få skæve trin hen langs hovedbordet, for hun måtte selvfølgelig endnu en gang sige tak til sine drenge, og holde om Niels Jørgens skuldre og række over og rode lidt op i Anders' frisure. Han havde fået krølhår til ned over nakken, og hun skulle stadig lige vænne sig til det. Men det var nu de bedste drenge i verden, og de havde hver sin smarte og friske kæreste med, Winnie og Majbrit, og Søren Lundbæk sad der sammen med dem og så trods alt også ud til at more sig noget så herligt.

Selv om han altså *ikke* havde nogen med. Selv om han på et tidspunkt havde ladet forstå at det ville han da gerne, have en kæreste med. Og der var blevet sendt en ekstra invitation. Og han var så alligevel kommet anstigende uden nogen. Og uden nogen nærmere forklaring. Og det var der så heller ingen der havde spurgt til og blandet sig i. Søren havde bare fået sin bedstemor til bords i stedet for, og de havde sådan set også haft nok at snakke om, Rigmor og

ham. Når han indimellem havde tvunget sig til at und-
være sine fætres noget mere lettilgængelige underhold-
ning.

Den havde jævnlig fået en tand til, når den ene eller den
anden havde været ude og nippe eller måske slubre af den
flaske snaps, de havde gemt under loftstrappen. For nok
blev der som noget nyt serveret vin til det her sølvbryl-
lupsgilde, men drengene havde på forhånd været klar
over, at der kunne komme til at gå temmelig lang tid mel-
lem opskænkningerne. De havde da også straks, som et
udtryk for hvor glade de var for at se ham igen, orienteret
Søren om redningsflasken derude.

Men nu var de altså, både Anders og Niels Jørgen i
munden på hinanden og unødigt højrøstet, i gang med at
remse op over for hans moster Emma hvad de havde væ-
ret så hensynsfulde at lade være med at komme ind på i
deres sang. Alt hvad der ikke udelukkende havde været
den perfekte mor ved hende, var det vist. Hun hørte slet
ikke efter.

Emma havde givet sig i alvorlig snak med Rigmor
Lundbæk. For det var selvfølgelig først om hendes Ejnar,
og det var jo sådan en skam at han ikke kunne være med.

Jamen, det er det da, sagde Rigmor. Men der er vel hel-
ler ikke andre af dem, der ligger på kirkegården, der er
med? Og hendes ansigt lyste op, hun blev som altid flere
årtier yngre – et par sekunder – når det anede hende, at
hun måske endnu en gang var slumpet til en bemærkning,
der kunne blive stående i familien. Og Emmas røde mund-
tøj var med det samme begyndt at falme en anelse, og det
var allerede et rigtig godt tegn.

Men så Ellen, fik Emma alligevel frem. Din Ellen – ja,
hende er vi da også så frygtelig kede af at vi heller ikke
kunne få med her i aften!

Ja, det er jo straks værre, sagde Rigmor. Og det var nu

overhovedet ikke ment som et forsøg på at følge succesen op. Modsat stort set alt andet i verden var Ellen ikke at spøge med for Rigmor, og hun havde hurtigt anlagt en maske der tydede på, at stærke religiøse følelser slet ikke var hende så fremmede, som man almindeligvis skulle tro.

Ellen har nok vigtigere ting at tage sig til, fortsatte hun i sådan en tone, der på forhånd gjorde enhver mulig indsigelse til en fornærmelse. Søren genkendte også ordlyden. Det var helt den samme som hans bedste havde tilrettevist ham med, da de sad over tarteletterne.

Ja, det har hun da uden tvivl, nikkede Emma nu. Lige så artigt som han selv havde gjort.

Ellen arbejder med nogle af denne klodes problemer som de fleste af os andre end ikke kan fatte! Rigmor formede denne sætning på en slags købstadsprog for at understrege afstanden mellem Ellens bedrifter og alt, hvad man ellers kendte til. Og det blik Søren før havde fået, og som fortalte ham, at han uden tvivl hørte til dem, der *overhovedet* ingenting fattede, det fik nu Emma.

Nej, vi véd jo ikke mere end hvad vi måske lige får set i fjernsynet, mumlede hun.

Men så kan vi jo til gengæld sidde her og fylde på os, vedblev Rigmor. Vi kan da lige finde ud af at sidde og mæske os og æde og drikke og sludre løs om vores egen bitte gøren og laden, og andet egner vi os såmænd nok heller ikke til!

Jeg håber ikke du helt har ret, Rigmor! Emma havde bevæget sig et lille stykke baglæns og dristede sig vel derfor nu til at sige lidt mere, end Søren bare havde turdet tænke.

Han havde aldeles tamt modtaget den bedstemoderlige dom over sin ubetydelighed. Men jo også, ligesom nu Emma, haft lyst til at stikke af. Og han løftede igen, for dog på anden vis at komme lidt videre, sit glas og ville skåle.

Og idet han sådan vendte sig mod Rigmor, blev han

fanget af et tredje blik på sig. Ovre fra midterbordet, for der sad hans morfar. Øverst oppe i hjørnet, lige foran Orla, der sad Søren Godiksen med sit lille smil og stirrede på ham. Og Søren Lundbæk smilede tilbage, og han løftede glasset over i den retning.

Der skete så ikke mere. Den gamle bevægede sig ikke. Hans glas stod urørt foran ham. Han blev bare siddende med blikket fast rettet mod sin dattersøn, og det røbede ikke klart om det var genkendelse eller nysgerrighed, der fastholdt det. Eller noget helt anderledes uvist.

Søren Godiksen sad muligvis og sagde til sig selv at han da kendte det ansigt. At han havde truffet den unge mand.

Forestillede denne unge mand sig nu: at den gamle måske også tænkte, at han altid havde sat pris på den knægt. At det i dette øjeblik kom ham sådan for. Men at han jo også måtte spørge sig, hvem han så kunne være, den unge – en af hans karle? En han førhen havde haft i sit brød? Eller måske bare én han havde haft i tankerne. Aldrig fået fæstet. Hvis altså ikke han var noget familie, simpelt hen. En yngre bror. Til hvem det nu måtte være.

Og Søren Lundbæk kunne ikke lige komme ud af sin morfars hoved igen. Han blev ved med at tænke, hvad han kunne blive ved med at tænke derovre. At han med alderen havde fået alt for mange mennesker at holde rede på. Som nu ham den unge dér, der havde løftet sit glas.

Skikkelig fyr vel ellers. Måtte Søren Godiksen nok mene. Håbede hans dattersøn, for sig selv. Men også at den gamle dog inden så længe ville spørge en eller anden derovre, hvem han var.

Søren Lundbæk holdt stadig sit glas løftet, og håbede. Ville så gerne de bare kunne skåle og hilse. Bare sådan være sammen igen, som de havde været hele hans liv, ja, så meget nærmere sammen, lige fra han kunne huske noget, hans morfar og ham, de to Søren'er. Og måske derfor, nej, der var mange andre grunde, der var kommet tusind andre grunde, og han løftede sit glas højere endnu. Han vinkede med sin anden hånd, men så nu sin morfar sænke blikket.

Så ham snart dreje sig halvt i sædet. Og at han så gav sig til at kigge på Orla, dér lige ved sig. På sin svigersøn, sølvbrudgommen. Ligesom spørgende kigge på ham.

Orla var langt væk. Langt tilbage i tiden. Og langt ude i sine tanker, om alt hvad han pludselig ville sige. Bare om alt det der havde *været*.

Og bare som det *var*. Var endnu, inden i ham, og han ville fortælle dem at han selvfølgelig også godt selv havde vidst – dengang – at han var til grin. At ingen af dem – dengang – jo havde kunnet synes andet, fordi han gik og ventede og ventede, år efter år, på at han skulle få Emma. Det vil sige: ventede på ingenting. I ethvert fornuftigt menneskes øjne.

For hun ville ikke tilbage til Staun igen. Og hvor så hun ellers ville være, det vidste hun vel heller ikke selv. Først var hun blevet på husholdningsskolen et helt år. Så havde hun passet hus for en eller anden høj herre i Aarhus, og så havde hun stået for et højskolekøkken på Fyn. Og så et andet sted vist også, før hun var kommet til Aalborg, det havde snart ikke været til at følge med i.

Han hørte i hvert fald ikke meget fra hende. Når hun en gang imellem var hjemme, kunne han heller ikke få alverden at vide. Han turde jo knap spørge, selv om hun var over for ham som førhen, og hun stadig skød med det her blik, når ingen så dem.

Og det kunne stadig sende stikflammer igennem hans indvolde. Men nær på hende kom han ikke. Der opstod aldrig en situation, hvor noget måske kunne afgøres, og Ivar

– hans gode ven oppe på Kristiansminde – kom da også engang til at sige, at han blev holdt for nar af Emma. At han skulle slå hende helt ud af hovedet, skulle rejse sin vej og jo før jo bedre, fra Bisgaard. Og det havde gjort ham så tosset. Han havde truet Ivar med tæsk. Og han havde råbt så længe op om hans dumme forbandede vrøvl om Emma, at han selv var ved at tro på det. At hun faktisk ikke betød det fjerneste for ham. Og at han for satan i hede hule helvede da ikke blev i den plads for *hendes* skyld.

Nej, det gjorde han da ene og alene af den grund at han var så fuldkommen tilfreds med at være på Bisgaard. Og efterhånden kunne han også bruge den forklaring over for sig selv. For ikke at føle sig helt som idiot, nej, nej – det var simpelt hen bare sådan et sjældent godt sted at være, sagde han til sig selv. Kunne aldrig finde noget bedre. Selv om han måske andre steder havde kunnet få mere i løn.

Måtte han så indrømme. For Søren Godiksen havde jo aldrig nogen sinde været kendt for at rutte med sine lønninger. Han havde i det hele taget ikke brudt sig om *løn*, i den forstand. Slet ikke om at aftale nogen bestemt sum, det var næsten umuligt at komme ind på den slags over for ham. Hvert år dér til november mumlede han bare noget om at det vel skulle være, som det plejede. Og han kiggede så samtidig i en anden retning, hele tanken var ham inderligt imod. Han ville langt have foretrukket sådan af og til at give sine karle, hvad han mente, de behøvede. Og det var ikke engang for pengenes skyld. Det kunne godt være blevet mere. Men når hans karle nu med djævelens vold og magt ville have det på den her anden facon – med en aftalt løn – som om de ikke var andet end arbejdsmænd – så skulle det altså også være så lidt, som han på nogen mulig måde kunne være bekendt at give dem.

Jo, sådan havde Søren Godiksen i hele sin tid set på det. Og det var heller ikke fordi nogen med den mindste ret

69

kunne kalde ham en gnier eller en slavepisker. Selvfølgelig havde han regnet med at hans folk bestilte noget. Men han havde også mange gange sagt til Orla at han ikke skulle spænde sig så rasende for, og at han hellere skulle tænke noget mere på sit helbred. For i alle de år havde han jo bare knoklet, Orla, som havde han Satan selv i hælene. Og det havde ikke hjulpet det mindste hvad Søren eller nogen andre sagde til ham. Han blev hver evige eneste dag ved med at slide og slæbe, så han straks om aftenen var færdig til at vælte sig i seng og med det samme falde i søvn. På den manér havde han det bedst.

Og forkarl var han da også blevet. Da Hans Peter Selvbinder omsider havde fundet sig et kvindfolk, nede i Sebber, og købt sig en gammel rønne dernede, fordi han samtidig kunne få noget godt arbejde ved tyskerne, det var der i november 1941. Men Orla fortsatte herefter som han plejede. Og han forlangte heller ikke mere af den ny andenkarl eller af drengen, end man almindeligvis gjorde. Han knoklede bare *selv* videre, så mange i byen tænkte – og fik det også indimellem sagt – at de var bange for, der skulle være noget i vejen med hans hoved.

Men så havde han jo altså endelig *fået* Emma. Da alle andre for længst var holdt op med at tro, det kunne blive virkeligt. Og han også selv regnede muligheden for en slags indbildning. Eller noget han tyede til og trøstede sig med, når han af og til vågnede op midt om natten, stiv af skræk for at han *var* gået fra forstanden. Eller for at han faktisk – som både den ene og den anden havde advaret om – ville styrte om, en af de nærmeste dage, og være død.

Så var hun alligevel kommet, Emma. Hun var kommet hjem, og hun ville blive der. Og hun ville have ham.

Hun havde selv sagt det. Allerede en halv snes dage, måske ikke engang, efter at hun var blevet hentet hjem – for Søren Godiksen havde været i Aalborg efter hende, og vel nok hjulpet hende fri af et eller andet – men da havde hun altså selv sagt det. Som om hun nu overhovedet ikke kunne vente, til han som mand fik sig rumpet sammen til at fri.

Mon så ikke det skal være os to, Orla? Tror du ikke det?

Hvad der havde været – hvad der var sket i Aalborg – eller hvor det var – hvad der nu med ét havde fået hende til at ville hjem på Bisgaard og blive der – det kunne han ikke med det samme få sig til at spørge hende om. Noget galt måtte det nok være. Men senere havde han heller ikke kunnet spørge. Det ville lyde, og mere og mere som årene gik, som om det betød alt for meget for ham. Han havde aldrig fået rede på det, aldrig fået mod til det.

Kunne så selvfølgelig spørge hende nu! Falder det ham ind. Her i sin tale, nu om lidt, ideen slår igennem hans krop som et tungt hegnsstød en regnvejrsdag. Halvt i munterhed jo også, for han kunne da spørge hende, som ingenting:

Hvorfor ville du i grunden have mig, Emma? Lige pludselig det forår – dér i '42 – Emma?

Sådan kunne han i det mindste få vist alle og enhver at *han også*, for en gangs skyld, var parat til at tillade sig noget.

Hvad var der foregået med dig, Emma? Siden du pludselig kunne tage til takke med mig?

Hvis han ellers kunne få det frem på den måde. Nok alligevel ikke helt så voldsk. Behøvede han jo heller slet ikke!

Hvis bare han kunne få sagt at der var gået nogle år dér. Og han havde befundet sig så udmærket ved Søren Godiksens bord. Og sådan og sådan.

Så ville de alle sammen vide, hvad han tænkte. Og hvordan det egentlig havde været. Og han behøvede ikke engang at sige at han faktisk havde slidt og slæbt sig til

Bisgaard. At han sgu aldrig i livet havde fået noget som helst forærende.

Selv om han måske alligevel kunne have lyst til lige at få det nævnt. Over for dem der stadig gik og forestillede sig noget andet. Ja, bare lige nævne det. At han ved at lade være, år efter år, med at forlange en ordentlig løn, dengang, ærligt og redeligt havde købt sig ind på gården. At den reelt var *hans*, det halve af den i hvert fald, længe før brylluppet! Men altså, ikke engang dét. Behøvede han jo ikke. Enhver der havde den mindste smule omløb i hovedet, ja, alle andre end de allerstørste idioter i byen, de vidste jo udmærket, havde jo hele tiden vidst, hvordan tingene hang sammen.

Måske også Søren selv. Nå ja, snart længe siden det har været til at vide, hvad Søren Godiksen véd og ikke véd.

Orla havde endelig sanset at han sad derovre og gloede på ham, hans svigerfar. At han måske endda havde gloet sådan ret længe, uden at han altså rigtig havde hæftet sig ved det. Ligefrem besvare den gamles blik, det havde overhovedet ikke været i hans tanker.

Det sad der bare på ham, som en lille kløe over tindingen. Som et eller andet småkryb han havde været for travlt beskæftiget med vigtigere anliggender til at vifte af sig.

Det er først idet det der stinde par blågrå øjne ligesom er drattet af ham, at Orla klart fornemmer, hvor irriterende de i så lang tid havde hægtet sig til ham. Jo, han havde virkelig hele tiden mærket dem, og hvor træls det var. At de sad der og sad der på ham. Sørens stumme tanker ligesom. De havde siddet der som om de kunne blive siddende til evig tid.

Orla Jensen kunne have ret. Søren Godiksen ville måske ikke af sig selv være kommet i tanker om at flytte sit blik. Han ville sandsynligvis have ladet det hvile dér, lige foran sin svigersøns venstre øre, i meget lang tid endnu. Hvis ikke der af og til blev rykket så ihærdigt i hans ærme. Fra den anden side, der blev rykket i ham, og der blev trykket på ham. Han måtte omsider give sig og se efter, hvad der var på færde.

Og det var Dagny, selvfølgelig var det det. Det var jo hende han havde til bords. Det sagde sig selv. Stinnes søster, hvem skulle ellers kunne gøre krav på den plads?

Snart heller ikke andre tilbage af den slægt. I hvert fald ingen andre der kom helt til Himmerland længere. Men hun var jo aldrig blevet gift, Dagny. Hun måtte hæge om den familie hun nu havde. Og selv havde han vel også ment at hun skulle sidde der, ved siden af ham. Kunne mærke at hun trængte til det. Mærke det i hende. Ja, og så havde hun da også selv pjadret op om det, da de skulle til at sætte sig. Skvaldret løs over for Emma. Og vist kunne han ikke tage sig meget af hendes snak. Hvad hun havde fået sagt. Men det skulle jo være noget særligt for hende at være sammen med ham. Han havde jo altid fået alting til at lyse op omkring sig. Sådan noget.

Og det var der nok også andre meninger om. Men hun havde fliret og skabt sig, Dagny, der over for Emma. Og han skulle selvfølgelig også høre det hele, det var hendes mening, og sådan havde hun altså alle dage haft det med ham, og det blev nok aldrig anderledes. Hun ville snakke med ham, havde aldrig nogen sinde haft i sinde at lade ham være i fred, og havde han ikke også bare ladet hende snakke?

For det var jo slet ikke hvad der sådan kom ud af hende. Det var let nok at overhøre. Søren Godiksen ville aldrig have lagt den mindste vægt på det, hvis han nu ikke hele tiden kunne mærke det i hende. Hun var fortabt. Han måtte holde hende i nærheden af sig. Det var det rigtigste. Og så meget kunne han endnu gøre.

Søren! Hun havde stukket snuden helt op under hans

kravetøj: Søren, nu må du altså snart til at fortælle mig hvordan du i grunden går og har det!

Og hun havde taget fat i hans arm med begge hænder, og der måtte vel så være gevinst for hende: hans hoved rokkede over i retning af hende; han kunne snart efter få øje på hende.

Har du det godt, Søren! Hun var lige ved at komme til at ·hvælle op, kunne alligevel ikke blive sikker på om han hørte hende.

Jeg tænker så tit på dig, Søren! Jeg håber du har nogle gode dage!

Jo tak da, svarede han. Hun blev så glad for at få et svar at hun næsten glemte at mime hans ord, sådan som hun altid havde haft for vane. Det gik nu kun lidt langsommere. Hendes mund fik ikke tegnet meget mere end det afsluttende 'da'. Og den blev så hængende lidt længe sådan halvåben, indtil et smil rettede op på den.

Du har også grund til at være godt tilfreds, siger hun ganske tæt ved hans øre. Se nu bare dine børnebørn derovre, så skønne drenge din Emma har fået, Anders og Niels Jørgen! Se engang der, det er sandelig et par raske karle!

Søren fortsatte nu med at kigge på hende. Og han havde måske ikke nogen særlige kommentarer til det hun sagde, det bedste hun kunne gøre var selvfølgelig at fortsætte selv. Så længe han da bare så ud til at høre lidt efter.

Og det er vel nok også nogle flotte piger de er blevet kærester med! Siger du ikke også det, Søren? Og pæne fyre er de da sandelig også selv, så de kan nok få dem, de peger på, mon ikke? Og det har de vist heller ikke efter fremmede, tror du vel, Søren? Mon ikke de skulle slægte deres morfar på, hvad det angår! Jeg glemmer aldrig da Stinne første gang havde dig med hjemme, vi var da godt nok nogen der blev slemt misundelige på hende!

Hvem, spørger Søren.

Stinne! Vi blev jo så misundelige på Stinne!

Ja, Stinne, svarer han. Hende savner vi.

Ja, vi gør så, Søren, det kan du lige tro jeg også gør!

Og hun tager om hans hånd, der ligger ved siden af hans tallerken, og hun mærker med det samme at hun kan beholde den i sin, og hun véd at der kan gå lang tid, inden der igen kommer sådan en lejlighed, om nogen sinde. Det er *nu* hun må få snakket med ham, få noget *sagt* til ham, og hun knuger hans hånd mellem begge sine egne.

Aah, jeg har så tit tænkt på det, Søren, at du i alle de år har måttet gå så alene! Jamen, jeg véd da godt, Emma og Orla er der, og du hjælper vel stadig en smule til på gården, men det er jo aldrig det samme! Aldrig det samme som at have nogen omkring sig, mener jeg, Søren. Nogen til at hygge lidt om sig, og snakke med om det ene og det andet, på sin egen alder! Ja, det tænker jeg da så tit på, sådan om aftenen, at du sidder der alene i dit hus, og så mange tanker man sådan kan komme til at sidde og gøre sig, når der ikke er andre, er det ikke rigtigt, Søren? Det er ikke altid lige rart når der er ikke nogen, der kan bringe en smule uro til huse, og adsprede én og måske indimellem sætte én i lidt godt humør!

Du har vel set mit hus, siger han.

Jamen, det har jeg da, Søren! Det er da det dejligste hus du har, det er slet ikke det!

Jeg har måttet døje med det, siger han.

Jamen, jeg véd det, Søren, det kan være nok så fint og godt, men sidde der helt alene!

Jeg måtte allerede have dem til at se til taget, siger han. Det var ikke blevet godt lagt.

Søren, skulle jeg ikke komme herned og bo ved dig, et stykke tid? Og hjælpe dig med at komme om ved det hele? Ja, nu siger jeg det som det er, Søren, men lige fra Stinne døde, har jeg tænkt på det, om det da ikke er meningsløst, at vi to, der jo altid er kommet så godt ud af det sammen, at vi alle vore dage skal gå og aldrig have det mindste med hverandre at gøre? Du kan tro, Søren, jeg har mange gange før været lige ved at sige det til dig! Og da du så byggede hus til dig selv – eller skrive det til dig i et brev, men jeg har jo aldrig vidst, Søren – jeg har jo aldrig kunnet være sikker på hvad du selv ville mene om det! Men nu synes jeg altså bare, nu kan det være det samme, Søren, vi er begge to blevet gamle, det véd du jo også, vi er begge to fyldt de firs, og *skal* det være, nogen sinde, så skal det da være snart! Ja, jeg siger det nu lige ud, Søren – så må du tænke hvad du vil!

Hun ser at han efterhånden igen måske knap hører efter. At han vist bare sidder og kigger ud over salen. Måske over mod Emma derovre.

Emma står og snakker med nogle af sine gæster ovre ved ribberne. Og Dagny løsner grebet om Sørens hånd. For hvis han nu helst vil tage den til sig. Og hun slipper ham helt. Men han gør ikke noget. Han benytter sig ikke af det. Hans hånd bliver liggende dér ved siden af hendes, som om han overhovedet ikke har bemærket, om hun holder om ham eller ej.

Nej, siger hun. Du skal ikke tage dig af min snak, Søren. Du skal slet ikke tage dig af mig.

Han kunne ikke. Han kunne ikke gøre mere. Han kunne lade hende snakke. Det var hvad han kunne lade dem alle sammen gøre. Men ikke mere. Han kunne lade dem snakke til sig. Men han kunne ikke så godt svare dem.

Hvad skulle de også med hans svar? Hvad skulle Dagny? Hun var fortabt. Ligesom han selv. Var hun ikke bedst tjent uden hans svar? Var de ikke alle sammen?

Det var han kommet til at tro. De var bedst tjent med at han var døv. Eller at han var blevet vag i hovedet. Eller hvad den ene og den anden nu forestillede sig. De var bedst tjent med at han slet ikke var der, for han kunne alligevel ingenting gøre.

Han kunne ikke engang sætte sig ind i hvad de havde for. Han kunne ikke længere begribe hvad de ville. Han skulle mange gange tænke sig længe om for bare at blive nogenlunde klar over, hvad de hed. Og det havde allerede varet alt for længe.

Det var allerede begyndt da han mistede Stinne. Og da han mistede Peder. Nå ja, og da hans mor så døde, selvfølgelig. Men det havde varet helt fra den tid, da Stinne ikke længere var der. Og da Peder heller ikke længere var der. At han var kommet til at tvivle om, hvorfor han selv var der. Om der var en grund til det. Og han havde ikke siden kunnet finde nogen. Aldrig siden kunnet forstå hvorfor. Han havde bare vidst at det var forkert. At han skulle blive ved med at leve så endeløst. At han skulle blive ved og blive ved med at tilhøre de levendes tal. Det var ikke rigtigt. At Gud bare havde glemt ham.

For det var vel hvad der var sket. Det mente han nu. Det var en fejl derovenfra. For han var da selv blevet ved med at minde om sig selv, blevet ved med at sige til Ham, at han *var* her endnu, hver eneste aften. Af og til i kirken også. Alligevel var han blevet glemt.

Men selv det kunne vel ikke undskylde ham. Han måtte jo stadig gøre sit bedste. Måtte i det mindste lade andre mennesker snakke til sig. Og lade være med at svare dem. Mere kunne han så ikke. Jo slet ikke gøre noget for dem. Sådan som nogle af dem vist endnu ville bilde sig ind. Han kunne ingenting gøre. Han var fortabt.

Kunne ingenting gøre. Hverken for dem eller sig selv. Nej, når det kom til stykket. Ingen verdens ting.

Og Emma vinkede til ham, og hende kom han trods alt sjældent i tvivl om, hvad hed. Måske aldrig, og måske fordi hun var, som hun altid havde været, ikke til at blive

klog på for ham. Sådan som alle de andre efterhånden var
blevet. Og så igen holdt op med at være. Men hun havde
altid været det, Emma, ikke til at forstå. Hvad hun var for
et menneske. Og han havde derfor nok regnet med at hun
måtte være noget særligt.

Nu ville han alligevel heller ikke turde afgøre det. Vid-
ste kun hvad hun hed. Og hun vinkede til ham gennem sa-
len, og han kunne fornemme at Dagny her, Stinnes søster
her, at hun vinkede tilbage. Det måtte så være tilstrække-
ligt. Han behøvede ikke forsøge sig med det. Ville nok
også knap kunne gøre det færdig.

Emma sænker sin arm og lægger den på skulderen af Inge-
Merete. Og hun smiler til Else-Marie på den anden side af
bordet. Hun siger at hun nu må tage sig sammen og
komme ud i køkkenet.

Har jo bare måttet stå her lidt og sludre med sine gamle
veninder. Det er så sjældent de ses, de lever et andet slags
liv, de to, de er blevet byfolk. Else-Marie helt oppe i Frede-
rikshavn, med sin slagtermand, og Emma har nu igen sagt
at hun da engang må se hende stå i deres butik deroppe
og veje pålæg af. Og hun har selvfølgelig igen fået at vide
at hun skal være så velkommen, at det virkelig er for dår-
ligt, det aldrig er blevet, men hun véd jo godt, Else-Marie,
og hendes mand også, de véd jo begge to hvordan det er,
når man har landbrug.

Selv Inge-Merete har hun kun oplevet i hendes hver-
dagsliv en enkelt gang. Selv om det ikke er længere end
ude i Skalborg. Men der sad hun så i et usselt kontor inde
bag ved deres værksted. Kunne nok ikke siges at være så
misundelsesværdigt igen. Og Else-Marie, hvordan har *hun*
det i sin slagterbutik, mon i grunden? Og hvordan er mon
i grunden den der slagtermand hun har fået? Vist ikke helt
nemt at sige.

Men lige nu virker de til at være i vældigt humør, både hende og Inge-Merete. Vil selvfølgelig også gøre alt hvad de kan for, at de sammen kan have sådan et øjeblik her. Sammen med deres Emma igen. Som var de alle tre unge igen. Som var de stadig unge, men er de i virkeligheden ikke kommet til at fylde endnu mere, end deres mor i sin tid gjorde, både Else-Marie og Inge-Merete? Og er det ikke også som om de har arvet noget af deres mors tungsind? Eller hvad man skulle kalde det.

Noget i den retning. Under det hele. Og sådan det ene og det andet står Emma her og tænker sig og fornemmer. Under deres stadig klingrende latter. Og de er vel heller ikke kommet til deres ret, så at sige, her i livet, med deres hoveder, Else-Marie og Inge-Merete. Hvis de var kommet til at læse. De kunne jo sagtens være blevet både doktor og dommer.

Eller hvad véd hun. Hvad véd hun om deres liv i det hele taget. De er fuldkommen tilfredse med alting som det er blevet, måske. Hun kender ikke længere noget til det. Og de har jo også en helt anden omgangskreds nu, og deres familier selvfølgelig, de har også voksne børn begge to, børnebørn endda, Inge-Merete har tre af dem.

De kender ikke længere noget til hinanden, nogen af dem, hvad de egentlig kan have af sorger og glæder, og engang vidste de alting. Der var ikke det de ikke vidste om hinanden, de tre. Derfor ville hun også have dem med her i aften. De skulle med til hendes sølvbryllup. Hvor lidt tid der så end kan blive til rigtig at snakke. Men de skulle være her. Og de bliver også ved med at sige at de er så glade for, at de er blevet inviteret med. Og de lyser ungpigeagtigt mod hinanden, alle tre. Men Emma må altså virkelig videre nu. Ud og snakke med Else Andersen.

Og i øjenkrogen anede hun i det samme at Orla rejste sig. Jo, han havde rejst sig, og hvor skulle han nu hen? Og skulle han ikke bare sidde og tænke sig om? Og hun måtte selv skynde sig, hvis den steg overhovedet kunne vente længere, og hvis Orla alligevel ikke var parat.

Måtte lade Else Andersen afgøre det hele så, og det hele var ligesom allerede ved at blive noget rod. Men måtte snart afgøre det, Else, om stegen og det alt sammen, og det blev måske så først bagefter med Orla. Selv om det skulle have været før.

Men han var nødt til det, Orla. Han kunne ikke mere holde sammen på sig selv, der i stolen. Han *måtte* udenfor en tur. Og han så da at Emma allerede, omsider, havde nået døren til den lille sal, at han endnu bare havde to eller tre minutter. Skulle alligevel kunne nå lige at få et par mundfulde frisk luft.

Lod derfor også som om han ikke hørte drengenes råb. De kaldte på ham, både Anders og Niels Jørgen. De råbte og grinede.

Går du nu også? Er festen allerede forbi?

Og han fortsatte. Han rundede hjørnet hvor Alfred Zachariassen og de andre musikere snart skulle sidde, før han hurtigt skævede tilbage. Kunne heldigvis se de havde opgivet ham.

De har glemt ham igen, der hvor også Søren Lundbæk sidder. Eller de har bare fortsat en kæde af uafbrudt skiftende emner og genstande for deres snak og opmærksomhed.

Sådan er samværet mellem Søren og fætrene og deres kærester blevet så uventet vellykket: ingen af dem har hæftet sig ved noget specielt, slet ikke ved sig selv. De har beredvilligt fulgt hinandens indfald, nogle sekunder, i hvad retning de end gik, lige så åbent taget imod det næste fra hvem det nu kom, øjeblikkeligt været med på ethvert af de andres grin, alle fem; men frem for alt og under det hele har Anders og Niels Jørgen og Søren følt en slags altomfattende taknemmelighed over at det overhovedet kunne lade sig gøre. At de her så ubesværet kunne være sammen igen! Som om de ikke for alvor var gledet fra hinanden. Som om de endnu var drenge herhjemme i Staun.

For de mente nok på forhånd at de havde fjernet sig så enormt langt fra alt det, de for en evighed siden – ja, for snart ti år siden – var fuldkommen fælles om. De havde ikke rigtig kunnet forudse at den afstand nu kunne blive det der – i nogle timer her – bandt dem sammen. Det der sært nok kunne skabe dette her bordfællesskab, om *ikke* at være bundet, mere end lige et øjeblik ad gangen, til nogen eller noget. Til byen her jo slet ikke mere, heller ikke engang til deres fødegårde, og langtfra – allerede – til forældrenes måde at leve og tænke på; og *endnu* ikke rigtig til nogen helt anderledes fremtid, knap nok så meget som til noget andet erhverv, *endnu* ikke for alvor til nogen anden holdning eller tro.

Intet ligger fast. Det vilkår deler de, og alting er så muligt. Andet kan ingen af dem efterhånden blot forestille sig. Heller ikke pigerne, Majbrit og Winnie, som ellers har helt andre baggrunde end bondedrengene her. De har allerede som børn i boligkarreen og på villavejen levet på denne evigheds afstand af den gamle verden, og nu eksisterer den overhovedet ikke længere, selv ikke her i Staun. Overhovedet ikke for de unge her, knap for nogen under fyrre. De er alle sammen arriveret i det samme, altomfattende virvar af stadig nyere tider. Og de morer sig, og det kan blive ved, under hele dette måltids umiddelbart skrækindjagende længde, så frit har en historie – som i et tilbageholdt åndedrag – lige nu stillet dem: de vil så let som ingenting, og til overflod med snapsens hjælp derude, kunne befinde sig præcis hvor de føler de bør være og sammen med netop dem, de allerhelst vil.

Orla Jensen kommer da heller aldrig til at passe sit tøj!

Rigmor Lundbæk sørgede stadig for indimellem at trække Søren tilbage i den gængse virkelighed, *væk* fra alt det dér mellem de unge det snart var blevet en lidelse for hende at være vidne til. Jo ikke andet end det grusomste pjat de hengav sig til, og hendes sønnesøn måtte trods alt være bedre værd, og det havde hun allerede, ikke helt lavt nok, tilhvisket ham: Han var for god en mand til at spilde hele aftenen på de to Bisgaard-løjsere. Og da især på det der par frække tøser, de havde slæbt med.

Og nu var det altså Orla, han hellere skulle interessere sig for. Hvad Orla kunne blive til i Rigmors øjne, hvor lidt.

Jeg har aldrig i mit liv set et stykke tøj sidde ordentlig på ham! Jeg véd ikke om han er vanskabt, eller hvad der er galt! Men det er som om der ikke findes det par bukser, der ikke er ved at falde af ham. Eller den krave der ikke truer med at kvæle ham!

Orla har måske altid haft det bedst i sit arbejdstøj, ville Søren lige nævne.

Lad os ikke snakke mere om den stakkels mand, svarede Rigmor. Du kan jo bare se på ham som han står derovre! Og så kan du måske svare mig på, nu du er så studeret, om sådan noget mon nogen sinde kan have været Vorherres mening?

Søren kiggede over på Orla. Ville nødigt ægge sin farmor til nogen videre diskussion om nogen guddommelig fejltagelse, og han opgav med det samme bare at moderere hendes hån.

Orla stod og vred ikke så lidt kejtet på sig, det kunne jo alligevel ikke nægtes. Heller ikke at han så ud til at være ved at bryde sammen, og næppe heller at han aldrig nogen sinde skulle have forsøgt sig med at optræde som vært sådan en aften. Om det så nok så meget var hans sølvbryllup.

Men intet af det ville Rigmor Lundbæk kunne overtales til at betragte som andet end uhelbredelige skavanker.

En medfødt kummerlighed der burde have afholdt ham –
hvis det ellers havde været til at spore en sidste smule ære
i livet af ham – fra at komme i familie med nogen som
helst, *hun* kendte noget nærmere til.

Og Orla har alligevel været nødt til at standse dér, hvor
hele to af Emmas søstre sidder. Dagmar og Mary, med de-
res mænd, det vil sige: Axels plads står lige nu tom. Må
nok også have følt trang til at komme udenfor et vend,
Axel Lundbæk, men Dagmars Jens Vilsted sidder der da
til gengæld og har straks haft det store smil fremme.

Det går vist helt som det skal, Orla?

Sådan har han ligesom spurgt og samtidig smilet
endnu større og bredere. Som om der skulle være noget
indforstået mellem dem. Som om de overhovedet skulle
have lyst til at have noget med hinanden at gøre.

Orla har altså i al fald ikke. Det må han sige til sig selv
her igen. Han véd ikke hvad det er. Men nej. Han kan ikke.
Og han tror heller ikke et øjeblik på at Jens Vilsted, Farsø,
virkelig har nogen interesse i at komme i lag med *ham*. Selv
om han jo altid gør fagterne. Altid gør et forsøg, sådan set.

Må man vel sige. Men Orla har mumlet som sædvanlig
og kigget nedad. Kan bare ikke andet, når den her svoger
henvender sig til ham. Ellers venligt nok vel, som altid,
han kan faktisk ikke påstå andet, han véd i det hele taget
ikke hvad der skulle være i vejen med ham, Dagmars Jens.

Han kan bare ikke være sig selv over for ham. Og
Emma har været efter ham for det. Hun har ment at han
opfører sig uforskammet over for hendes søster, og sådan
havde han aldrig selv tænkt over at det kunne virke. Og
han ville da også forsvare sig engang, og han havde fået
sagt noget om at der var noget muggent ved Jens Vilsted.
Noget der gjorde det svært helt at stole på ham. Og han
havde så fået svar på tiltale.

Emma havde bedt ham holde sin dumme kæft, og det havde hun trods alt ikke gjort mange gange i deres ægteskab. Men hun var blevet så gal ved den lejlighed. Hun havde råbt til ham at han for fanden da bare skulle opføre sig ordentlig og ikke altid stå der så studs og ·hvip og ellers prøve at komme over sine aparte forestillinger. For det var sgu da ikke noget at laste Jens Vilsted for at han havde sit gode hoved og var blevet til noget. Det måtte Orla nu bare se at få lært at respektere.

Og han havde da også holdt sin dumme kæft. Det var jo heller ikke fordi han ikke respekterede ham, sådan set. Det har han tænkt så tit over senere. Aldrig et sekund, eller misundte ham eller noget af den slags, og dengang var svogeren vel også kun blevet medlem af Landbrugsraadet. Men heller ikke senere, heller ikke da han kom i Folketinget. Og da Emma af og til var begyndt at ville føre snakken hen på Jens Vilsted, Farsø, når de var sammen med andre mennesker. Og hun så selvfølgelig også altid lige fik nævnt at hun var i så nær familie med ham, hvis der skulle være nogen, der ikke vidste det.

Men nej, det var ikke fordi Orla på mindste måde var jaloux. Ikke fordi han ikke ville være den første til at sige, at han helt sikkert da var en vældig begavelse, Jens Vilsted. Han har aldrig siden haft det fjerneste imod at indrømme det. Men heller ikke siden kunnet finde ud af hvad det *så* er, han kan have for årsager til at have noget som helst imod ham, den der kloge og dygtige og flinke og venlige mand.

Han har ikke kunnet komme efter hvordan han bare skal bære sig ad med at *se* direkte på Jens Vilsted.

Dagmars smil føler han sig fuldkommen tryg ved. Og lige sådan med Mary, de to har taget godt imod ham, lige fra begyndelsen. De har altid vist ham et ansigt som har været ét stort velkommen i deres familie. Indimellem er de endda kommet og har fortalt ham om et problem de kunne have. De har sådan nu og da ladet ham forstå at de ville sætte pris på at høre hans mening, også om alvorlige ting.

For ellers har de jo bare villet omgås ham med deres almindelige pjank, som nu også Mary, da han lige har bøjet sig frem for at sige noget til Jack. Så har Mary med det samme en albue oppe og gnubbe ham over sidebenene, for ved festlige lejligheder kan hun godt sådan et øjeblik blive femten igen, og hendes grin kommer dybt nede fra hendes mave, og hun vil høre om det bliver hende, der får den næste dans, når han først har været ude og valse med sølvbruden. Men Orla vil nu ikke lade sig forstyrre.

Han vil have sagt et par ord til Jack Thornby, nu han står her.

Smager maden dig, Jack?

Det er fin mad, Orla! Jeg har aldrig fået noget bedre!

·End vinen – har du også fået nok af det?

Ellers har jeg fået vand, Orla, det smager mig lige så godt!

Og Orla bliver glad og nikker, og de ser bare lidt på hinanden, ham og Jack. For de kan nu engang se så stille og roligt på hinanden, uden at bruge så mange ord, og for det meste slet ingen.

De er blevet venner, og det var der sikkert ikke mange der havde regnet med ville ske, da Jack Thornby første gang var kommet hjem fra Amerika, det var i 1955. For det var jo endnu i Anes tid, det var året før hun døde, Ane Godiksen, 91 år gammel, og hun havde efterhånden glemt alt om både Jack og et par andre af sine yngre brødre, de var rejst fra landet allerede før den første verdenskrig. Og Jack havde da også først søgt til Vendsyssel for at finde resterne af familien deroppe, men var vist ikke rigtig faldet til hos nogen af dem. Han var kommet til Staun i al fald, for at være ved Ane et stykke tid. Og der havde alligevel været

stor gensynsglæde, og alle havde vel så forestillet sig at
Jack nu ville holde sig inde ved Ane og sidde der og
snakke med hende, og indimellem med Søren Godiksen
måske også, med de gamle kort sagt.

Men allerede inden den første dag var gået, var Jack
kommet ud i marken til Orla, og han fulgte så med ham
derud hver morgen. Også da han var der igen i 1962, og
ellers havde boet på Kristiansminde, for det havde de vil-
let, Axel og Mary, de havde ment det var deres tur til at
have ham. Og de syntes måske også det var lidt af en fjer
i hatten, for hele byen interesserede sig jo for Amerikane-
ren, det var sådan han blev kaldt af de fleste. Men Jack
Thornby indfandt sig alligevel – og uanset hvor hans seng
skulle stå – hver eneste morgen på Bisgaard for at følge
med Orla i marken.

De to havde, på et øjeblik næsten, fundet ud af at de var
af samme slags. Jack ville simpelt hen have jord at arbejde
med, og det var en trang som Orla kunne forstå. Og Jack
kunne så med en greb eller et hakkejern i hænderne, eller
bare ved at sidde på en traktor, endelig føle sig hjemme
igen, næsten som på sin egen gamle gård derhjemme i
Iowa.

Jo altså også fordi Orla var akkurat som han selv. Det
var det der straks var så tydeligt. De havde det begge to
bedst når der var nok at bestille, og når der ikke behøvede
at blive sagt ret meget. Derfor boede Jack Thornby selvføl-
gelig også på Bisgaard, da han var kommet nu i år, alle-
rede i maj, og han havde så været her hele sommeren. Var
blevet også for sølvbrylluppets skyld. Men nu ville han
hjem, temmelig snart, det havde han sagt til Orla. Han
ville hjem og dø. Ikke fordi han ville have så meget imod
at det skete her, men hans kone lå nu engang på kirkegår-
den hjemme ved dem selv i Jerico, og hans brødre, ja, og
hele deres familie.

Men så længe han var i Staun, holdt han i hvert fald sammen med Orla, og ikke kun under arbejdet. Også om aftnerne satte han sig i nærheden af ham og hæftede sig ikke meget ved hvad nogen andre sagde til ham. En del af det forstod han måske også knap, og når nogen sådan havde snakket om noget, han ikke rigtig vidste, hvad var, så vendte han sig som regel mod Orla og bare så på ham, for det var ikke, fordi han ville have noget forklaret. Han ville bare sådan se på Orla, på noget han var sikker på, han forstod. Og det er med de samme øjne de nu begge to har set på hinanden. Øjne der straks igen har fundet hvile i deres indre samklang. Som har gjort verden enkel og ligetil, fornuftig og reel.

Der kommer vist mere føde endnu, siger Orla så, og hælder lidt sidelæns, for han *må* nu videre. Du skal bare tage for dig, Jack!

Mere endnu, Orla? Siger du det? Jamen, jeg kan da snart ikke få mere ned!

Nå, en enkelt bid, Jack, det går nok med en enkelt bid!

Tror du det, Orla? Tror du det?

Orla kom fra ham med en løftet arm. Inden han nåede yderdøren, fik han gennem den anden dør, ud til den lille sal, nok et glimt af Emma. Hun stod der endnu.

Han kunne vel i det mindste lige nå at pisse en tår.

Emma havde ranket sig. Hun havde, i det samme hun trådte ind i den lille sal, besluttet sig for at se kolossalt glad ud. Tilfredsheden med alting skulle lyse ud af hende. Der var ikke andet at gøre, det syntes hun ikke. Ikke over for noget så inderlig pinagtigt som det her hold, de havde fået til at servere.

For det første at hun havde måttet bede de unge på Kristiansminde om at hjælpe til, Henrik og Anne Marie. De var jo allerede for gamle, oppe i tyverne, man kunne ikke lade så voksne mennesker varte op, men hvem var der efterhånden af unge i byen? For det andet havde hun så trods alt fundet fem andre, vidste knap hvad de hed, ville heller ikke interessere sig for det nu. Det var tilflytterbørn, de gik på gymnasium i Aalborg, de kendte ikke til noget som helst. Og de ville selvfølgelig have penge for det.

Og det mente hun da også, Emma. Selvfølgelig, nogle helt tilfældige mennesker man fik til at arbejde for sig, selvfølgelig skulle de betales. Uanset det aldrig før havde været brugt ved nogen lejlighed i Staun Forsamlingshus. Men nu var det for så vidt kun udmærket at de der tøser havde været så frimodige at forlange en tier i timen. Det var kun godt for alle at mærke at tiderne forandrede sig. Selv ville hun faktisk hellere skubbe på end holde igen. Men for det tredje eller fjerde, når altså de her fremmede skulle have, så ville hun også blive nødt til at lønne Henrik og Anne Marie. Også over for sig selv nødt til det, og hvordan hun så skulle bære sig ad med det? Hendes egne søsterbørn, og hvordan *de* så skulle bære sig ad med at tage imod hendes penge? Som om deres forældre aldrig havde fået lært dem *så* lidt. Eller det ligefrem skulle ligge for dem at kræve penge for at give nogen en hånd med ved noget som helst. Familie eller ej.

Nå ja, og for det femte, man gjorde under alle omstændigheder bedst i at kigge i en anden retning når de her skolepiger kom sjokkende ind med terriner og fade. Det var alligevel et ynkeligere syn end hun havde kunnet forestille sig, og derfor smilede hun nu så hårdnakket til dem. Lod dem mærke sin fuldkommen ubøjelige tilfredshed.

Jeg håber I lige har fået tid til at puste lidt ud, storsmiler Emma. De har sat sig ved et bord, kan hun konstatere, og nok så mageligt. De sidder der, nej, hænger omkring bordet og ryger og drikker.

Ja, for det går jo nok snart løs med stegefadene! Så kommer der et kvarters tid hvor I rigtig må springe! Og hun ler, og de fremmede piger ser op på hende. Som om de fornemmer hun er forfærdelig sød og flink over for dem, de små gæs.

Noget andet, Henrik, fortsætter hun. Du skal måske så også, når alle fadene har været omkring første gang, så lige gå en runde med vinen, der kan være enkelte der godt kan drikke et lille glas til! Ikke også, Henrik? Men nu skulle jeg nok først og fremmest lige have snakket med Else, hvornår hun mener det skal være!

Else Andersen har allerede stillet sig frem i døren ud til køkkenet. Emma forstår det endelig, på Henriks blik der hele tiden vil fortsætte forbi hende.

Ja, hvis I skal have kødet koldt, så for min skyld gerne, siger Else Andersen. Så må du bare selv fortælle dem det, bitte Emma! Jeg har været klar med sovsen den sidste halve time!

Lige fem minutter til, beder Emma. Går det, Else?

Jeg troede ellers ikke engang du ville have det ordentlig stegt, griner Else Andersen.

For de har skændtes lidt om dét. Når Emma absolut ville have oksekød, selv om Else jo med sin erfaring kunne forklare hende, at de færreste brød sig om det. De ville have gris, som de altid havde fået. *Men* hvis Emma altså for enhver pris ville servere det tørre stads for sine gæster, så skulle det i al fald være gennemstegt, ellers måtte hun finde en anden kogekone. Else Andersen skulle ikke efter at have lavet ordentlig mad – og jo, det turde hun godt sige – ordentlig mad, og til hele byen, og det i over tredive år, ja, måske snarere fyrre – og nej, og dermed basta, så skulle hun altså ikke ende med at sende råt kød ud af sit køkken.

Så siger vi lige fem små minutter, siger Emma. Ikke også, Else?

Og hun begynder igen at småtrippe ind mod den store sal, for det kan ikke nytte noget at diskutere noget som helst med Else Andersen. Hun er blevet for vant til selv at bestemme alting, og det får vel nu også en ende med det hele. Det kan være det er sidste gang, de holder fest her i forsamlingshuset. Else vil under alle omstændigheder holde op, og lad hende dog så være.

Ja, lad nu bare Else være, gentager Emma for sig selv. Lad hende være med sit gennemstegte kød. Hun skal i det mindste nok sørge for at der ikke kommer noget på bordene, der er blevet for koldt. Hun vil hellere dø selv.

Men lige fem minutter, råber hun igen over skulderen. Og hun hører Else Andersens kragelatter bag sig.

Han havde ikke kunnet nå det, Orla.

Hun sad der da han kom ind.

Hun ventede. Hun fulgte ham med sit allermest uforstående blik, mens han hæflede sig op langs ribberne, op mod sin plads i sit sølvbryllup igen, op for at slå på glasset. Så han omsider kunne få holdt en slags tale for hende, og han havde ellers ikke givet sig tid til mere end et par småstrint ude ved gavlen. Havde måske heller ikke kunnet pisse ordentligt alligevel.

Det var nok bare nervøsitet. En kløen i snalderværket. Blev ikke meget bedre med det par dråber han kunne klemme ud. Og så var der alligevel et skvæt tilbage, da han først havde fået lynet bukserne igen. Han kunne mærke det klamme bukseben.

Og han havde så endda været helt tåbelig kort for hovedet, over for Axel Lundbæk derude. De korte trin i gruset, det var selvfølgelig Axel der havde fået øje på ham, eller hørt hans strint, for der var allerede mørkt. Det var blevet sådan en stille augustaften. Der var så lydt i den sorte, lune luft. Og Axel var kommet hen til ham og havde mumlet et par hyggelige bemærkninger om det hele, men Orla havde så slet ikke svaret. Han var bare hastet forbi ham, havde syntes han måtte. Ind til Emma, i en så helvedes fart. Og han rasede med det samme over sig selv.

Han var snart rasende over *alting*. Og inden han nåede døren til den store sal, havde han bestemt sig for at nu skulle de fandeme få besked, dem alle sammen. Hvis det var det de ville. Endelig skulle de få deres eget svineri tilbage lige i synet. Alt hvad de gennem årene havde villet lade ham vide eller pirke til, med al deres forbandede udenomssnak og deres sjofle fjæs. Som om han ikke selv vidste det.

Eller hvad vidste *de* i grunden? At hun havde fået fjernet en unge, Emma. At det skulle være en tysker, der havde bedækket hende. At hun var tyskertøs, og at det var den eneste grund til at hun nogen sinde kunne finde på, at hun ville have ham.

Ja, selvfølgelig havde han vidst det. Eller han havde tænkt det. Og de havde også bare troet de selv vidste det, og de ville alligevel have det *sagt* til ham. De havde troet han var så snotdum, og så kunne de for helvede da også få noget at vide nu. Og at det ragede ham en skid. Både det og dem alle sammen.

Det havde han i sinde at holde tale om, lige til han var fremme ved sin stol. Og han satte sig heller ikke. Han blev stående og famlede efter sin gaffel, han ville slå på sit glas og holde tale, så lagde Emma hånden på hans arm. Hun holdt den fast.

Han skulle ikke have fat i sin gaffel. Kunne han forstå. Allerførst. Og så forstå at hun selv ville rejse sig. At hun også bruger hans arm til selv at komme på benene med. Og da hun slipper ham igen, tager hun hans gaffel i sin egen hånd. Og hun slår på hans glas.

Sæt du dig nu ned, siger hun. Og højere, efterhånden

som hendes klirren med glasset er nået ud i alle hjørner af salen.

Sæt du dig nu bare ned, Orla!

Alle har temmelig hurtigt spidset øren. Og mange kigger sig omkring med skæve og måske noget febrilske smil. For hvad sker der nu her? Og Emma ranker sig, hun hæver stemmen en tak igen.

Jo, jeg er kommet i tanker om at det vel egentlig også skal være lidt anderledes her i aften! Når alle andre ting i verden jo snart er blevet det. Så behøver det vel heller ikke være manden der holder tale. Nej, jeg har nu tænkt det skulle være *mig* – jeg vil gerne sige et par ord til min brudgom!

Orla var dejset ned på sit sæde, som i en tung brandert.

Så fik hun det da endelig gjort helt af med ham. Bare det at hun havde slået på hans glas, ja, hvad fanden i helvede skulle det betyde? At han ikke var en mand der selv kunne, at han ingen verdens ting duede til? At han var en stakkel, og han hørte hende tale i det fjerne. Lidt som på et andet sprog lød det også.

Men det var så nok alligevel noget med at han havde været den dygtigste mand, hun nogen steder havde kunnet finde.

Jo, han var et dyr for hende. Så meget kunne han forstå. Han var et kreatur. Hun manglede bare at sende ham til slagtning, og alle ville mene at hun så havde gjort det eneste rimelige.

Og det var så ligesom han kunne høre, at hun sagde det til dem alle sammen. At han havde givet hende alt, hvad hun nogen sinde havde ønsket sig af livet.

Ja, et kryb var han. Så var det sagt. En skarnbasse hun tilfældigvis havde fået øje på. Og hun havde så sat sin fod på ham, og hun ville nu med hele sin vægt træde til, for fuldkommen at kvase ham, og om endnu et lille øjeblik, så ville hun – det sagde sig selv – så ville hun give sig til at vride på sin fine lille ankel. Hun ville tvære ham noget så kærligt ud i skidtet.

1968

Det var som nævnt i 1967 – den 16. august – at Emma og Orla Jensen kunne fejre deres sølvbryllup. Det må da være nærliggende med det samme at fortælle, hvad der skete året efter: lørdag den 25. maj 1968 døde Søren Godiksen. Det kom uvarslet, han blev fundet på grusvejen ned mod fjorden, havde fået et slagtilfælde på sin daglige formiddagstur. Han blev 82 år gammel.

Netop samtidig udspillede sig, flere andre steder, en række voldsomme begivenheder. Et oprør buldrede løs, en revolution som skulle blive noget nær verdensomspændende, sat i gang af unge der følte, at de, for at kunne ånde og leve, måtte vælte en forældet samfundsorden over ende.

Forandringer kunne være indtruffet tidligere, behovet for dem havde været tydeligt nok; langt op i demokratiets tidsalder havde feudale magtstrukturer bidt sig fast, ikke mindst i uddannelsesinstitutionerne; længe efter at den agrare kernefamilie havde overlevet de økonomiske vilkår, der gav den mening, herskede fædrene som ingenting videre i de små lønmodtagerhjem. Og et industrielt forbrugersamfund, som for længst havde skaffet langt større plads til individet, til at frigive de enkelte borgere og deres personlige tilbøjeligheder i valg af stil og holdninger, alt det var endnu blevet overdrevent hæmmet af en fortids mentale og organisatoriske konventioner.

Derfor kunne de nødvendige ændringer få revolutionær form. Og naturligvis gjorde denne revolution – som enhver anden af sin art – det lynhurtigt af med sit rationelle grundlag; den havde næppe vippet det gamles forvaltere af pinden, før den også slog benene væk under den ny tids helte. Revolutionen udrettede så meget mere end tidens samfund i grunden havde brug for, og en kontrarevolution måtte sættes ind. En afbødning og en justering, en restauration, og den kom – som revolutionen selv så temmelig lig sine fortilfælde – til at strække sig over adskillige årtier.

Men som tidligere restaurationer virkeliggjorde denne her da også, lidt efter lidt, den nu så forhadte revolutions indhold. Uden dets ideelle motivering ganske vist, udelukkende for at tjene det samfundsøkonomiske maskineri på snedigste vis: individualisme, frigjorthed, fantasi, dette havde været oprørernes vilde og skønne slagord, og de samme blev nu genbrugt som banale minimumskrav på jobmarkedet, og de blev til velberegnede forudsætninger for det ubændige varebegær der måtte til, da behovene slap op.

Således fik oprøret i maj 1968 kolossal betydning for alle mennesker alle vegne, endda også i Staun, skønt ingen her på mindste måde tog del i det eller havde den ringeste sympati for det. Den eneste fra byen der kom i nærheden af begivenhederne, det var Søren Lundbæk, og for hans vedkommende da slet ikke uden sympati. Men han var jo netop flyttet, han studerede dansk ved Aarhus Universitet. Her fulgte han oplivet den revolutionære rumlen i månederne forud, han deltog i begejstrede massemøder, gik med i de første demonstrationer, skrev under på et par altomstyrtende resolutioner.

Så trak han sig stille og roligt tilbage. Det var måske det bondske, der endnu hang ved ham, måske det der alligevel gav ham afsmag for det oprørske raseri. Det der gjorde ham utilpas ved den snart hovedløse trang til tilintetgørelse af alt overleveret, utilpas, og bange, og forarget.

Men et aspekt som dette – af denne ubetydelige art – er ligesom enorme mængder af andre – og store og afgørende – forhold i forbindelse med revolutionen allerede beskrevet vidt og bredt i massevis af andre bøger. Denne bør da nok samle sig om den historie der nu engang vil kredse om Staun. Og her kunne ingen anden hændelse i året 1968 noget nær måle sig med Søren Godiksens død og begravelse.

Heller ikke dén var dog uden historisk vingesus! For nok var der intet i hans liv der kunne opfattes som meget mere end almindeligt, men de der havde kendt ham, og de der stod dér ved graven, den dejlige forsommerdag – med æbletræer i blomst lige uden for kirkegårdsdiget – ja, de følte selvfølgelig sorg, men også noget andet. Også en slags løftelse, og vel i første omgang ved tanken om at de havde stået sådan et menneske så nær, sådan en mand som der nu ikke ville komme så mange flere af i verden. Men hvis de så oven i købet, i de øjeblikke dér, hvis de da allerede i erindringen om ham ville tegne noget nær en mytisk figur, så var det jo også, fordi der var mere ved ham end en epokal tilfældighed, og mere ved ham end at han havde været en type, som tiden endegyldigt var løbet fra.

Der skulle noget meget mere til den fornemmelse, mange af dem stod der med – denne halvt eller trekvart formulerede forestilling om at Søren Godiksen sådan set for længst havde gjort sig evigt uforglemmelig – der skulle noget meget mere menneskeligt til. Og det var på den ene side hans personlige egenskaber: at han havde været en så mild tyran, og at han i sin egenmægtighed havde haft følelse for enhver omkring sig og – på egne urokkelige præmisser – dømt alle andre med forstandighed. Og det var på den anden side hans personlige skæbne: at der i hans tilværelse var forefaldet begivenheder, som gik hans væsen, og hans tro og hans vilje, så fundamentalt på tværs, at enkelte af de efterladte godt kunne svinge sig op til at kalde den en tragedie.

Til det sidste blev han dog ved med at fløjte, Søren Godiksen. Der kan ikke være tvivl om at han også den formiddag, han faldt om, lige indtil øjeblikket før, havde frembragt nogle af de lyde, der gennem hele hans liv udgjorde en del af hans fysiske tilstedeværelse.

Selv under samtaler fik han jævnlig indskudt en hvislen. Hele fløjtemanien kunne da tænkes at være opstået som et værn mod andre menneskers måske alt for ivrige snaksomhed, for uanset hvornår man ville henvende sig til ham, kom man nu aldrig af sted med det uden en vis forlegenhed, det var altid som at afbryde ham i noget. Men han fløjtede jo altså også når han var alene, eller når han bare ikke ænsede nogen omkring sig, og fløjtede så trods alt mere fortløbende, som om han også over for sig selv – hvor sikker han end kunne virke – havde brug for sådan en slags konstant bekræftelse af, at han faktisk var til.

Der var dog sjældent noget højlydt eller skærende over ham. Det var altovervejende svage fløjt han udstødte. Mange gange mere som en susen mellem læberne, som regel tyndt adskilte, kun lige en anelse spidsede. Og Stinne havde levet med det, alle andre var nødt til det, og heller ikke hans jævnaldrende kunne mindes det havde været anderledes. De mere musikalske mente alligevel at klangen på et tidspunkt var gledet fra ham. Ikke fordi de nogensinde havde været i stand til at opfange ret meget melodi fra Søren Godiksens side, men efterhånden som han nåede op i årene, var enhver ansats til harmonisk sammenhæng i hans fløjten helt og aldeles gået tabt. Det havde været til at høre at han ikke længere var helt den samme.

Selv fik han mistanke om det før alle andre, i al fald alle andre end Stinne, og han fik endelig vished om det nogle år efter at hun døde. Og næppe fordi han i almindelighed havde bemærket at han var kommet til at lyde lidt anderledes; det var et særligt tilfælde der med ét fik ham til at indse, at han ikke længere var i stand til at gøre fyldest på den plads, Gud havde anvist ham.

Det var et brev fra kongen der gjorde det uudsletteligt klart for ham. Han skulle være Ridder af Dannebrog, kunne han jo straks få ud af det. Men da han igen efter middagssøvnen havde læst brevet, vidste han i det samme også, at noget inde i ham måtte være gået i stykker.

Måske snart for længe siden. Det her kongebrev kom i februar 1959, og det kunne være at han for længst var blevet en ringere mand, end han havde bildt sig ind at være. Nu stod det så åbenlyst for ham. Ridderkorset rørte ham ikke.

Han følte ingenting ved det. Han ville aldrig kunne få sig til at rejse til København og takke kongen for det. Som så sølle et skrog var han endt. For han havde førhen endda regnet det for en sjælden belønning bare at kunne kalde sig Dannebrogsmand. Og da han så for syvende gang havde ladet sig vælge til sognerådsformand – selv om han for længst og i bund og grund var blevet led og ked af det døje – ja, da havde han trøstet sig med at korset nu nok en skønne dag ville blive hans. Det måtte han her igen indrømme, den tanke havde kildret ham, det kors havde været hans ·ganning. Han havde ikke kunnet lade være med at føle sig stor ved tanken om, at det alt sammen vist alligevel ville lykkes ham.

Han ville engang kunne sige – i det mindste – at han havde gjort sin pligt. Jo, for hvis dét skulle være kongens mening, så ville han ikke selv give sig lov til at have nogen anden. Alle andre kunne for resten mene hvad de ville, uden at han nogen sinde havde syntes, at han behøvede at tage notits af det. Han havde nu engang bestemt sig for at holde sig til kongen, eller til hans far da især, den gamle konge, der jo stammede fra hans egen tid.

Ham havde han også fulgt under krigen. Og han havde straks forstået på ham at det ingen hast havde med at få tyskerne jaget ud af landet, og at han ikke skulle gøre det mindste imod dem, før kongen selv gav tegn til noget andet. Så ville han da også være parat. Han havde ligget ved kystbevogtningen i 1908 og kunne nok stadig fyre et gevær af. Og ramme. Men indtil det øjeblik måtte han bare sørge for at få det bedste ud af elendigheden. Og han havde da også tjent ikke så få penge ved at handle med tyskerne.

Selvfølgelig havde han ellers ikke villet have det mindste med dem at gøre. Og for resten heller ikke længere med en skvadronør som Asger Hansen oppe i Farstrup. Eller andre der nu skabte sig, som om de selv var blevet tyskere.

Nej, han ville ikke på anden måde omgås dem, og det hindrede alene tanken om Peder ham da også i. Der var tidligt nået rygter frem om at Peder måske var blevet engelsk soldat. Om det så var mod god betaling han havde ladet sig hverve, eller om det blot var hans lyst at gå i krig. Eller om han virkelig skulle have det sind at han ville øve retfærdighed, som det er sagt, for at blive beskuet. I så fald var det snart slut med Bisgaard.

Søren måtte jo holde sig til det håb at det var en tilfældig nykke. Noget, i det mindste, der af sig selv ville få en ende. Hvis han da ellers kom igennem sin krig med livet i behold, Peder. Også dét kunne det indimellem være svært at tro på. Når de hørte bragene ude fra Aalborg. Og om natten kunne se lys over himlen. Når de bombede deroppe ved Lindholm.

Englænderne. Hvis det virkelig skulle passe at Peder

var blevet en af dem, der fløj og smed bomber for englæn-
derne.

Nej, det sagde sig selv, Søren kunne ikke have det
mindste at gøre med den som hans søn havde gjort til sin
fjende. Han måtte vende ham ryggen. Og så se at få det
bedste ud af ham, til gavn jo for hele byen, ja, for landet.
Men frem for alt bare vente, se tiden an. Om kongen så
skulle give til kende, at han nu også selv måtte af sted og
slås med de her tyskere.

Men da de så var væk igen, uden at Søren havde behø-
vet at forlade sin gård, da kunne han flere gange læse i avi-
sen, at mange andre under hele krigen havde set helt an-
derledes på alting end både kongen og ham selv. De mente
endda at det ikke var rigtigt, hvad han som bonde havde
gjort.

Så vidt han kunne se, kom det så mest fra folk, hvis me-
ning han knap burde tage alvorligt. Det var hans fornem-
melse, at de fleste af dem ikke engang selv ejede jord og
derfor ikke havde ansvar for noget. Og han *vidste* jo at ty-
skerhandlen havde været til fordel for Bisgaard og for
Staun, og han blev i den her tid ved med at gentage det for
sig selv: Til gavn også for byen. Og for hele landet.

At de så havde arresteret Asger Hansen oppe i Far-
strup, det ville han på den anden side slet ikke bebrejde
dem. Men frem for alt: han havde selv holdt sig til kon-
gen.

Som han altid før havde gjort, og som han også havde
i sinde at gøre i al fremtid. Derfor vidste han også, nu hvor
han sad med brevet, at han i mellemtiden måtte være gået
til som mand. Når Ridderkorset ikke længere kunne have
nogen betydning for ham, og når han ikke kunne stille sig
op over for kongen og sige tak for det. Han kunne selvføl-
gelig heller ikke skrive tilbage at han slet ikke ville have
det. Kunne ikke gå i rette med kongen. Men det var allige-

vel også på *hans* vegne at han skammede sig over at tage det i hånden, da posten havde været der med det.

De havde altså taget fejl, både kongen og ham selv. Og han gemte med det samme æsken med korset i det inderste rum, bag de små skuffer, i chatollet. Uden nogen sinde at ville nævne det for noget menneske.

Der havde måske ellers heller ikke været noget menneske at nævne det for. De var døde. Som han selv var. Ja, hvis Vorherre da virkelig havde undt ham det.

Nej, han måtte leve videre, han måtte fortsætte sin fløjten. Og havde den tidligt i hans liv endda kunnet forekomme ham ret behagelig, så skurrede den nu alligevel også i hans egne øren. Falsk og forvildet som det hjerte der blev ved med at banke i hans bryst. Hos andre vakte mislyden vel snarere en vag medlidenhed. Den fik dem til at tænke på Stinne, og på Peder. På en sorg der efterhånden gik over deres forstand, men som de dog aldrig et øjeblik ville anfægte hans ret til.

Kun Rigmor Lundbæk syntes hun måtte sige noget til det, som jo til så meget andet. Alligevel kunne hun dy sig i mere end ti år. Da hun så var blevet bevæbnet med tabet af sin egen Ejnar, lod hun uden videre finfølelse Søren Godiksen vide, at han meget snart måtte stramme sig an, og at det allerede længe havde været skammeligt at se, hvordan han trak sig væk fra andre mennesker. Og kunne det virkelig passe, spurgte hun til sidst, for endelig at tirre ham ud af hans kampestensagtige korpus, kunne det da passe, hvad folk vist troede, at han som en anden gammel kælling gik og sukkede over, at heller ingen i hans familie skulle leve til evig tid.

Hun ventede selvfølgelig ikke at han direkte ville gå ind på den sag. Kun at hans måde at undvige på kunne røbe, hvor galt det egentlig var fat med ham. Hans svar fik under alle omstændigheder gassen til at gå af hende.

Jeg ville alligevel også ønske at Ejnar Lundbæk havde levet længere, sagde han.

Det var heller ikke løgn. Det havde mange gange hjulpet ham at tænke på at der trods alt var en anden i byen, der både ville og kunne holde sammen på den. En der ville sørge for at det hele gik videre som det altid var gået, og for at enhver kunne vide sig sikker på sin plads og fik, hvad der tilkom ham og betalte, hvad han skyldte. Ja, én der fortsat kunne holde øje med om alle, og hver efter evne jo, havde noget at udrette, og så da indimellem også ville se til, at de stakler, der slet ingen ting var værd, at de alligevel ikke skulle sulte.

Det havde da hjulpet Søren at tænke på at Ejnar oven i købet var nogle år yngre. Ikke ret mange godt nok, men han havde hele tiden taget det for givet – og havde sagt det også til Rigmor – at Ejnar ville leve så meget længere end han selv. Og at det da så ikke var helt utænkeligt, at en ny mand kunne nå at vise sig i byen, en mand igen, der kunne se længere end til sin egen næsetip.

At Ejnar døjede med galdesten, havde heller ikke bekymret Søren meget, og at han så pludselig skulle igennem en operation, nåede han næsten ikke at blive urolig over. Men der kom noget ind, mens de havde ham skåret op, noget betændelse. Den tog livet af ham. De havde nede på sygehuset trøstet Rigmor med at han i virkeligheden var fuld af kræft.

Ejnar Lundbæk døde i al fald, da Søren Godiksen endnu havde fire år tilbage. Han havde håbet og ønsket det anderledes, det var der ingen tvivl om, og han kunne langtfra tage sig det let. Men det var samtidig som om han *alligevel* havde anet, at det ville gå på den måde. På trods af sin udtalte forventning, ja, på trods af al rimelighed havde han anet, at også Ejnar måtte af sted før han selv. For at han, Søren Godiksen, dermed kunne blive endnu hårdere ramt, for at *han* altså helt alene skulle blive tilovers i verden.

Jo, det måtte han indrømme for sig selv: så fæl en tanke kunne han komme til at gøre sig. Og det var noget forfærdeligt i ham, sagde han til sig selv, det var noget umenneskeligt i ham der kunne mane den slags forestillinger frem. Sådan en djævelsk kredsen om sig selv. For det var ikke første gang det var sket, slet ikke første gang, og han sagde det igen til sig selv under Ejnars begravelse, i kirken, og ville vel også sige det til Vorherre dér. Ville bede Ham om at forbyde det. For det var også kommet snigende, da Stinne døde. Ja, da Peder var styrtet ned med sin flyvemaskine. Sådan nogle tanker.

Det havde han også dengang måttet sige til sig selv, havde ikke kunnet lyve sig fra dem, og han havde så til gengæld vidst at det ikke på nogen måde var døden, der sønderbrød ham. Og han vidste det nu igen, og kun Stinne havde ellers vidst det, hun forstod det allerede dengang. Døden kunne ikke for alvor røre ham. Heller ikke hendes, det havde hun vidst, hun havde sagt det til ham, mens hun var syg. Hun havde jo som den eneste, måske længe før han selv, forstået at det var noget andet, og Søren huskede jo så på det da Peder året efter var faldet ned, hvad Stinne havde sagt til ham, at det aldrig kunne blive døden, der knækkede ham. For det var han allerede. Og det var sket for år tilbage, og det var noget helt andet der havde gjort kål på ham. Allerede dér i hans bedste alder, dengang i 1939, da Peder rejste hjemmefra.

Det vendte op og ned på alting, men foregik uden den mindste hurlumhej. Peder havde allerede et par år før, da han var sytten, sagt noget om at han måske også gerne ville prøve noget andet end bondelivet. Han kunne for eksempel vældig godt tænke sig at komme til søs. Og Søren var et øjeblik ved at glemme at Peder nu så godt som var en voksen mand, og han havde da nær langet ham en på skrinet og lovet ham et par til, hvis han nogen sinde igen skulle høre sådan noget forbandet snak.

Men vist fik han da med det samme igen styr på sig og kunne lade som ingenting. Han fyldte et par spande med syrnet mælk og stolprede fløjtende ned mellem grisene.

I tiden efter gik der alligevel ikke en dag uden at han spekulerede på det. Om det gik an bare at tro på, at de ideer med tiden ville fortage sig. Eller hvad han mon ellers selv kunne gøre for, at det blev lettere for knægten at glemme dem.

Og han tænkte da ved enhver lejlighed på at tage Peder med når han skulle til byen, på Kvægtorvet eller i Sparekassen. For at han kunne få den afveksling med, og endelig forstå at han betød noget, her hvor han var. Og da han også havde ham med for at få skrevet en bestemmelse om Marys arveandel – hun var lige blevet forlovet med Axel Lundbæk på Kristiansminde – lod han det hele tiden skinne igennem over for sagføreren, men med tanke på Peder selv jo, at enhver videre afgørelse inden så længe ville blive overladt til ham alene.

Han regnede så med at det ville gå hans søn, som det var gået ham selv: at ansvaret ville tynge ham til jorden, at det ville skærpe hans vilje – og styrke hans evne – til at bære det, og at han deri ville finde meningen med sig selv. Han var endda temmelig sikker på at faren var drevet over, da Peder anden gang kom og ville til søs.

Så stik du da hellere af den dag i morgen, måtte han svare.

For han måtte igen gå ud fra sig selv, og havde han selv så stejlt holdt fast ved sit eget, så ville ingen længere kunne hindre ham. Han ville heller ikke tvinge Peder til at sætte sig hårdt op imod ham.

Han ville give ham lov til at løbe hjemmefra, for at han

selv kunne få lov til at håbe på, at de igen engang kunne finde sammen dér. Og så endelig blive ens om det de skulle. Og han gav ham en plovmand med på rejsen, og han ønskede ham held og lykke, og det var lige før, sagde han ved afskeden – med det smil der også kunne få Peder til at lyse – det var lige før han misundte ham, at han nu sådan skulle ud i den store verden.

At det var enden på det hele, på Bisgaard, på hele hans slægt, på ham selv, alt hvad han havde villet, det stod så skånselsløst klart at han ikke straks kunne tage det til sig. Måske sank det så af sig selv ind i ham, og dybt ind, men i al fald dele af hans hjerne fortsatte i flere år med at opstille beregninger over, hvor længe det *nu* kunne vare, inden Peder var på plads igen. Og fortsatte med mere eller mindre matte fantasier om hvad for andre løsninger, der kunne blive tale om, hvis det altså alligevel skulle vise sig at trække alt for længe ud med hans sømandsvæsen. Eller hvad det var, han var på vej til at spilde hele sin ungdom med.

Søren nægtede i lang tid at forstå enhver snak om at Peder skulle være blevet flyver. Han tænkte mere på om det nu blev det samme med ham, som det havde været med Emma, at de ikke kunne komme til fornuft, før de kom galt af sted. Og han tænkte også på om det var noget, de havde fra Stinne. Ikke fordi hun på nogen måde havde skadet ham med det. Men hun havde nu engang så meget et lettere sind end han havde været vant til. Han kunne stadig studse over hendes humør. Skulle nogen af hans børn ikke fuldt ud have arvet hendes kløgt også, risikerede de jo nemt at blive pjok. Men han ville selvfølgelig aldrig kunne laste hende for den hun var.

På samme måde havde han da set på Emma. De var jo desuden kvindfolk. Det var ikke for alvor gået ham på at Emma rejste fra sted til sted og sløsede sig væk. Eller han havde affundet sig med dét som med andet der gik over hans forstand. Indimellem kunne han endda more sig en smule over hendes vidtløftighed, og det var slet ikke faldet ham ind at revse hende, da hun var gået til bunds, og han måtte komme og hjælpe hende op.

Han havde jo da også haft andet for med hende. Han var kommet dertil at han nu blev nødt til at stole på sin gamle forkarl Orla Jensen. At det måtte ende med at blive ham, der skulle være mand på Bisgaard. Og det var langt mere end han nogen sinde før havde forestillet sig, det kunne gå an at bede Orla Jensen om. Hvor fuldkommen tilfreds han end måtte være med ham, havde han jo aldrig kunnet tiltro ham sådan nogle evner. Men nu *var* der altså nok ikke andre, og nu spillede det med Emma så ind.

Hun kunne måske også med Orla og hele hans besindighed få den rigtige modvægt. Sammen med ham måske nå at blive en ordentlig kone. Og så kunne hun vel oven i købet fra *sin* side, på *sin* vis, give ham mod på det hele. Sætte noget større op i ham. Give ham kræfter til andet og mere end at sprede møg i en helvedes fart.

Sådan drømte Søren Godiksen. Han ville i grunden heller ikke have sparet noget ved deres bryllup, hvis ikke Emma havde holdt på, at det skulle gå så stille af. Og der gik ikke lang tid igen før han måtte indse, at det var og blev drømme, han nogle måneder dér havde tilladt sig. Ikke andet end tåbelige drømme.

Jo, for Emmas vedkommende, hun rettede sig straks. Hun ville vise enhver at hun end ikke stod tilbage for sin mor. Orla Jensen kunne bare ikke mere end han kunne.

Det kunne vel også lige gå. Bedriften skulle nok blive passet. Men ingen ville komme i tanker om at vælge ham til formand for mere end måske forsamlingshuset, eller udpege ham til snefoged. Han kunne aldrig komme til at råde over det halve af hvad Bisgaard naturligt havde krav på. Og Søren måtte snart opgive egentlig at have noget med ham at gøre. Det var ikke muligt at snakke med ham.

Orla viste sig nu at være blevet bange for ham. Da Søren første gang sansede det, kunne han ikke lade være med at opfatte det som en uforskammethed. Som om han nogen sinde havde higet efter at gøre Orla Jensen den mindste fortræd. Men der kunne nu ikke siges noget til ham – om hvordan eller hvornår det ene eller det andet burde gøres, høstes og sås – uden at han teede sig, som om han havde fået en lussing. Han formåede hverken at høre efter eller sige fra.

Søren måtte da lade ham passe sig selv. Og han begyndte at fundere over om det så skulle blive Kristiansminde, der kom til at føre an.

Om det altså engang skulle blive Ejnar Lundbæks søn.

Og hvis det ikke kunne være anderledes, ville der ikke være noget at indvende mod Kristiansminde. Axel syntes han bare aldrig helt han var nået til bunds i.

Han var dygtig, Axel Lundbæk, det var tydeligt. Og han havde også en god nok forstand, af så ung en mand at være, men hvad ville han? Mere end sit eget? Søren syntes ikke han kunne finde ud af det, og Stinne skældte lidt ud på ham af den grund. For det var jo til dels det med at Axel ikke var Ejnars og Rigmors egen. Der var ikke nogen der vidste hvad han kom af. Ingen kunne vide hvad der i grunden lå i ham. Og Stinne mente altså at det var småligt af ham at blive ved med at tænke på det. Han kunne ikke være det bekendt. Han skulle tage og anerkende at Axel Lundbæk var den prægtigste unge mand i byen, og Søren gav hende ret.

Han ville tænke som Stinne. Han prøvede på det. Og det lykkedes måske, og tiden gik, og han havde nok ikke længere det fjerneste forbehold tilbage over for Axel, da han begyndte at forstå, at han inderst inde var ligeglad.

Han var ligeglad. Han kredsede om sig selv. Det var endelig forbi med ham.

Livet var i alle tilfælde slut. Og kunne hans tanker overhovedet beskæftige sig med noget andet, så var det efterhånden kun med Peder. Og det gjorde i grunden ingen forskel. Hvorfor han var blevet taget fra ham. Kunne han blive ved med at spørge sig, uden at tro på noget svar. Og hvad han kunne være for et menneske, Peder. Eller han selv. Det var samme slags ørkesløshed der plagede ham, både før og efter at Peder var kommet af dage.

Der kunne bedst falde ro over ham når han tænkte sådan på det, at Peder jo nok var af hans fars slags – med sin stædighed sandelig en ny Peder Godiksen – men han var også af *hans egen* slags. Han var af Sørens egen slags, og måske allermest lige netop dét.

Ja, måske slægtede Peder lige netop *ham* på. Og var der ikke engang hvor han selv – som stor dreng vel – engang der – hvor han selv havde haft den samme trang til at stikke af fra det hele og gå på eventyr i verden?

Det havde han nok bare ikke husket på, siden hen. Og når han nu gjorde det, kunne han heller ikke blive sikker på, om han huskede ret.

Det kunne lige nogle øjeblikke ad gangen stå helt klart for ham, at de der lyster havde han virkelig også selv næret. Nøjagtig som sin søn. Men det var nu samtidig som oplevede han alting i en drøm.

Det var tilfældigvis en læge der fandt Søren Godiksen den formiddag nede på fjordvejen. Det ville muligvis have trøstet ham at han nu lige på stedet og uden yderligere opsættelse kunne erklæres død. Hans lig var endnu ganske varmt da lægen lyttede til hans hjerte og famlede efter hans puls.

Det var Flemming Beck der som den første med arbejde

andetsteds, helt ude i Aalborg, var flyttet til byen og havde ombygget et af de husmandssteder, som da allerede var blevet lagt til Kristiansminde. Flemming Beck interesserede sig for det gamle landsbysamfund, og han og hans kone begyndte at komme blandt andet hos Orla og Emma. Men han skulle hurtigt erfare at de færreste i Staun havde ret meget af det gamle ved sig længere.

De var sådan set ikke meget mere interessante end han selv, og den status måtte han endda tage sig sammen for at tilstå dem. Derfor havde han ved flere lejligheder søgt at komme i kontakt med Emmas far, som han stadig antog måtte være en virkelig autentisk bondemand. Han var da også nået ind i hans stue og havde stillet ham en række spørgsmål, og samværet med ham og det hele havde i og for sig forekommet ham fantastisk spændende. Uden at han kunne sige, at der kom noget særlig konkret ud af det.

Det var ikke rigtig lykkedes ham at vække den gamles interesse hverken for hans eget personlige liv eller for gamle dage i almindelighed. Søren Godiksen havde tilsyneladende ikke kunnet finde på noget som helst at svare til noget spørgsmål.

Flemming Beck var trods alt kommet meget tæt på hele byens historie, følte han. Og det var nu en utrolig stor glæde for ham at det netop blev ham, der skulle finde den døde.

Peder

Når han havde afleveret de halvtreds øre det kostede at komme i luftgyngen, begyndte hele resten af det maksimallarmende tivoli bag ham med det samme at stilne af. Den buldrende wienervals fra karrusellen drev ud over fjorden som et hastigt tordenvejr, og tøsernes deliristiske hvinen fes tilbage i deres lunger; også udråberen i tombolaen havde mistet sit storskrattende mæle, og kraftprøvekøllerne sank sagte nedad som i en stak dyner, og selv dåserabalderet og de knuste tallerkner, selv skuddene om ørene på den labre sigøjnerinde i skydeteltet fortonede sig – som om det alt sammen allerede igen var pakket ned og kørt væk.

Undtagen luftgyngen. Peder steg opad, helt alene med sig selv nu, op ad den lille trappe, op på planken, og med stilheden kuplet omkring sig stod han i næste øjeblik ved sin gynge, i sin altoverdøvende forventning, i sin totale spændthed.

Den var formet som en båd, den her luftgynge, og den vrikkede og gav sig i jernstængerne idet han sprang om bord. Og han var stadig, til sekundet før, stadig fuldkommen samlet og rettet mod udladningen, mod dette *nu*, hvor han endelig skulle sprænge sig selv. Han var én stor glødende kugle af nerver og muskler i det der sekund før han fyrede sig af.

Som skulle han rive stålstængerne over, og hans fødder sparkes ned gennem bundbrædderne, så voldsomt satte han da til vejrs. For nu var det, og nu og nu og nu var det, det gjaldt, og ikke gjaldt om andet. Han skulle opad, opad, for hvert sving frem og tilbage endnu højere, han skulle op og baldre stængerne mod overliggeren, og de kulørte lamper deroppe skulle flakse og flagre, hver gang han tippede, med sine ben stukket op i himlen, med sit blodrøde, ovenud lykkelige hoved hængende over byen.

Igen og igen, og det skulle blive ved og ved – så længe det kunne få lov at vare. Han vidste det hele tiden, og svang sig hele tiden så meget desto heftigere opad, vidste det ville få en ende. Der ville blive ringet med klokken dernede. Så var det forbi. Der ville ikke være noget at gøre. Han skulle ned. Så snart klokken lød. Det ville være uafvendeligt forbi.

Uafvendeligt. Måske havde han knap kendt ordet. Men en af de gange han var blevet nødt til at sænke fart der i gyngen og komme ned på jorden igen, havde han alligevel brugt det ord, eller et der lignede meget, sådan huskede han det senere. At han så havde stået dernede på pladsen, udmattet og slukøret som sædvanlig, lige efter sin luftgyngetur, og han havde tænkt: at han nu vidste, hvad døden var.

Den var uafvendelig. Den kom hver eneste gang der var liv. For alle og altid, også han ville kun have nogle minutter, inden. Han ville have nogle år, måske, men så lød klokken, og der var ingenting at gøre. Han skulle ned.

Derfor var det livet om at gøre at komme op, og højt op og hurtigst muligt allerhøjest. En meget langsommere gyngetur med Ellen syntes han dog heller ikke var at foragte, hvor forsigtig han så end måtte være. Og han kørte også gerne med hende i karrusellen, hvis hun havde lyst til dét. Så hjalp han hende op at sidde på en hest, og han holdt hende i hånden mens karrusellen snurrede, ellers ville hun måske falde af, og han så hele tiden på hende, og hun smilede. Hun syntes det var sjovt, og indimellem kiggede hun hurtigt til ham, om det mon også morede *ham*, og det gjorde det selvfølgelig, det kunne hun ikke undgå at se, han nød hvert eneste øjeblik af karruselturen, fordi hun gjorde.

Når den var slut, stod Axel parat, og han løftede Ellen ned i hendes rullestol, og de rullede så videre med hende. Og hun var da mindst lige så glad for at se på hvad som helst, *de* kunne lide at prøve. Hun så aldrig ud til at blive spor træt af at sidde ved skydeteltet og beundre Axel, selv om han kunne blive stående der meget, meget længe og skyde og skyde.

Pigen derinde, med de sorte krøller og den røde mund, tiltrak ham nok også. Men han gled uden om hendes blik, som ellers hang en del ved ham. Han ville skyde, ikke synke ned i de der bundløse øjne. Han ville være stærk, være helt og aldeles samlet om sit skyderi, og han var ualmindelig god til det. Også Peder kunne holde ud at stå der i lang tid og bare se på Axel, fordi han gjorde det så godt, og der gik sjældent en aften uden at han skød sig til en af de store bamser, som han så kunne give Ellen. Og han vendte sig da lige et øjeblik mod sigøjnerinden, inden de gik. Han ville trods alt bare lige se direkte på hende også, og han nikkede til hende og sagde farvel.

Og så var det måske snart Peders tid igen. Hver eneste aften, så længe tivoliet lå i byen, skulle han igen en gang i gyngen for sig selv, lige før de skulle hjem, ligesom lige med det samme når de kom. Men her sidst på aftenen blev det mange gange nødvendigt for ham at låne penge af Axel og Ellen. Han havde næsten altid brugt alle sine egne. Søren Godiksen gav ham heller aldrig alt for mange med, og så fik han da af de andre, for låne ud ville de ikke, hverken Ellen eller Axel. Peder skulle have pengene af dem, de sidste de måske havde. De vidste jo hvor vigtigt det var for ham, det med den gynge.

De var tilfredse med at bruge deres penge på igen at få ham at se deroppe. Og mange andre på pladsen holdt også altid øje med Peder, for ingen andre i Staun gyngede, som han gjorde, og nogle stod så og undrede sig over at han turde, og andre mumlede noget om at han sgu da også nok en skønne dag faldt ned og slog sig ihjel.

Hverken Ellen eller Axel var nogen sinde bange for dét. Det faldt dem overhovedet ikke ind at Peder ikke skulle have magt over både gyngen og sig selv. De forstod i grunden heller ikke snakken om at det var særlig dristigt af ham at gå så højt op. For sådan var han nu engang. Han prøvede slet ikke på at vise sig.

De kendte ham bedst, og selv om de nu også sansede at han selv deroppe i sin gynge, og så længe turen varede – lige til klokken lød – overhovedet ikke tænkte på *dem* og ikke rummede andet end sig selv, så kunne de blive ved med at mærke dernede, hvad det så var, der fyldte *ham*. De kunne lige til det sidste mærke hans fryd, den strømmede også igennem deres egne kroppe, det var så tydeligt så mægtig en fryd der sang i ham deroppe, og over alting i verden.

Det kunne måske snart blive fristende at se en meningsfuld sammenhæng – eller i det hele taget nogen som helst mening eller nogen anden slags sammenhæng – mellem et omrejsende tivoli og så Peder Godiksens senere skæbne. En i og for sig ikke fuldkommen usandsynlig udvikling, fra den begejstrede og talentfulde gyngeartist til flyveren med den gloriøse, internationale karriere, kunne da også tænkes, et øjeblik og så nogenlunde, at tilfredsstille læserens sunde dømmekraft. Hun ville dog uden tvivl samtidig få en ubehagelig mistanke om at den bog, hun her har fået i hænderne, nok alligevel ikke er andet og mere end en roman.

At forbinde gyngerne med flyvemaskinerne ville da også – virkeligheden taget i betragtning – være omtrent lige så absurd, som hvis det nu blev postuleret at han allerførst blev sømand, fordi de samme gynger var formet som både.

Det var en tilfældighed. En tilfældighed, endda foranlediget af fjerne, storpolitiske magter, der førte Peder til flyvningen. Han havde ikke inden sin første øvelsestime haft den tanke i hovedet, at det kunne blive noget for ham, og ikke mange måneder før havde han i øvrigt for første gang set en flyvemaskine på himlen. I de nitten år han havde levet i sin hjemby, blev luftrummet over den endnu ikke krydset af andet end fugle.

Hvad hans kortvarige sømandskab angår, så kom det vel simpelt hen af, at hverken han selv eller nogen andre havde fået andre ideer, da han altså åbenbart ikke længere ville blive, hvor han hørte til. Han ville ud i verden, og bortset fra at det for de fleste var ubegribelig tåbeligt – måske sådan helt at lade Bisgaard glide fra sig – så mente vist alle at kunne forstå, at det måtte være tøjlesløs lyst, der drev ham.

På det punkt, i det mindste, tog de helt fejl. Peder ville helst være blevet hjemme. Både et halvt og et helt år efter at han var rendt sin vej, længtes han tilbage så det indimellem tog vejret fra ham. Han måtte da skjule sit flæbende ansigt i et hjørne af køjen, prøve at skjule det frem for alt for sig selv, han ville ikke finde sig i sin hjemvé. Den var alligevel for ussel, når han nu engang var nødt til at rejse videre.

Det havde været nødvendigt at komme af sted. Han kunne ikke blive ved at være der for sin far. Han fyldte hele Bisgaard, Søren Godiksen, hele byen. Peder kunne ikke skaffe plads til sig selv uden at skubbe ham til side, og det kunne ikke lade sig gøre, ikke bare så nogenlunde i fredsommelighed. For der var ikke engang noget særlig fornuftigt han kunne have sagt til ham om det, ikke noget rigtig alvorligt som hans far så nok ville have syntes var værd at høre efter.

Der var hundrede småting. Og at han altså blev ved med at være dreng i den gamles øjne, og at der stadig blev kostet så helt tilfældigt omkring med ham, midt mens han var i gang med sit eget arbejde, eller noget andet han selv ville. Ja, midt mens han mugede ud i ·nøsset, kunne Søren komme og sige: Hent mig lige et par ·brynninger oppe på ·rånen! Eller hvis han sad om aftenen og spillede kort med de andre karle: Peder, sæt dig lige herhen og klø mig lidt på ryggen!

Det var ikke til at få sagt nej til. Eller bare om hans far måske nu ikke et øjeblik kunne passe sig selv, og at det var alt for træls når som helst at skulle springe og stå på pinde for ham. Der ville blive krig imellem dem. Der kunne komme et had op i ham. Han ville ikke risikere det.

Nej, hellere forlade ham, og han vidste da godt at også dét ville blive en uoverkommelig sorg for den gamle. Og når han senere drømte sig tilbage til ham, lå han snart og var i gang med at opsende fromme bønner om tilgivelse. Han ville igen underkaste sig ham og lade ham råde over alt til evig tid.

Sådan var savnet af faderen måske ikke så meget andet end skyld og skam. Stinne derimod – mor – hende kunne han længes efter at være hos igen simpelt hen for at være det. Han kunne gang på gang, midt ude på Atlanten, sætte sig ind til hende i køkkenet, for der var så rart derinde, og der blev vinter i hans tanker, og mørkt og koldt udenfor, som nu over havet. Men der hos mor buldrede ilden i komfuret, og hun var allerede ved at smøre en mellemmad til ham, og han behøvede ingenting at sige eller gøre, hun var nu den eneste derhjemme han ikke behøvede at gøre det mindste for, den eneste det var nok for, at han bare var der.

Naturligvis længtes han også efter sine søstre, og efter Axel, og Ellen, frem for alle hende.

I den cubanske havneby Cienfuegos kom han endelig en anden kvinde nær.

Det var i september 1940. Han havde nu været på søen i næsten et år, og der var gennem de seneste måneder indtruffet begivenheder, som han hverken var i stand til at overskue eller forstå ret meget af. Men de kom alligevel til at fylde ham – både rygterne om den ny verdenskrig og de følger af den, der allerede kunne spores også på havet – fylde ham så både hans hjerte og hans hoved så småt var ved at kunne befinde sig samme sted, som resten af ham tilfældigvis var havnet.

Og det var altså sidst på eftermiddagen der i Cienfuegos, tæt ved katedralen, at han også fik taget mod til sig og fulgte efter den pige, der nogen tid havde kigget på ham. Næsten lige så flakkende som han på hende, men det var alligevel ham og ingen anden hun sendte et ikke særlig undseligt smil, idet hun drejede rundt og gik. Og hendes hår flagrede op i vinden, som skulle hun pludselig skynde sig væk.

Ikke så langt oppe ad gaden ventede hun på ham. Og hun tog ham i hånden og trak af sted med ham, stadig længere væk fra havnen og fra ethvert af de kendemærker han i dagene forud havde skrevet sig bag øret. Stadig længere ind i og på kryds og tværs gennem stræder og smøger han ikke kunne skelne fra hinanden, og en enorm sol gjorde ham endnu mere ør i hovedet, han var halvt blind af lyset der lynede og rikochetterede mellem de hvidkalkede mure. Men han følte sig tryg med pigen i hånden. I duften af hendes brune hud var han med det samme blevet fuldkommen sorgløs.

Kun et øjeblik, mens de gik der, kunne hans ro forstyrres en lille smule af en historie. Han havde den fra maskinmesteren, eller var det fra en af matroserne, der gik flere af den slags historier. Og de mindede altså meget om ham og den her pige, lige nøjagtig sådan som de gik her. Men pigerne i de historier var aldrig andet end ludere. Og hende her var bare ubegribelig sød.

Hendes navn var Immaculada, kunne han dog begribe. Og ikke så meget mere, ikke før de var hjemme hos hende, og han havde truffet hendes lattermilde mor. Hun fik ham ned at sidde ude på deres svalegang, og hun kom med kaffe til ham, og de sad et par minutter alle tre sammen dér og grinede ad ingenting. Så rejste hun sig og gik ned ad trappen, moderen, og videre ud gennem gården, og hun vinkede og grinede igen i porten, inden hun forsvandt.

Immaculada satte sig over på hans knæ og kyssede ham, og da hun lidt efter hev ham ind til sin seng, gik det op for ham, at hun så måske alligevel også var luder, på sin egen måde. Han fandt pungen frem for straks at betale. Hun nægtede dog at røre hans små sedler. Hun tjattede dem ud af hånden på ham, og han lagde sig med hende og blev snart efter klar over at han ville elske hende resten af sit liv.

Han sagde det til hende på dansk, og det kunne virke som om hun forstod det. I hvert fald kunne *hun* på sit spanske og med fagter og grimasser få fortalt at hendes mor snart kom tilbage, og at de hellere måtte trække i tøjet. Så tog hun endelig imod pengene, og hun fulgte ham på vej, til et gadehjørne hvorfra der var frit udsyn til havet.

De havde ligget i havnen i over en uge før det blev endelig afklaret, hvem M/S Nelly hørte under. Efter besættelsen af Danmark i april havde langt de fleste af handelsflådens skibe søgt at bevare deres frihed. De holdt sig væk

fra danske havne, og en stor del af dem var allerede kom-
met under britisk flag. For Nellys vedkommende blev det
nu det amerikanske, og de fik da omsider ordre på at gå
til Georgetown i South Carolina, for at laste papir.

Det var dagen før de skulle sejle, at Peder havde mødt
Immaculada. Og sidstedags-bevidstheden havde selvføl-
gelig været med til at befri ham for noget af hans forlegen-
hed over for så forførende en kvinde. Men samtidig havde
tanken om den alt for raske afsked forstærket hans vilje til
altid at huske hende, og ikke alene skulle han altså nu for-
lade Cienfuegos, han skulle også meget snart begynde et
nyt liv. Han skulle afmønstre i Amerika, det var blevet pla-
nen, og så skulle han rejse videre til Canada og blive fly-
ver, måske.

I hvert fald skulle han hele tiden gå og mindes Imma-
culada i kulden deroppe, det var sikkert. Om han så blev
flyver, kunne ingen love, eller rettere: nordmanden, der
ville have ham med derop, havde bare hørt at nogle andre
nordmænd havde etableret en træningslejr i nærheden af
Toronto, og at de muligvis også ville til at uddanne pilo-
ter.

Han var anden styrmand, Erland Johanssen. Og der var
et socialt lysår fra sådan en officer og ned til en jungmand
som Peder Godiksen. Alligevel var de en nat på broen
kommet til at udveksle et par bemærkninger ud over det
nødvendigste. Og Johanssen havde fundet det forsøget
værd, og i løbet af et par vagter til nåede de ud i detaljer
om deres personlige baggrund, og ordene faldt da ud af
nordmandens mund, og han gentog dem begejstret, idet
han så nogenlunde begreb, hvad han faktisk havde stået
og sagt:

Du må rejse med mig til Canada, du! Du må slutte dig
til de norske frihedskæmpere sammen med mig!

I marts 1941 lagde Peder for første gang hænderne på roret i en Hawker Hurricane. Et engelsk kampfly nu på vej til at blive overgået af hurtigere og kraftigere typer, men Peders begejstring var aldeles ublandet.

Han var sjæleglad over nu omsider, for alvor, at kunne sætte sig til rette i cockpittet. Vinterens tekniske og teoretiske undervisning hang ham ud af halsen. For han var dum, havde han måttet sige til sig selv, han følte sig til grin. Gennem de lange, hundekolde måneder havde han stridt som en gal med bøger og opgaver for ikke at skulle sidde i gruppen som nummer sjok, og forgæves.

Staun Skole havde ikke givet ham de bedste forudsætninger for aerodynamiske beregninger. Enoksen, der ellers kunne lære også de vageste hoveder at skrive et fejlfrit brev, havde naturligvis heller aldrig kunnet forestille sig, at meget mere skulle blive nødvendigt. Peder måtte i al fald begynde fra bunden her. Hans lærere klarede kun lige netop de tålmodighedsprøver han dagligt udsatte dem for. Men da et par af dem så havde været med ham i luften, blev de enige om, at hans talent som flyver måtte kunne kompensere selv for svær analfabetisme.

Og en søndag inde i byen havde han budt Clémence Renaud op til dans. Hun var som en dukke af silke og fløjl, hendes blik slukkede dog straks enhver idé om legetøj. Disse eftertænksomme øjne hun havde, de kunne derimod tænde lys og farver til alle sider omkring hende, og i Peder og i alting, og den lunkne te i hans kop havde, med det samme han så hende, fået glød og en sær, appetitlig dybde, og det grove, grålige filtgarnskluns de havde givet ham i træningslejren, også det blev allerede under deres allerførste dans så meget lettere at have på. Inden musikken standsede, havde det virkelig opnået glans som en galla-uniform.

Clémence forelskede sig åbenbart i samme tempo i

ham. De mødtes i ugerne efter så tit han kunne få lov. Han havde endnu ikke så mange brokker engelsk til rådighed, men de stod meget godt til hendes tøvende, nærmest modvillige brug af dette sprog, hun som fransk canadier var opdraget til at foragte. De følte sig begge overbeviste om at de aldrig før havde talt så godt med noget menneske.

Peder savnede kun at de kunne være noget mere *alene* sammen. Clémence havde altid nogen med sig, en veninde, en fætter, et af børnene fra den familie hun boede til leje hos, og lige meget hvem, så syntes han altid, de stirrede på ham. Venligt for så vidt, men også mistroisk, som om han var et dyr, der nok når som helst kunne gå grassat. Og deres evige tilstedeværelse indebar jo tværtimod at han ikke engang kunne kysse Clémence eller røre ved hende nær så meget, som han havde lyst til.

Enkelte gange lykkedes det ham alligevel at slippe af med de der tredjehjul, lige til sidst, nogle sekunder, nok til at han frit kunne lufte tanken om at følge med op på hendes værelse. Og jo, hvis han lovede at liste, og højst at blive ti minutter, og han forsøgte da at udnytte tiden og gik straks i gang med at knappe hende op. Men når han kom til strømpeholderne, fik han aldrig nogen sinde løsnet mere end en enkelt strop, før hun slog bak. Han måtte så godt kigge et øjeblik på det bare stykke hud dér, og det mindede ham om en skål nymalket mælk hans mor havde sat på køkkenbordet, med sin sarte, endeløst bløde hinde af fløde, og han forestillede sig allerede noget flygtigt sursødt i næsen, når han fik den helt derned.

Heller ikke fordi Clémence i grunden ville nægte ham noget lige på stedet, slet ikke. Hun prøvede mindst et par gange at antyde at hun ville være hans med hud og hår, i samme øjeblik han lod hende forstå, sådan temmelig klart og tydeligt, at udsigten til et varigt forhold ikke var ham fremmed. Peder fangede aldrig helt denne ellers – som følge af ret upålidelige metoder til svangerskabsforebyggelse – ganske velkendte pointe, og en aften på værelset, hvor tiden med kyssen og baksen alligevel var løbet mod midnat, blev hun nødt til ligeud at fortælle ham, at hun ikke længere kunne holde ud at stå imod, og at han nu straks måtte befri hende og sige det: at han ville gifte sig med hende.

Så forstod han dog. Og der var da ikke noget han hellere ville. Han ville have hende, hele livet også, han kunne blot ikke få det frem, nu hvor det skulle. Han kunne ikke få sagt ja bare.

Det blev siddende i halsen. Han blev valen i både hoved og lemmer af en underlig følelse af svigt, for han anede ikke over for hvem. Jo, Clémence blev det jo nu, på sin vis. Men egentlig langt mere som om han ville svigte en eller anden tredje, hvis han netop ikke svigtede hende.

I dagene efter spekulerede han noget på om det kunne være Immaculada, han i sit inderste var så trofast over for. Han afviste det da trods alt, så tåbelig kunne selv han ikke være indrettet. Det måtte være nogen derhjemme, og da den mulighed faldt ham ind, var han ikke længere i tvivl.

Det var selvfølgelig nogen derhjemme, og han havde allerede én gang svigtet dem, og måske allerede flere gange, og han holdt sig i tankerne til 'dem' og 'dem alle sammen'. Kunne ikke overkomme sådan her at skulle se hver enkelt for sig og at skulle grunde over, hvordan og hvorledes han lige præcis havde svigtet ham, eller hende.

Han havde svigtet dem, ja, og dem alle sammen, og det ville være det sidste og fuldkommen uoprettelige svigt, hvis han nu stiftede familie i Canada.

Sådan måtte det hænge sammen, derfor kunne han ikke få sagt ja til Clémence. Sagde han til sig selv. Og til hende at de måtte se tiden an, og hvordan skulle han med det samme kunne forsørge hende. Og de fortsatte med at gå ud sammen med hendes øvrige ledsagere. Også med nu og da på hendes værelse at bevæge sig længst muligt frem mod grænsen til ægteskabet.

De fortsatte indtil han den første søndag i juni meddelte hende, at han snart skulle overflyttes til England. Clémence Renaud græd da, og hun slog løs på ham med sine spinkle næver, og hun skreg og græd igen, og hun smed sig på gulvet og vred sig i kramper.

Og Peder sad på hendes seng med den flove tanke i sit bøvede hoved, at det måske nu kunne blive helt rart at komme væk fra hende.

Sammen med Erland Johanssen og flere andre nordmænd fra Toronto-lejren var Peder Godiksen blevet optaget i Royal Air Force. Her skulle de deltage i Storbritanniens kamp mod Tyskland, og indirekte jo bidrage til befrielsen af deres hjemlande.

Peder blev i RAF en fænomenal krigsflyver. Han avancerede hurtigt, han blev hædret og fik ansvar for de vanskeligste opgaver. Allerede før invasionen i Normandiet var han blevet chef for en eskadrille der skulle, og kom til at, spille en vigtig rolle gennem tætte bombardementer af de tyske tropper og forsvarspositioner. I de sidste krigsår ledede han snesevis af togter over Tyskland.

Og selvfølgelig glemte han aldrig at det hver gang kunne blive sidste gang: Erland *havde* de fået ram på. Og mange andre. Alligevel blev flyvningerne rutine. Peder kunne undervejs falde i tanker, til sidst kunne han gribe sig i at tænke på, at der gik mennesker dernede under hans dødbringende vinger. Eller i al fald tænke på at der gik *bønder* dernede, og især der i marts og april 1945 kiggede han længselsfuldt ned til dem.

De var jo i gang med forårsarbejdet. De pløjede og har-

vede og såede, og Peder kunne så godt som fornemme
grødeluften i næsen. Og han kunne se for sig hvor ihær-
digt de nu strøg sveden af panden, og de smed måske al-
lerede skjorten i den høje sol, og om et øjeblik ville de igen
ikke høre andet end lærken over deres hoveder.

At der også var menneskeliv i byerne, så han ikke for
sig, og han kiggede slet ikke efter det, når han gav ordre
til at fyre løs. Byerne var strategisk bestemte bombemål,
de skulle smadres. Han bidrog i særklasse, og da krigen
sluttede, og han snart ville fylde sine 25 år, havde han rang
af oberstløjtnant.

En højere grad opnåede han for resten aldrig. Hjemme
i fædrelandet kom han ind i arbejdet med at opbygge et
dansk luftvåben, og var der enkelte der mente, at han
burde blive dets leder, var der så mange flere, der ikke på
nogen ledder og kanter kunne se, at han egnede sig.

Der blev åbent henvist til hans alder, og til hans bag-
grund og uddannelse. Han havde jo ikke så meget som en
realeksamen, og længere ude langs væggene kunne man
blive enige om at hans militære erfaring, hvor omfattende
eller enestående den end kunne påstås at være, givetvis
blot ville være til gene i et dansk forsvarsministerium. Det
føltes heller ikke af alle at være i overensstemmelse med
danske værdier at være kommet frem gennem forhastede
krigstidsavancementer, og der kunne snart opnås en vis
tilslutning til tanken om at det – også for ham selv – ville
være bedst om han blev sat på plads. For at han så, even-
tuelt, og med en mere beskeden holdning, og i kraft af den
lange og seje indsats, kunne gøre en normal karriere.

En degradering straks ville for så vidt være den kor-
rekte løsning. Det kunne desværre nok vække mishag hos
de allierede i London; men at man ikke havde i sinde at
gøre videre stads af ham, det skulle de dog aldrig få lov at
blande sig i.

I Peders sårede sind fik udtrykket 'lille Danmark' sin fulde, nederdrægtige klang. Ellers var det alt sammen en uvirkelighed.

Han forstod godt at han var nødt til at foretage en voldsom opbremsning af sig selv. Fysisk og psykisk skulle han nu ned i et tempo der mindede om at gå i dok, og han ville da gøre sit bedste, og han prøvede og anstrengte sig. Men i det omfang det lykkedes ham, oplevede han det alligevel, som om det var *andre* kræfter, andre og sanseløse og umenneskelige kræfter, der nedsænkede ham i en kæmpemæssig klisterbøtte.

Han søgte igen tilflugt hos en kvinde. I krigstiden i England havde han ikke haft noget ud over helt løse forbindelser. De hurtige knald havde også passet ham, hans nerver og hans arbejde, men hjemme, der i slutningen af fyrrerne, ville han have kone og børn. Han ville virkelig selv forvandle sig til et fredsmenneske og leve et rigtigt fredsliv. Han ville finde den pige der kunne give ham ro og gøre ham tilpas med en jævn og almindelig tilværelse.

Og han lærte én at kende, og så en anden og snart både tre og fire og ti og tyve at kende. Havde åbenbart ikke så let ved at udvælge den ene kvinde der skulle være hans. Blev i stedet indfanget i en hvirvel af alle andre. Han fik i de år ry for at være noget af en skørtejæger og en horebuk, skønt det snarere var ham selv, der gang på gang blev efterstræbt og erobret, og så igen og lige så taktfast kasseret.

En årsag til det første kunne være hans berømmelse. I 1945 var han trods alt blevet modtaget herhjemme som krigshelt, og der var journalister der huskede på det nogle år. Mange kvinder var alene af den grund ret ivrige efter at møde ham, få fat i ham, og så var han vel egentlig også skabt som et lykkebarn. Han havde fået nogle af begge sine forældres bedste sider med sig. Især da han var nået op omkring de tredive, kunne man klart fornemme meget af Søren Godiksens solide mandighed i hans væsen, uden at han samtidig havde mistet det mindste af den lethed, han havde efter Stinne. Der var fortsat noget vældig lyst og ømt i ham som ingen, der mødte hans blik, kunne overse.

Peder kom altså sammen med lange rækker af kvinder. Oftest meget smukke, af og til virkelig kærlige også, og der var dem der var ekstraordinært intelligente, livsaligt sjove, enkelte endda velhavende. Og han kunne for så vidt være parat til at gifte sig med dem alle sammen.

De kunne måske også bare alle sammen mærke dette 'for så vidt'. Et sidste og uoverkommeligt forbehold i ham, og de indså da efter tur at de gjorde klogest i, og jo før jo bedre, at søge andre græsgange. Og det blev ikke engang med tiden meget bedre, for det blev aldrig helt bevidst for ham selv, dette forbehold, som enhver kæreste fik at føle. Han forstod ikke fuldstændig hvad han gik efter, når det kom til stykket, og at han vel dybest ønskede sig en kone, som ingen kvinde længere hverken ville eller kunne blive.

Selvfølgelig var han udmærket klar over at tiderne var anderledes. Han selv jo også. Og verden var nu nok løbet tør for koner af den slags, han havde kendt som dreng. Der var heller ikke længere brug for dem, og da slet ikke med sådan én som ham, han havde jo hverken gård eller folk. Han havde ingen stor husholdning han kunne overdrage sin kone, og dermed give hende mulighed for at udfolde alle sine evner og al sin kunnen. Og at anbringe hende i en lejlighed eller et lille hus, hvor hun ikke ville have mere end som så at gå op i, det syntes han dog endnu var for småt. Det vidste han ikke hvordan han skulle bære sig ad med at byde nogen. Eller at lade hende arbejde uden for hjemmet – for en anden mand – et eller andet tilfældigt sted ude i byen, nej, det forekom ham stadig både usselt og latterligt.

Jo, det havde alt for svært ved at blive til noget med no-
gen som helst af alle de dejlige kvinder. Og var han i det
ydre låst fast af den forsvarsministerielle rangorden, så
groede han med sind og sjæl efterhånden også ned i et
underjordisk fængsel. Et tungt, trolddomsagtigt mørke
herskede her, uigennemtrængeligt for ethvert fornuftigt
ord.

Hans læge kunne dog ved en lejlighed forklare ham,
hvad der utvivlsomt var tale om: en i samtiden stadig
mere udbredt lidelse, der af videnskaben blev benævnt
som depression.

Det blev så alligevel hans mor der bedst kunne hjælpe
ham.

Det gjorde hun i de måneder hun lå syg. Peder kom da
hjem på Bisgaard i flere dage ad gangen. De havde ikke set
så meget til ham siden han var rømmet, og det rørte alle,
også Søren, at han nu det meste af tiden ville sidde ved
Stinne.

Hun var selv den der snakkede mest. Hun mindede
ham om alt det skønne de sammen havde været med til,
og om dem de havde kendt, og hvordan det var gået dem.
Hun havde begrebet at også Peders tanker var kommet til
at kredse om ham selv – i grunden endda når han kom til
hende. Og hun regnede det for nødvendigt at han fik øje
for andet i livet, og især for andre mennesker, hvis han
igen skulle blive glad.

Og han sad der time efter time ved hendes seng og lyt-
tede til hvad hun fortalte. Og det virkede på ham, og jo
stærkere jo svagere hun blev. Da hun døde, blev hans sorg
både voldsom og animerende. Han bandede ikke mindre
over sig selv end over døden, og nu skulle han for helvede
da også se at komme i gang og få noget ud af det.

Der kunne ikke være nogen sammenhæng, men han
oplevede det som om der var, da forsvarskommandoen

126

ikke så længe efter tilsyneladende nåede frem til at mene, at han nu havde ligget længe nok i sit klistertrug.

Han blev tilbudt jobbet som chef for Flyvestation Aalborg. Fik at vide at en forfremmelse sandsynligvis ville følge efter, han ville stige en grad, senest efter et års tid. Han kunne altså omsider se frem til at stryge løjtnanten af sin titel, og frem for alt, han ville få noget at arbejde med, noget reelt at udrette.

Om morgenen den 14. juni 1953 var han så høj og klar i sindet som den skyfri himmel.

En mand i ministeriet der, vistnok afgørende, havde støttet hans sag, havde også givet ham det råd at arrangere sådan en søndagsopvisning: I fredstider måtte ethvert militær lave lidt gøgl i gaden, så skatteyderne stadig kunne føle, at de fik noget for deres penge. Og Peder var helt med på ideen, og det var gået så godt i de måneder han nu havde været i Aalborg. Han kunne lide sine folk, og de ville også hellere end gerne demonstrere deres kunster, og han havde endda fået Karup til at medvirke med nogle af deres Thunderjets.

Så kom det med Ellen. Det havde været herligt at hilse på Axel og alle de andre der var med fra Staun. Men han kunne ikke igen få tankerne fra Ellen. Selv om hun var blevet ved med at sige at det kun var et lille ildebefindende, at det nok snart skulle gå over.

Da deres MK 11-eskadrille som første punkt på programmet havde været oppe og vise hvad de duede til, gik han selv straks på vingerne for at lave et solonummer i sin nye Shooting Star. Men han tænkte stadig på Ellen. Som de var gået fra, Axel og han. Som nu lå dernede på briksen i hans kontor.

Der kunne ikke gives andre forklaringer på ulykken. Flyet fejlede ingenting. Måtte være tale om et koncentrationssvigt. Selv om Peder uden tvivl *igen* prøvede at blive ét med sin flyvning, mens han foretog sine bratte dyk, når han gik lodret op, mens hans loopede og rullede.

Der kan ikke være tvivl om at han atter en gang ville sige det til sig selv: Det er nu det gælder. Det er nu jeg lever.

Og Hans Peter

Krig og ulykker. Svært at komme ind på den slags uden også at komme i tanker om Søren Godiksens gamle forkarl, Hans Peter.

Og det ville man meget nødigt. Men der var nu engang de fællestræk mellem dem, Peder og Hans Peter, der var den voldsomme død de fik begge to, og det at krigen måtte siges at blive den altafgørende begivenhed i deres liv. Der var endda Flyvestation Aalborg som, bare den blev nævnt, uvægerligt fik enhver til at tænke på både den ene og den anden.

Selv om alt hvad de hver især *var*, og havde gjort, intet som helst kunne have med hinanden at gøre. Hvad karakter og format angik, ville overhovedet ingen sammenligning mellem de to være mulig. Sådan nogle klausuler måtte man da straks finde frem og holde sig til. At de havde villet det gode og det onde, jo, noget i den stil kunne man måske lige fristes til at slå fast. Men det lød trods alt for dumt.

For ligefrem ondskab kunne man alligevel aldrig få til at stemme med sit kendskab til Hans Peter. Og det modsatte, nej, højtravende præstesnak passede lige så meget ad helvede til på Peder. De var altså bare kommet til at spille så vidt forskellige roller, og det måtte så desværre altid føles som en besudling af Peder, noget i retning af gravskænding, når man ikke kunne mindes ham uden at éns tanker samtidig faldt til den andens side.

Derfor blev der af alle kræfter tænkt så lidt som muligt *højt* på Hans Peter. Man ville allerhøjst tillade sig at sige en enkelt ting om ham ad gangen. Sådan og sådan havde han sagt eller gjort den og den dag. Ingen ville derpå ud i hvad der mon kunne være foregået dagen før, og hvad der dagen efter måtte følge. Hans historie blev altid væk i mørket inden den var begyndt.

Men Hans Peter Selvbinder blev han kaldt. Det avancerede, multifunktionelle maskineri – der selvfølgelig langt overgik den simple slåmaskine og hurtigt havde gjort både høstkarlen med sin le og pigerne, der rev sammen og bandt neg op og stillede dem i ·kærresæt, til skikkelser fra en sagnagtig fortid – det havde de også på Bisgaard, i slutningen af 1920'erne, anskaffet sig et eksemplar af. Og Hans Peter kunne så ikke styre sin begejstring for det. Han blev i månedsvis ved med at rose det i høje toner over for alle og enhver, der ikke allerede var sluppet uden for hørevidde. Indtil han så fik navnet klinet på sig.

Så holdt han da omsider inde. Ingen hørte ham siden tage det ord selvbinder i sin mund. Alle morede sig over hans møjsommelige udenomssnak, når han alligevel var nødt til at komme ind på sagen.

Ingen hørte heller siden hvordan Hans Peter Selvbinders egentlige og fulde døbenavn mon kunne have set ud. Ingen brød sig på nogen måde om at undersøge det, og der blev aldrig rejst nogen sten efter ham, som kunne have afsløret det for alle dem, der efterhånden kun havde ubetydelige mén af besættelsestiden.

Men hvis sandheden omsider skulle siges, så kunne det ikke nægtes at Hans Peter, trods alt, i mange år havde været Søren Godiksen en god forkarl. Han var en mager, men sej fyr, han var villig, og han var i stand til at udføre al slags arbejde, stort set, og når han ellers havde fået grundig besked på, hvad det gik ud på, og hvornår det skulle gøres.

Søren forestillede sig nok – da Hans Peter kom op i tre-diverne – at han var af dem der aldrig fik deres eget, og at han derfor ville blive på gården, til han blev gammel. Og Søren tænkte helt sikkert på at afstemme hans løn, så der også ville være lidt tilbage at give ham til brødet engang, når han ikke kunne bestille mere.

I Hans Peters hoved så det naturligvis anderledes ud. Han tænkte sig, som enhver anden, at han før eller siden ville løbe ind i én, der godt ville giftes med ham. Og alligevel var han selv måske endnu mere overrasket end alle andre, da det skete for ham, dér i det første krigsår. Han fandt en pige, og hun var sund og rask og ikke mere end nogle få år ældre.

De kaldte hende Marie Med Røven, hvad der ikke var noget særlig fantasifuldt påfund. Hun havde tjent på en hel del af egnens gårde, og hun var et jern, stor og stærk, men uheldigvis også noget berygtet for at ville stjæle. Skønt hun vistnok aldrig en eneste gang havde nuppet hverken sølvtøj eller penge. Det drejede sig mest om en lækkerbisken fra spisekammeret i ny og næ, eller hun lånte et stykke lingeri af konens, men derfor var det alligevel, at hun havde haft så mange pladser. Og til sidst bredte den opfattelse sig så, at det var uudholdeligt at have hende i huset, og hun blev uden pardon jaget af sted fra en gård i Kølby, i efteråret 1940, mindre end en måned før skiftedag.

Hendes møde med Hans Peter kunne derfor finde sted under de allermest romantiske omstændigheder: Marie var – i en slem efterårsstorm – ravet ned ad vejen mod Staun og havde så søgt ly i Søren Godiksens lade; her lå hun med alt sit habengut bundet sammen i et lagen, da Hans Peter næste morgen kom og forbarmede sig over hende. Han fik Stinne til at give hende mad, og han sendte hende hen på dagen videre, ud i Lundby Hede, hvor hans

131

forældre sad på et krumsted. Men inden jul havde de sammen købt hus i Sebbersund, for de havde altid sparet på skillingerne begge to. Der var nok til en gammel fiskerrønne.

Og de faldt godt til dernede. Deres naboer begyndte snart at sige at man skulle lede længe efter et ægtepar, der levede så fredeligt med hinanden som Hans Peter Selvbinder og Marie Med Røven. Ægtepar havde de ganske vist ikke nået at blive, men bortset fra det, så attesterede Maries runde hoved dagligt for lykken. Hun var ét stort og i enhver anden forstand meningsløst smil. Ingen havde nogen sinde før været halvt så glad for at hun eksisterede, som Hans Peter var, og for ham var det et sandt eventyr at have fået hende. Hun lavede den herligste mad til ham, og hun tog med åbne arme og ben imod ham i sengen.

Det er umuligt at vide, men det er højst sandsynligt at hun også var den første kvinde, Hans Peter sådan var sammen med. Han havde jo aldrig været den store charmør, og han havde måske heller ikke så tit fået sig ordentlig vasket. Søren Godiksen plejede ganske vist, en gang i kvartalet vel, at bede Stinne få tændt op under gruekedlen og så genne sine karle derud i vaskerummet, beordre dem til at lægge hver en trevl og ellers skrubbe løs på hinanden, til de var lige så fine og lyserøde som et kuld nyfødte grise.

Det slog alligevel ikke helt til, ikke for Hans Peter. Men hvad enten Marie nu selv gjorde noget ved sagen, eller hun ikke tog det så nøje, så kom han aldrig mere til at høre for nogen kropslugt, og han kunne frit få indhentet meget af det der var blevet forsømt og sprang på hende morgen, middag og aften. Når han ellers var hjemme. For han skulle naturligvis på arbejde, og det blev inden så længe helt i Aalborg, og længere væk endnu, på den anden side af fjorden, ude vest for Nørre Sundby.

Det var den tyske besættelsesmagt der var blevet Hans

Peters nye arbejdsgiver. Han kom med til at anlægge den flyveplads, som Peder Godiksen en halv snes år senere fik kommandoen over. Hans Peter arbejdede der i lidt over tre år. Jord og beton, for tyskerne, det gav penge, og det fremkaldte hos nogle en foragt der var nær ved at kunne måle sig med den, han så ofte før, og i kraft af sin blotte person, havde vakt hos andre. Men det kunne jo slet ikke i sig selv koste ham livet. Der skulle flere tilfældigheder til, måske nogle misforståelser også.

Marie lod forbavsende hurtigt til at komme sig over hans død. Det hjalp hende selvfølgelig at hun med det samme havde fået meget andet at tænke på. Hun skulle igen forsørge sig selv. Og rygtet om at hun kunne lejes, havde hastigt bredt sig, og hun var med på gårdene til hovedrengøring, storvask og tapetsering, og når der skulle slagtes og holdes gilder. Men hun gav også gerne et nap med i marken, når roerne skulle luges, og under kartoffeloptagningen, og det gik alt sammen tjept. Mange gange kunne gårdmanden synes at han nok havde givet hende en rigelig god akkord.

Alligevel sendte de allerfleste bud efter hende igen, der var snart ikke så mange andre at få heller, og Marie kunne jo det hele. Op gennem halvtredserne blev hun uhyre afholdt af alle mennesker på de kanter. Og hun blev ved med at gå ud flere år efter at hun havde fået sin aldersrente, og da hun som helt gammel bare sad ved gavlen af sit hus og grinede og vinkede til hvem der kørte forbi, ja, da ville enhver have troet, det var løgn, hvis nogen var begyndt at fortælle, at man engang som det første havde tænkt på hende, når der var noget i huset, man ikke kunne finde.

Men Hans Peter Selvbinder var altså i 1944 blevet skudt. Af og til havde han overnattet i et af skurene ude på flyvepladsen, der var langt at cykle frem og tilbage til Sebber hver dag, og det hændte så også at en arbejdsleder tog ham med ind til byen om aftenen. Der var han flere gange blevet set ved Højskolehotellet, Gestapos hovedkvarter. Han var blevet set, eller han var blevet forvekslet med en anden sky og mager type i lige så dårligt tøj.

Ved aftenstid en lørdag i marts blev der under alle omstændigheder peget på ham med to pistoler. Hans Peter cyklede hjemad ad Hobrovej, modstandsfolkene trådte frem fra indkørslen til Amtssygehuset, de standsede ham og affyrede hver et par skud mod hans hoved og bryst. Der var allerede ved at være mørkt, og de tog et billede af ham med blitz.

Det billede regnede Søren Lundbæk med at have fundet, for ikke så mange år siden, i en stor bog om besættelsestiden. Han tog den med hjem til Staun og viste det til både til sin mor og sin moster Emma. Spurgte dem om ikke det kunne være ham der Hans Peter Selvbinder.

Morfars gamle forkarl, som han jo altså aldrig selv havde hørt andet end meget løse bemærkninger om. Men alligevel at det var gået ham sådan der, ude i Aalborg. Mary så på det og lagde bogen fra sig og så på det igen. Emma kastede et langt blik på det. De mente så begge at det ikke var til at se, om det var ham.

Det *kunne* være ham. Og det kunne lige så godt være en anden. Hans Peter Selvbinders historie havde det stadig med at forsvinde før den var der.

Men stakkels mand da, sagde Emma. Og Mary nikkede.

Og det var vel også hvad man efterhånden – halvtreds år efter – måtte tænke, uanset hvem det var, der lå der: kylet hen over brostenene, med en blodplamage midt over det skarpe lys på hans ansigt, hvidt og sort, og ude i den grålige kant det halve af baghjulet på hans cykel, og noget af en pakke, vistnok, på bagagebæreren. En mand som en skrubtudse splattet ud over vejbanen, så tilfældig og navnløs for enden af sin ikke-historie.

Som en illustration, i det mindste, af Hans Peters, hvis det da ikke lige var ham. Jo, sådan en lille historie kunne måske nu alligevel fortælles.

En historie om bondekarlen, fattiglasen, stymperen. En historie af nøjagtig den samme så sørgelige og letforglemmelige slags, som der på hans tid stod så mange af i både ugeblade og julehæfter.

2003

Det var det avisudklip hun ville finde, havde allerede lagt sin pung og et fotoalbum op på bordet, havde fat i en konvolut, den med invitationen, og med den anden hånd rodede hun videre, i taskens bagerste rum nu, og hun virrede skiftevis med konvolutten og sit hoved, skulle hun endelig være blevet så glemsom?

Pokkers! At skulle sidde her som en gammel halvtosse, men især da hvis det nu virkelig var blevet væk for hende, det stykke der havde stået om Ellen, hun havde så gerne villet vise dem det.

Pyt nu, Emma, vi ser det en anden gang! En af dem havde allerede villet trøste hende eller ikke gidet vente længere med at komme til at snakke om noget andet. Måske endda været lettet over nu at slippe for at glo på hendes gamle aviser.

Nej, nej, jeg har det jo her! Jeg har det her! Hun havde opgivende stukket et par fingre i den allersidste, lille lomme, og som var der sket et under: dér lå det alligevel. Hun holdt den sammenfoldede avisside op og smilede hele vejen rundt, nu skulle de se.

Allerførst ville hun bare lægge sin pung tilbage, og den lille konvolut – albummet kunne godt blive liggende. Kunne blive brug for det senere, de kunne så selv sige til, hvis de gerne ville se nogle af hendes børnebørn, nu gjaldt det i al fald den artikel om Ellen. Og hun begyndte at folde siden ud. Forsigtigt for ikke at komme til at rive, og hun havde foldet den fem gange, så holdt den sig pænest. Den blev ikke så krøllet på den måde, flossede ikke sådan i kanterne.

Hun var blevet sat sammen med syv andre staunboer her ved bord nummer tre. Var vel også rimeligt nok. Når det nu skulle være sådan at de ikke som førhen sad samlet ved lange borde, men på den her måde ved de her runde, spredt omkring i lokalet. For det var altså nu måden man gjorde det på, og det vidste Henrik Lundbæk sikkert også alt om, eller Pia gjorde. Hvis det da ikke bare var restaurationen. Det kunne være at folk ikke selv bestemte længere.

Og hvor skulle hun også ellers have siddet? Hvis hun altså ikke skulle sidde sammen med de her andre mennesker fra Staun, som hun knap vidste hvem var efterhånden. Bortset jo fra Flemming og Lone, de havde snart boet i byen i mange år, de var også kommet noget sammen med dem engang, Orla og hende, men de andre, nå ja, hendes bordherre, havde måske set ham før, men selvfølgelig slet ikke vidst at han var ungkarl. Hvis da ikke han var enkemand, eller en stakkels fraskilt. Hvis ikke bare hans kone var til noget andet. Det ville der ikke længere være noget usædvanligt ved, og han arbejdede vist også helt almindeligt i en af bankerne. Måske i Løgstør, men så de andre, de to andre par?

De sad trods alt sammen som par. Dem der havde nogen at være par sammen med, men sådan at de fleste koner i det mindste ikke hele aftenen blev udsat for et eller andet helt tilfældigt vrøvlehoved. Heller ikke fordi hun selv skulle klage over dét. De her var såmænd så kloge at de kunne undvære hovedet, og den ene, dér over for hende, var vist endda en af de øverste ude i zoologisk have.

Den anden var det stadig svært at vide med. Ligesom

med deres koner, for de havde selvfølgelig også deres ar-
bejde, og måske var hende med ham den anden mand på
et apotek, hun havde snakket så længe om nogle piller. De
skulle være rigtig gode mod depressioner, og Flemming
Beck havde et par gange svaret hende, som om han nok
mente, hun vidste, hvad hun snakkede om, måske var hun
ligefrem læge selv. Måske en af hans underordnede ude på
Sygehus Nord.

Hvis ikke hun simpelt hen led af depressioner. Og
Emma havde flere gange tænkt at hun burde spørge hver
enkelt, nu hun alligevel sad her, hvem og hvad de var. Så
havde der været noget andet, og nu ventede de allerede på
desserten, og så kunne det snart være lige meget. Selv om
det var hendes bysbørn, for det måtte man vel sige de var.
Og at hun hørte til sammen med dem. Og det altså ikke
lige havde kunnet passe, at hun kom til at sidde ved Hen-
riks og Pias bord.

Dér sad selvfølgelig flere andre fra familien. Dér ved
hovedbordet. Men det havde altså passet bedst at hun blev
sat her. Ved Staun-bordet, som Lone Beck med det samme
havde kaldt det. Og de var da også alle sammen upåkla-
gelige, flinke og rare. Og nu skulle de se.

Det er en avis jeg har fra Camilla, ville hun lige forklare,
mit barnebarn, Niels Jørgens og Majbrits Camilla, hun bor
i Søborg, skønneste hus, hende og hendes mand, de hol-
der Weekendavisen, det er derfra, stykket her om Ellen!
Hele siden om hende, alt hvad hun har bedrevet, og sådan
et godt billede, men se nu selv, værsgo!

Ingen andre end Flemming Beck rakte ud og tog fat om
avissiden. Lone kiggede lidt med på billedet, Flemming så
selv ud til at læse lidt her og der. Men han skævede lige så
meget rundt til de andre, man kunne fornemme han med
det samme ville til at fortælle videre, og det måtte han så
have lov til. Emma havde flere gange før ladet ham op-

træde som den gamle i byen, ham der vidste besked med det hele.

Ellen er Henriks, ja, faster må det blive, kom det da fra ham. Axel Lundbæks søster. Men frem for alt er hun jo vores alle sammens stolthed! Hun har engang grundlagt en skole i Afrika!

Pedershaab, sagde Emma, meget lavt, og smilede som om det jo egentlig var overflødigt at minde dem om det.

Hvis I nu diskret sender et blik over mod bord to, fortsatte Flemming Beck. Så vil I se Ellen dér ved siden af sin afrikanske veninde!

Nå ja, hende, sagde ham fra zoologisk have, og et par af de andre mumlede samstemmende. De havde selvfølgelig allerede set den sorte dame, og de havde også set hende der var kommet med hende, men de vendte sig nu alligevel alle sammen og så efter.

Jeg tror snart de to har kendt hinanden i en menneskealder, sagde Flemming. Jeg har endda ladet mig fortælle at de har været gift med den samme høvding!

Ellen har altid godt kunnet lide at lave sjov, sagde Emma. Nej, Ayisha var i mange år lærerinde ved skolen i Bazunga, og så holdt hun op under diktaturet, for det var ikke til at holde ud. De lod også bygningen fuldstændig forfalde! Men nu må jeg da sige, der er kommet nogenlunde orden i sagerne igen. Det så i grunden helt pænt ud sidst jeg var der.

Så du har selv været der, spurgte ham der muligvis var enlig, på en eller anden måde. Emma nikkede mindst muligt. Ville gå let hen over hans tåbelige forbavselse.

Hvor er det nærmere det ligger i grunden, spurgte Lone. Bazunga?

Ikke ret langt fra Masaka, svarede Emma. Eller fra Victoriasøen, jeg tror ikke engang det tog os halvanden time at køre derud!

Jeg vil gå hjem og kigge i mit atlas, sagde Flemming. Men Ellen Lundbæk er jo under alle omstændigheder et usædvanligt spændende menneske. Og med en spændende historie. Hun blev født med en lammelse. Ja, hvad man vel sådan kaldte en lammelse i bentøjet. Har jo aldrig set en diagnose. Man kunne måske forestille sig en art fibularisparalyse. Men hvad véd vi! Flemming så på hende der måske så alligevel selv var læge.

Hun kom over det, fortsatte han med en anelse af et skuldertræk, som havde det været en lille smule forkert af hende. En helbredelse vi, så vidt jeg da har forstået, næsten kan blive nødt til at kalde mirakuløs! Er det ikke også din opfattelse, Emma?

Der sidder så også Morten og hans ven Jacob, sagde hun. Der ved det samme bord!

Emma troede alligevel ikke at de her mennesker på nogen måde ville kunne fatte – eller bare tage til sig – hvordan det gik til, da Ellen i sin tid blev rask. Hun havde grebet til noget andet som måtte kunne lægge fuldt så meget beslag på deres nysgerrighed.

Ja, Morten Lundbæk, hjalp Lone. Søn af fødselaren, og hans ven, de to flotte fyre derovre!

Ja, de er jo nemlig bøsser, sagde Emma. Ja, sådan har Morten i hvert fald selv sagt det til mig.

Det er der jo heller ikke noget som helst i vejen med, var der én, der sagde.

Det må efterhånden siges at være helt normalt, sagde en anden.

Normalt og normalt, sagde en tredje. I al fald virkelig modigt af dem at stå helt åbent frem med det her!

Nå ja, det er selvfølgelig ikke noget vi har været vant til at se i Staun, sagde Flemming Beck. Førhen havde vi vel knap hørt at det overhovedet eksisterede, havde vi det, Emma?

Jeg véd ikke hvad du havde, svarede Emma. Men vi andre var jo bare dumme, det har du da ret i. Vi vidste jo ingenting!

Så meget desto flottere er det sgu at du selv har smidt alle fordomme over bord, sagde ham fra zoologisk have.

Vi er vel som vi er, sagde Emma. Og da jeg nu sidste sommer var i San Francisco, da mødte jeg næsten ikke andet end de her bøsser, og det er alligevel den skønneste by jeg nogen sinde har set!

Emma kiggede til den enlige mens hun sagde det med San Francisco. Hun kunne så straks se at tiøren *var* faldet, og at han vist endda sad og blev lidt flov over sig selv. Hun kunne næsten ikke undgå at få ondt af ham.

Jeg var ovre og besøge noget familie, sagde hun til ham. Min fætter, og han ville så gerne have at vi sammen tog turen helt ud til havet og besøgte hans datter.

Heldigvis havde Per Jensen stillet sig ved bordet. Hendes barnebarn Per, og heldigvis, tænkte Emma, så hun ikke skulle komme længere ud i undskyldninger over at have set noget af verden. Så hun ikke kom til at gøre sig endnu mere tumpet og blev ved med at lade som om hun måske ikke rigtig vidste, at Stillehavet hed Stillehavet. Bare for at trøste den der bordherre.

Forløber alt til jeres fulde tilfredshed, spurgte Per. Men det hørte vel med til hans arbejde. Han var inspektør herude, havde Emma godt hørt, og det stod også på et messingskilt han havde ved kraven. Og så måtte han måske spørge til den slags, som man ellers skulle tro, at ingen andre end værten kunne tillade sig at komme ind på.

Henrik Lundbæk havde selvfølgelig selv været ude om det. Det skulle være så stort og moderne, det sagde sig selv, ham og Pia kom uden tvivl også så mange andre fine steder. Og trods alt – når det nu var blevet Hvide Hus – så var det måske også fordi Anders' og Winnies Per havde fået sit arbejde her. Den gamle familie betød nok stadig en smule.

Ingen af dem mærker en skid, tænkte Per Jensen. Man er professionel. Og han havde allerede flere gange sagt det til sig selv, for han blev ved med at blive nervøs for, at de kunne mærke det.

Men professionel fandeme, og han smilede, han bukkede let, han drejede sig som i en dans og satte kursen mod bord ét.

Måtte lige høre hvad Henrik Lundbæk nu ville.

Og hvor længe han kunne give køkkenet, og Rinco. Skulle også lige have besked, Rinco, så han var klar med fanfarerne. Og selvfølgelig skal fødselaren overhovedet ikke kunne fornemme den allermindste stress nogen steder. Han betaler ikke for et servicepersonale der er ved at skide i bukserne.

Nej, professionel. Og gu er jeg da så. Per smilede til hele bord ét. Bukkede sig ned mellem Henrik og Pia.

Vi er klar med desserten, hviskede han.

Det lyder godt, sagde Pia. Og vinen, hvad var det vi skulle have?

Vi serverer den om et øjeblik, fik han svaret og kvalt sine forbandelser. Men for helvede hvor var det kikset. Ingen andre end ham selv der bare et enkelt sekund brugte hovedet, alt det pis han skulle bydes på, og så lige nu. Alt det pis.

Quarts de chaume, hviskede han fuldkommen fattet. En Quarts de chaume 1989. Vi serverer den om et øjeblik!

Så skulle jeg måske alligevel sige de par ord først, sagde Henrik.

Der kan være andre endnu, sagde Pia. Festens hovedperson venter da også til efter desserten, gør de ikke, Per?

Nej, nu har de sgu haft chancen! Lad os få noget i glassene, Per! Og så holder jeg den store takketale, og så kommer I ind med hele fyrværkeriet!

Vi serverer vinen om et øjeblik, sagde Per. Pludselig usikker på om han ikke allerede havde sagt det, måske op til flere gange. Eller om det hele var i en drøm. Han rettede sig op, smilede igen til bordet, kom af sted.

En vin til de penge, hviskede så Henrik til Pia. At han kunne glemme den! Men Pia havde allerede lænet sig over mod hans mor, for det var trods alt hendes søsters barnebarn.

Det var Per, sagde Pia. Anders' dreng!

Det syntes jeg godt jeg kunne høre, svarede Mary.

Han klarer den sandelig flot! Så ung en mand, sikket ansvar! Emma må være helt stolt!

Ja, det er noget underligt noget, tænkte Henrik. Og han kiggede over på sin far, havde sanset hans blik på sig, nu også hans tanker. At det var de samme som hans egne.

Jo, det *var* noget underligt noget. Som det var gået. At en Godiksen som Per dér – jo, han var for så vidt en Godiksen – at han nu gik her og vartede op for dem. Og måtte tjene sit brød ved det. Selvfølgelig ikke fordi de ville lægge noget som helst i det, ingen af dem, slet ikke den gamle. Han havde vist aldrig tænkt en tanke på den led.

Min far, Axel Lundbæk – jo, han burde også nævne ham for dét i talen. Der er ikke nogen status eller nogen storhed der nogen sinde har betydet det mindste for min far!

Ville være meget godt at få sagt sådan en dag. Måske også for lige at få sagt lidt i den stil om én selv. Uden ligefrem at skulle stå og rose sig af det. Og det var jo også bare gået som det var gået. Axel havde været nødt til at købe det halve af byen. Efterhånden som flere og flere havde meldt pas, og ikke orkede at makke mere med noget af det og ville af med al deres jord, jo før jo bedre. Og da han selv kom til, havde han bare fortsat. For jorden skulle vel dyrkes, det var sådan Axel altid havde sagt. Og det kunne han da også tage med, hvis han nu skulle prøve at forklare dem alle sammen, hvad han ville med det hele.

Jorden skal dyrkes. Også den moral har jeg taget i arv efter min far, Axel Lundbæk!

Så de kunne forstå at han frem for alt havde handlet af pligt. For det var da lige nøjagtig det der til sidst havde tvunget ham til at købe Bisgaard også. Og lægge den ind under Kristiansminde. Emma kunne selvfølgelig ikke blive siddende med sådan en bedrift da Orla Jensen var død. Det havde hun også selv forstået, efter et par år. Ligesom hun havde forstået det da han måtte vælte både laden og staldene, de kunne jo ikke stå der og forfalde. Og klart at det havde gjort ondt. Og stuehuset havde vel også set lidt sært ud da det pludselig lå helt for sig selv, og hun havde villet flytte, Emma. Men hun boede der endnu. Havde jo heldigvis en sund forstand. Ligesom hans egen kloge mor, det kunne han også nævne.

Ligesom jo alle de andre i Godiksen-familien. Det ville han tage med. Hvis nogen af dem måske stadig skulle synes at han på en eller anden måde skyldte dem noget. På tværs af al fornuft, og enhver mere nøgtern beregning. Det ville han selvfølgelig nøjes med at tænke. Det var klart, beskeden og taknemmelig. Det måtte være stilen, sådan en dag.

Men underligt alligevel. Som det var gået. Kunne man vel ikke helt undgå at føle. Når man nu sad her og fyldte tres. Og hvad for folk der sad ved bordene. En bankdirektør, en borgmester. Og en professor, jo, jo, og op til flere advokater og hvad i helvede man ellers havde skaffet sig på halsen. Og hvad de nu havde fået sig til at sige til ham. Tonsvis af sludder og vrøvl selvfølgelig. De kunne rende ham med alle deres fine ord og fine titler. Han var bonde, og de sad her som hans venner, og ellers havde de ikke siddet her.

Han havde været glad for at høre deres taler, som deres ven og kammerat tog han det alt sammen til sig. Det ville han svare dem. Heller ingen grund til at spille idiot i dagens anledning. Men alligevel. Sidde her. Og høre på al den lovsang. Alligevel underligt.

Det sner endnu, sagde Søren. Hans stol havde stået tom lidt, han var ved at sætte sig.

Så er det jo godt vi ingen steder skal, sagde Henrik. Han havde for længst bestilt værelser til dem der gerne ville overnatte på Hvide Hus, og nu i aften havde han allerede efter hummerbisquen været nede i receptionen og spørge, om de havde plads til endnu flere. Og han havde heldigvis kunnet meddele sine lattermilde gæster at de alle sammen kunne lægge sig, når som helst det passede dem. Eller med den største sindsro feste igennem.

Det er virkelig, som vi sagde, et himmelrendfog, siger Søren.

Det siger vi endda stadigvæk, siger Anne Marie. Oven i købet et himmel*trekvart*rendfog!

Kan I huske da vi sneede inde lige uden for Nibe, spørger Søren. Lige op til jul, og måtte overnatte, hvad var det de hed på den gård?

Det var jo i Kristoffersens tid, siger Axel Lundbæk. Ingolf, ja, og Gudrun!

Og vi var vist kommet alene af sted? Alle os tre, med dig, far, spørger Henrik. For at blive klippet og købe julegaver?

Jo, og inden vi fik bilen gravet fri igen, siger Søren. Vi nåede først til Staun selve juleaftensdag. Hen sidst på eftermiddagen!

Måske var det alligevel lyst, retter Anne Marie. Og det *var* nu også kun lillejuleaftensdag. Men du havde stået alene med det hele, mor, og fået malket både aftenen før og der om morgenen!

Dengang havde vi jo folk nok, siger Mary. Og Rigmor levede da også.

Ja, jeg kan huske hun så lavede frikadeller af den nyslagtede gris til der om aftenen, siger Anne Marie. Og stuvet hvidkål, og vi var kommet ind i køkkenvarmen og var tørre, og der lugtede af kål og tørv og kanel over det hele, og alt var simpelt hen så skønt!

Sådan havde de snakket, i timer nu.

Og Henrik var igen helt til stede ved sit bord og helt sammen med sin familie, og alle tankerne om alle de fine mennesker, der sad omkring ham, havde også fået ham til at sige det til sig selv: Nej, her har jeg mine forældre, her har jeg min søster og min bror, og deres ægtefæller med, og frem for alt min egen Pia, det er dem jeg har her, ja, og så vores børn der ved Ellens bord, selvfølgelig, Marie og Morten, og det er dem der betyder noget. Det er dem der betyder alting.

Hvor er det skønt at se jer, sagde han da og skålede med Anne Marie og Søren. Og han mærkede igen sin fars blik på sig og kunne så godt høre at det nok havde lydt lidt forkert, på en eller anden facon. Måske som om det ikke var en selvfølge, at han var glad for at se dem. Eller som om han ikke bare selv kunne have gjort noget mere for at se dem noget tiere.

Ikke så let igen. Ikke kun svært med deres børn. De var så meget i gang med deres eget, og Morten havde holdt sig helt væk, da næsten, i nogle år, nu kunne de måske endelig forstå hvad grunden kunne være, og Marie, der var langt til Genève, og det så vel nu ud til at hun blev der, med kæresten. Men også Søren og Ulla, der kunne gå år imellem efterhånden, selv om Holbæk ikke lå i Sibirien, for slet ikke at tale om den times tid det tog at køre til Thisted. Havde jo heller aldrig selv haft tid, Anne Marie og Jørn. Måske heller ikke Søren og Ulla, og nu blev det nok bare endnu sjældnere. Med de to der fra Thisted, nu de flyttede til Spanien.

Havde fået solgt, Anne Marie og Jørn. Solgt deres maskinværksted, som det var blevet ved med at hedde, skønt de snart i mange år havde beskæftiget en to-tre hundrede mennesker. Muligvis flere, og selvfølgelig havde de scoret en formue ved salget. Uden tvivl et trecifret millionbeløb, og tjent gode penge også før, det var indlysende. De biler de kørte i, og stor villa ved Middelhavet og safarier og krydstogter, det var ikke alt sammen gratis. Men hvis nogen havde fortjent det hele og meget mere, så var det jo dem.

Det havde han også fortalt sine venner. Dem af dem der også drev sådan en forretning, hvis de var begyndt at jamre over alt det nye de skulle finde ud af, og så videre og så videre, og de kunne endda være universitetsuddannede, min søster, havde han så sagt, min søster Anne Marie gik syv år i Staun Skole. Og siden er der ikke kommet noget nyt til, som hun ikke bare har fundet ud af og dét nogenlunde med det samme, med regnskaber, edb, personalestyring, import og eksport. Og ud over det og en hel masse andet har hun så uafbrudt – og det har sgu nok været det sværeste af det hele – kunnet holde sin mand temmelig stramt i ørene!

Jo, jo, havde han sagt, min svoger Jørn Karlsen, det kan godt være han er noget af et geni. I al fald har man dårligt kunnet vise ham et stykke gammelt jern uden han allerede var i gang med at søge om et nyt patent. Men han er og bliver også, og heldigvis da, den gode gamle smedesvend der nemt kan drikke et par bajere, og lige så let finde en anledning til det!

Jo, sådan noget havde han så tit sagt. Ved en jagtmiddag eller noget, og så havde han måske føjet til, for at ingen overhovedet skulle opfatte det som en slags pral, at så hurtig og dynamisk og handlekraftig som Anne Marie

– de kunne bare se på ham! – det var oven i købet ikke noget, der lå til familien. For han ville selvfølgelig ikke sidde og prale over for sådan en flok bavianer, og hvis en eller anden af dem så ville mene, at han selv nok alligevel havde lidt af det samme som sin søster, så havde han også lige måttet nævne sin bror.

Søren havde virkelig altid uden mål og med tumlet sig frem gennem tilværelsen. Jo, de to lignede meget mere hinanden, måtte han sige. Havde måske så bare siddet i held, på de rigtige tidspunkter, begge to. Hans bror havde i al fald været så svineheldig at blive højskoleforstander et sted ovre på Sjælland.

Hans kone er selvfølgelig også præst. Det havde han somme tider fået med.

Også her i aften havde de snakket om dét: at der dog var en præst til stede. Pia havde troet at det så var, som det altid havde været, når de havde fejret et eller andet derhjemme i Staun Forsamlingshus. Søren havde tvivlet. De havde vist ikke *altid* haft en præst med, nej, *aldrig* faktisk, Anne Marie slog det fast. Aldrig nogen præst i den tid hun kunne huske.

Og hun var jo storesøster. Gang på gang havde hun siddet og trukket fra, hvis Søren eller Henrik erindrede noget særlig mærkværdigt fra gamle dage, hun var meget nøjeregnende, efter deres opfattelse. Anne Marie afviste ikke alene at fantasien nødvendigvis måtte tages til hjælp for at få en historie fortalt, hun var også tilbøjelig til at anfægte den pureste sandhed, så snart den ikke bare lød helt uinteressant.

Så ankede de af og til sagen hos deres far, selv om de jo vidste, at han ville forsøge at give begge parter ret. Og hvad nu det med præsten angik, hæftede Axel sig allerførst ved, at de altid havde haft *degnen* med til gilderne. Så længe der var nogen degn i byen. Men præst, nej, det måtte man vel så sige, det havde de i grunden aldrig brugt så meget.

Måske også fordi vi ikke havde præst lige i byen, havde Mary sagt. Vi skulle jo til Farstrup for at komme i kirke, så det blev vel sjældent til ret meget med det!

Og hun havde mest sagt det til Sørens Ulla, med sit blinde blik så nogenlunde i hendes retning. Især vel for at Ulla ikke skulle tro, at de havde været de rene hedninge.

Nej, slet, slet ikke!

Nej, nej, havde Axel også sagt.

Nej, både mine egne forældre, og da også Axels de gamle, Rigmor og Ejnar, de troede skam fuldt og fast på Vorherre, lige til det sidste!

Ja, de var skam helt igennem hvad man kalder gudfrygtige! Og det bogstaveligt talt, for de var virkelig *bange* for Gud, de gamle. De var hunderædde, for hvad Han kunne finde på med dem! Ja, og det gjaldt da vist også sådan én som Søren Godiksen?

Ja, far! Mary havde grinet. Jeg kan huske han sagde engang, far, at Ham deroppe er den eneste mand jeg i mit liv har været bange for, og jeg tror såmænd det passede!

Jo, jo, og min egen far, ikke fordi han snakkede om den slags i tide og utide, men skete der noget usædvanligt, så skulle vi godt nok alle sammen folde hænderne og bede sammen med ham. Eller vi skulle takke for noget, og det var da i grunden også en god skik. Jeg kan huske for eksempel når høsten var i hus, at vi så skulle takke Vorherre, og det var faktisk ligesom både høsten og alt andet blev endnu bedre af det!

Med lidt af den slags havde Axel og Mary trods alt kunnet komme til orde indimellem. For det meste havde de seks unge – der lige omkring tresårsalderen – ikke givet dem mange sekunder til at komme i gang med noget som helst. De havde selv snakket i munden på hinanden.

Det kunne måske også være det samme. Axel og Mary havde kun for alvor prøvet at bremse op når et af børnebørnene var blevet nævnt, eller også Søren og Ullas børnebørn. Deres egne oldebørn, de ville gerne have ordentlig besked om hver af dem. Om de stores uddannelse også, deres fremtidsudsigter, deres helbred, hvor de nu boede, hvad de mon ville være, hvor langt der var til børnehaven med de små. Og de måtte så sige til sig selv – hvis deres spørgsmål overhovedet var blevet hørt – at de i al hast blev spist af med en sludder for en sladder.

Det var bare som det skulle være, lød det til. Hvordan det *faktisk* gik, og det sagde Axel til Mary, mens der ellers blev skraldgrinet ad et eller andet andet: Hvordan de yngre i familien faktisk *havde* det, og hvad de fik udrettet, hvad de troede på, hvad de i grunden ville, ja, hvordan de nu stod tilværelsen igennem – det var der åbenbart ikke længere nogen, der ønskede at danne sig noget begreb om.

Axel havde været nær ved at tro de var ligeglade. Mary havde svaret at han nu ikke selv skulle sidde og gøre sig dum.

Deres børn, begribeligvis var de ikke ligeglade, og hun havde rakt sin serviet over mod ham og spurgt om hun havde noget siddende ved munden. Og hun havde bedt ham kigge efter de unge, ved det andet bord, om de så ud til at more sig. Og snakken omkring dem var atter en gang over alle bjerge.

Endelig var der nu med ét blevet helt stille ved bordet. En tjener havde taget opstilling, med en flaske ved skulderen. Axel hviskede det til Mary: Det kunne så alligevel gøre det!

Sådan en tjener med en flaske. Og Henrik fik en lille tår i det yderste glas i rækken. Han lugtede til det.

Præcis som den skal være, sagde han, og snuste igen og nikkede flere gange.

Han behøvede ikke smage. Det havde han set andre lade være med. Det skulle ikke være nødvendigt. Hvis der var en fejl ved flasken, kunne man lugte det. Han anede ikke selv hvordan, men det var der nok ikke. Det måtte man så håbe på. I det her tilfælde kunne det for resten være lige meget, for de andre flasker til de andre borde blev uden videre hældt op i glassene.

Det hele var selvfølgelig noget åndssvagt fis. Som så meget andet af samme potte. Havde han jo længe kunnet observere rundtomkring.

Pis og papir alt sammen. Men verden var vel ikke moden til at man sagde det højt. Man havde sgu bare at stikke snuden i glasset og se ud som om den hvide mands skæbne dermed blev endelig afgjort.

Per har været nødt til at komme udenfor.

Måtte have frisk luft, og han er gået ned gennem køkkenet, måtte tage dét med. Alle de åndssvage bemærkninger fra tre-fire af kokkene, sikkert flere, hele banden, alt hvad de så igen fik lejlighed til at fyre af på ham, og deres ondskabsfulde grin, men han *måtte* bare ud på svalegangen. Ned gennem køkkenet i dets fulde længde. Ud gennem bagdøren dernede.

Og alle havde åbenbart hørt et eller andet, at han var på røven, og de frydede sig, hele dette forbandede køkken, sådan lød det. Eller de kedede sig, nu de var ovre stressen. Endda færdige med at rydde op næsten, de savnede vel allerede deres adrenalinrus, at der for helvede bare skete lidt igen. Og måske ville de også kun for sjov stikke lidt til ham. Måske endda prøve at opmuntre ham, vise ham at sagen var til at grine ad og ikke andet.

Nej, de nød sgu at det for en gangs skyld ikke lige var dem selv, der havde kvajet sig. Det var og blev nogle ondskabsfulde sataner.

Han anede det ikke. Kunne ikke afgøre det. Hverken i hovedet eller i maven, ikke i aften, han har skyndt sig alt hvad han kunne ned gennem deres grin. Måtte have noget frisk luft. Og for fanden hvor gør det da godt!

Så snart han har fået den tunge dør presset op mod vinden, så han kan klemme sig ud gennem sprækken: åh nej, hvor isner det saligt over hans svedige pande! Og tunge snefnug lægger sig nu så dulmende på hans næse, og han får smøgerne op af lommen. Han får tændt og fylder lungerne med vinternat og fred.

Med det samme vil alting ånde fred med ham her. Parken i flimrende snetykning ned mod jernbaneterrænet. Klatterne af hvidt på træernes sorte grene. Den stadige fløjten mellem blyet og betonen ved hjørnet af bygningen, og længst ude dér skimter han så ved banegården en perron i grågul belysning.

Hvis han nogen sinde skal skydes, skulle det være sådan et sted. Så vil han ligge der i det gustne halvmørke, og sneen vil langsomt smelte på hans endnu varme kinder. Flyde sammen med blodet fra hans tindinger. Og hans mordere er for længst væk. Der er ikke et levende menneske på den der iskolde og forblæste perron, måske lige bortset fra en gammel, forhutlet mandsperson, og han har taget sin violin frem. I stilheden efter skuddet lyder da en lang, lang og skinger tone, og den fortsætter indtil også lyset går ud.

På den anden side er det ikke engang sikkert han bliver fyret. Ikke engang sikkert at chefen dukker op. Har måske bare villet skabe lidt spænding. Truet med at komme op, hvis han ikke selv kommer ned. For der var et lille problem.

Og gu er der for helvede da et problem, men hvorfor har han så ikke vist sig, det kæmpestore røvhul? Hvorfor lade én vente i timevis og skulle ræse rundt heroppe? Knap kunne samle sig om en skid.

Men det er selvfølgelig ikke nok at fyre ham på. En en-
kelt fejlafvisning. Om så også kunden er nok så stor og vig-
tig. Og god ven af chefen, og klart nok derfor, hele balla-
den bare derfor, at de ikke kunne tage imod ham og hans
femogtredive japanske forretningsforbindelser. Som om
der ikke var andre værtshuse i byen.

Men okay. Han har begået en fejl. De havde plads. De
havde snart ikke andet end plads, og de har det endnu.
Restauranten vil stå hylende tom, torsdag den 20. februar,
det vil han få skyld for. Det vil de fyre ham på. Om der så
aldrig har været andet. Ud over en enkelt minimal over-
booking, for måneder siden, ikke noget problem. Men gu
vil de da nok fyre ham. Og han tager et dybt drag af ciga-
retten, og den smager af lort. Den er blevet halvvåd, og
han smider den ud over rækværket, ad helvede til ud i
snefoget, og får tændt en anden.

Nej, så vil han nok blive nødt til at stikke en kniv i
Rinco.

Pjat, selvfølgelig. En af de lange ude fra køkkenet, op
gennem skroget på ham.

For noget forbandet pladder. Noget sindssygt lort at
have kørende i sin dumme knold. Men det var selvfølge-
lig på grund af det med Rinco at han tog fejl. Fordi Rinco
skal have sine penge inden den samme 20. februar. Fordi
de penge har sat sig sådan på lige præcis den dato, at han
altså kom til at tro, at også restauranten var fuldt beslag-
lagt. Og ud med de femogtredive japanere.

Ja, for der var så det tal også, og dér var Rinco igen. At
han skal have sine femogtredive tusind.

Ikke noget problem. Har han hele tiden sagt. Kan jo
bare sælge lejligheden.

Gu fanden vil han da ej!

Skal ikke i gang med at plukke sine fjer, aldrig. Derfor
han har købt den lejlighed, på havnefronten, for stor og for

153

dyr: fordi det bare er måden at gøre det på. For sådan må man bare opføre sig hvis man har en skid ambitioner. Dimensionere sig, efter fremtiden, dimensionere sig stort, hvis man overhovedet vil noget som helst med sig selv. For her er *jeg*, og her bor *jeg*, og kom så an, alle I skiderikker. Inden jeg er kørt længere ud i verden end I overhovedet har fantasi til. Hængerøve I er.

Ja, også bilen. For stor, for dyr. For sådan skulle det være. Og han havde virkelig også haft krav på en kraftig lønforhøjelse allerede sidste forår. Regnet med nogle rigtige penge selvfølgelig. Sgu da overhovedet ikke været parat til de latterlige håndører der kom i oktober.

På den anden side er Rinco vel heller ikke at spøge med. Og hans cigaret er nu simpelt hen gået ud. Og kulden er nået ind *under* huden på ham, er allerede inde i nærheden af skelettet, og han er ved at stå her og blive pissevåd. Og stiv i indvoldene, han fryser sgu *indefra*, og bortset fra alt det kan Rinco da sagtens tænkes at blive småfarlig.

Hvem han ellers end er. Kender jo ikke engang andet end hans åndssvage kunstnernavn. Men hvem har sådan en tangentakrobat ikke siddet og drukket med i de sene nattetimer, gennem alle sine år på de små beskidte natklubber rundt omkring i hele landet. Narko- og kvindehandlere, storhælere. Rinco kan uden tvivl når som helst låne et par hårde drenge til et lille job. Og de vil måske i første omgang nøjes med at få ens lejlighed til at ligne en tabt krig.

Men hold kæft nu! Han har måttet krumme sig sammen. For helvede hvor gør det pludselig så ondt! Som om al isen er sunket indad, har lagt sig ind i hans mave, al is i himlen.

Og som om han er ved at dø. Og han må ind. Og han får fingerspidserne ind omkring kanten af jerndøren, og han rykker og river i den, og han græder vist idet hans fingre klistrer på metallet. Må jo bare blive ved. Må jo have den dør krattet op. Og han skriger op i sneens idiotiske hvirvler, må Gud da for satan se at få den dør åbnet for ham, og *nu!* Han *skal* ind i varmen *nu!* Og han skal ind i sit arbejde, og det giver sig så omsider, det hele, isen og jernet, og han skal nu som et flænsende lyn ind i verden, han skal ind til sig selv, ja, og isen skal ind i sin ild også, ja, og alt skal smelte.

Døren ryger med ét helt op for ham. Han er ved at skvatte bagover. Nogen har skubbet på indefra, og halvt blændet af chokket, eller det raseri der med det samme får ham på benene, ser han i åbningen en ond skygge mod køkkenets neonlys.

Du skal ned til chefen, brøler den.

Må være en kokkehue. Han stikker en fod ind og sætter den på en gulvflise. I det bratte varmesus allerede gennembævret af al den kulde, han har fået i kroppen. Men han kan hale det andet ben ind også. Han kan se noget rødligt fjæs der under hatten.

Er desserten klar, spørger han.

Jerndøren baldrer i bag ham. Og det bliver til et ansigt foran ham. Ikke engang en fjendes ansigt. Ikke engang noget djævelsk over det. Bare et rødt og udtryksløst ansigt.

Du skal ned til chefen, siger det. Skynd dig, du skulle komme ned med det samme!

Snakketøjet bliver ved med at stå åbent der lige i synet af ham. Også det han vil sigte efter, og han har knyttet de stive fingre på sin højre hånd, og han har taget sigte. Han knalder sin iskolde næve ind mod den der barnagtige trut.

Kokkehuen er fløjet over mod væggen, og hovedet er fulgt efter, over mod bordet dér. Det rammer det nederste af en opvask, den ramler sammen med manden ned på fliserne. For et helvedes spektakel. Og som om det allerede, mens porcelænet var på vej ned fra bordet, har kunnet høres i hele køkkenet, stormer flere andre kokkehuer nu frem mod ham.

Han bliver fanget i et mylder af greb om armene og om halsen og så enormt tjenstivrigt møvet baglæns. Hans underansigt rager klodset op i vejret. Han kan ikke se nogen af dem, og det er hele hans isse der baldrer mod jerndøren, og alting bliver endelig igen stille og sort.

Vinen var trods alt blevet skænket op.

Ved alle borde, inklusive bord otte. Som hverken var det sidste i rækkerne eller på nogen måde stod yderst i salen, men som konstant og ufravigeligt blev betjent *efter* at alle de andre var blevet betjent. Som om deres tjener straks havde kunnet lugte at det var dér, de her ved bordet hørte til: allernederst nede. Helt og aldeles på bunden af selskabet. Som om de var det klamme slam der blev tilbage, når de rigtig velkomne var siet fra.

Jens Vilsted, Farsø, kunne godt more sig over det. Selv om tjeneren måske oven i købet var blevet instrueret af den der inspektør. Fordi hans egne forældre sad her. Derfor det her bord i ganske særlig grad blev sjoflet. Det kunne vel også være en forklaring. En endnu mere modbydelig forklaring.

Jens Vilsted agter under alle omstændigheder bare at more sig over det hele.

Han havde da også tømt sine glas hurtigt, og han havde trods alt fået hældt godt på hver gang den her tjener omsider var nået frem til dem. Han havde troligt fyldt alle hans glas helt op igen, mere uforskammet var hverken han eller hans chef dog heller ikke. Men så de andres blikke rundt om bordet, for selvfølgelig havde han bemærket dem, og at de jo ikke kunne få ind i deres hoveder, at han ikke meget tidligt på aftenen var begyndt bare at nippe. En mand i hans alder.

Ja, også det havde han da udmærket kunnet more sig over. Og med den største fornøjelse havde han fortalt dem at han *var* fyldt sine femogfirs. Og han havde så endnu en gang tømt sit glas til sidste dråbe.

De behøvede ikke sidde og være i tvivl om at han stadig var stærkere end dem alle sammen. Kunne sågu stadig så let som at klø sig i røven drikke dem under bordet, hver og en, hvis det skulle være. Og heller ikke noget andet de kunne klare sig med over for ham. For de kunne ingenting, de vidste ingenting. Havde aldrig nogen sinde præsteret noget som helst.

Jens Vilsted morede sig fortsat over det. Det havde han fra begyndelsen bestemt sig for. For det var jo latterligt, simpelt hen, at han skulle sidde sammen med sådan nogle folk. Og Dagmar for den sags skyld også. At de ikke var blevet sat sammen med nogle af dem, han kunne få lidt ud af at snakke med. Og som kunne have fået en hel del ud af at snakke med *ham*. Jens Vilsted, Farsø.

Det var komisk. Når han tænkte på hvem der førhen ville have brækket en arm for at sidde med ved hans bord. De havde aldrig kunnet komme tæt nok på ham. Da heller ikke dem her fra Dagmars familie, hvor tilbagestående de end måtte være. De ville alligevel godt sole sig lidt. De havde savlet og logret så snart han smed en lille luns fra sig. Den mindste smule ministersladder havde de nok så grådigt gnavet løs på. Velsagtens i den tro at de nu med ét var begyndt at forstå noget som helst af verden uden for Staun.

End ikke så meget som dét kunne de forestille sig længere. Selv det ringeste tossehoved bildte sig jo nu om stunder ind, at intet levende væsen kunne være klogere end han selv.

Nej, selvfølgelig burde han her i aften have været sat sammen med ham professoren. Han ville dog have været i stand til at indse at det kunne have været udbytterigt. Det var muligt at han ikke havde virkelig forstand på så meget andet end sin planteforædling. Eller det her gensplejsning. Men med sin baggrund, sin position i samfundet, ville han jo helt uden tvivl kunne interessere sig meget varmt for en beretning om visse træk af den nyere danske og europæiske historie. Fra én der havde været *med*. Han ville uden videre kunne sætte sig ind i at det ikke var uden betydning, hvem man ellers gennem årene havde siddet til bords med. Hvilke kapaciteter man havde krydset klinger med rundtom i de europæiske hovedstæder. Hvilke statsmænd man havde haft lejlighed til at gøre sit standpunkt gældende over for. Og han ville vel endda være en mand man kunne betro den virkelige og sandfærdige historie.

Om ens egen ministertid. En *helt* anden historie – ja, det havde han sågu roligt kunnet love ham – end den skrøne, man nu kunne læse i historiebøgerne. Og nok også ved at være på høje tid så småt at lække den virkelige, her og der. Kort og klart: hvordan man blev ofret efter kun de der seksten måneder; hvordan det blev landbrugs- og fiskeriministeren der måtte gå, da statsministeren havde dummet sig i Bruxelles. Dummet sig fuldstændig utilgiveligt. Og man havde været loyal, og man havde holdt sin kæft.

Indtil nu. Men hvis den *nogen sinde* skulle frem, sandheden, så fandens da også. For *om* den skal! Og det skulle have været her i aften. Må så have fat i ham senere. Den lille professor. Overnatter måske også. Kan invitere ham i baren ud på natten. Sågu også meget bedre. De to alene. Mand til mand. Og sandheden. Endelig hele sandheden.

Jens Vilsted, Farsø, tog sig en slurk af dessertvinen. Han kiggede rundt på sine bordfæller. Rolig igen, smilende.

Han havde en plan. Han kunne slå sig til tåls med dem her så længe det varede. Hans nevøer, deres koner, Anders og Winnie, jo, jo, de stolte inspektørforældre, og de andre, Niels Jørgen og Majbrit, hvor havde de det dog også godt. Kunne snakke i hele og halve timer om hvor godt de havde det. De pladrende madammer, dem alle fire, både i Herning og her i Aalborg. Hvor herligt livet formede sig i deres parcelhuse og i deres sommerhuse og på deres feriesteder, og sammen med alle deres gode venner og deres småbitte børnebørn, åh jo, de levede så forpulet herligt sådan. Kunne næsten have undværet en enkelt af deres eventyrrejser. Så urimeligt lykkelige var de nette koner, og det samme gjaldt deres glinsende ægtemænd.

Hele dette småborgerlige helvede var tilsyneladende også blevet nok for *dem*. Emma Godiksens sønner.

Havde vel vidst det siden de var drenge, i al fald inden de fyldte tyve. De slægtede Orla Jensen på. Det var godt de var blevet byggekonsulent og salgschef. Eller hvad fanden det nu var, de var blevet. Det var godt de var kommet *væk*. Det var ikke deres slags der var brug for i dansk landbrug.

I dét forhold måtte en mand som Henrik Lundbæk alligevel respekteres. Uanset om han jo så lige burde have kigget sin bordplan igennem en ekstra gang. Men ikke til at komme uden om. Henrik havde været dygtig. Han havde vidst hvad der skulle gøres, og han havde gjort det. Mens de her, nå ja såmænd – det kunne måske ikke være blevet så afgørende anderledes.

Der *var* kommet for meget Orla i dem. For lidt Emma. Og det havde han også altid sagt til Dagmar. Eller de havde måske arvet Emmas letsind uden at få hendes karakter med, og Orlas svage vilje, uden også hans pligtfølelse. Der kunne bare blive pjat og slaphed tilbage.

Og det sagde da sig selv: Begge de ovenud lyksalige ægtepar ser nu allerede frem til at gå på efterløn! Det er hvad han nu har hørt dem sige. De ser alle sammen frem til ganske uforstyrret at kunne dandere den de næste tredive år!

Nå ja. Det var da endelig helt uden omsvøb blevet tilværelsens højeste mål. Og de andre to der sad der?

Ja, fyren var åbenbart førstemand på Henriks grisefarm. Fodermester måtte han vel kalde sig. Eller måske staldchef – bacon production manager – hvad man nu efterhånden kunne finde på. Noget fornemt måtte det sikkert være, efter kærestens henrykkelse at dømme. Hun havde *kæftet* op igen og igen, hvor fantastisk han dog var, hvad han i talløse situationer og her og der og alle vegne havde sagt og fundet på og bedrevet. Ikke engang hvalpen selv havde vist orket at høre efter, om hun mente i sengen eller på sofaen. Han interesserede sig tydeligvis heller ikke for noget andet. Sit fag måske lige på det allernødtørftigste. Skvadderhoved.

Vidste end ikke hvem man var.

Det stod helt klart. Svinefodermesteren havde ingen anelse om hvorfor der i dag overhovedet eksisterede et landbrug i dette land! Det ville sandsynligvis aldrig falde ham ind at det kunne have andre grunde end hans egen eventyrlige person. Han ville aldrig vågne tilstrækkelig op af sin totalbedøvende selvtilfredshed til at finde ud af hvad en bestemt politiker, ja, for nu over tredive år siden, havde fået sagt ved et møde i Den Haag. Eller hvad den samme politiker få år senere, i Rom, havde fået indført i en forhandlingsprotokol. Den tumpede fløs havde ikke, ville aldrig få den allervageste idé om *hvorfor* han overhovedet kunne sidde og spille kong Gulerod her i aften.

Jo, lidt gal kunne man godt blive. Så gal over sådan noget. En gang imellem. Man kunne blive så edderspændt rasende at det var nær ved at spolere ens helbred. Nyttede jo ikke noget.

Nej, godt man havde Dagmar. Til at minde én om det.

Og jo i det hele taget. Hvad skulle man ellers have gjort. Nogen sinde. Uden hende. Endda også nu som ved sådan et bord her. Dagmar kunne jo uden videre snakke med dem alle sammen. Hun kunne snakke med hver af dem og få det til at lyde så hjerteligt at man ligesom selv blev trukket lidt med. Indimellem selv var lige ved at komme til at kunne holde dem ud.

For ikke oven i købet at sige holde *af* dem, hele bundtet, idioter eller ej. De prøvede vel også bare på deres måde at få det bedste ud af det hele. Af deres afmagt, kunne man givetvis hævde. De havde måske overvundet svære nederlag også. Store sorger. Kunne uden tvivl være skikkelige folk. Kunne være fortræffelige mennesker.

Sådan set. I Dagmars øjne i hvert fald. Men for fanden hvor var de dog kedelige at skulle sidde sammen med en hel aften igennem!

Han var kommet på benene.

Han ville over og skåle med Ellen. Så bare et øjeblik som om de alligevel ikke helt var med på det. Benene. Og kunne det nu være alderen, eller kunne det nu være vinen.

Nej, ingen af delene, kunne det overhovedet ikke være. Hverken det ene eller det andet. Nej, han havde siddet for længe i samme stilling.

De sov, hans ben. De var faldet i søvn, i al den kedsommelighed, de havde været lige ved at falde i søvn, i al fald, lige ved at falde. Ikke tale om, nu var det bare af sted. Uden nogen slinger i valsen, skulle jo have det fyldte glas med også, fyldt hele vejen. Men han havde dem i kikkerten. Den sorte derovre.

Skal bare styre efter hende. Har for resten aldrig prøvet en af de sorte. Og en fejl vel nok. Men det må nu nok også vente. Han måtte hellere til at samle sig om det engelske. Må så se på det andet der en anden god gang. For det kunne han allerede høre nu, der blev talt engelsk ved det bord. Det var jo klart. Alle de dygtige unge mennesker, og så Ellen og den her negerkone.

Overhovedet heller ikke noget problem for ham. Han ville løfte sit glas, og både negre og bøssekarle, ville han så sige. På engelsk. For mig har det aldrig gjort nogen forskel – gennem hele min karriere, nej.

Noget andet. Måske hellere, det fryder en gammel mand at se – og han hørte så at der blev slået på et glas.

Længe og kraftigt. Ikke så langt fra ham, og han drejede sig omkring – åh ja. Selvfølgelig. Det var Henrik der nu ville have ordet. Ville selv af med sin tale. Man fik så heller ikke snakket med Ellen lige foreløbig.

En skål for værten, råbte han da. Nu han alligevel var kommet til at stå her midt i det hele. Og en skål for hele *verden*!

Og han slog ud med armen i retning af negerkonen, nikkede flere gange ned mod hende. Og der lød latter i hele salen, et par steder blev der endda klappet. Han kiggede ud over bordene. Han lyttede til stemmernes klang. Han bed mærke i et ansigt her og der, eller bare en mund.

Jo, jo. Der var endnu ikke så få der vidste, hvem man var. Jens Vilsted, Farsø. Han smilede tilbage. Virkelig taknemmelig, og han fortsatte en tid med sin nikken, som i en velsignende vifte ud over dem alle sammen.

I køkkenet var en fredslignende tilstand genoprettet.

Den af kokkene, Per Jensen havde slået til, var nu lappet med et plaster over panden, der hvor han var blevet ramt af en tallerken. De andre havde da også hurtigt samlet Per selv op fra gulvet. De havde hjulpet ham med at få det værste møg børstet af bukserne. Ihærdigt gnubbet fedtpletter af hans inspektørjakke.

En præference for forsonlighed havde bredt sig. Eller for nu indtil videre at omgås Per som var han selv af por-

celæn. Også den sårede havde allerede sendt ham et par
små smil. Sådan var al smerte og al fortræd tilsyneladende
ved at være glemt. Ingen ønskede at tirre ham. Der blev
ikke nævnt et ord om chefen.

Per havde – så snart han igen følte sig ved fuld bevidst-
hed – meddelt – så alle i køkkenet kunne høre det – at han
var her for at passe sit arbejde, og at han havde til hensigt
personligt at sørge for at også denne her festmiddags store
clou kom til at forløbe perfekt. At chefen altså, hvad end
han ville ham, bare måtte vente, til han var færdig med
desserten.

Han havde skaffet sig respekt igen. Han kunne mærke
det omkring sig, og de andre mærkede det vel også i sig,
om end de måske var mere usikre på, hvad det var for no-
get. En slags automatisk geninstallation af hans person i
hierarkiet, eller alligevel noget mere? Noget andet der
kom fra mere afsides hjernedepartementer, måske en nær-
mest ufrivillig anerkendelse af at han var kommet til hæg-
terne i en så helvedes fart. Måske kunne de ikke engang
fuldstændig værge sig mod en fornemmelse af at han
havde vist sig som et mandfolk ved sådan at slå på tæven.
Eller endda som noget af en *helt*. Ved virkelig og åbenlyst
at turde trodse chefen.

Eller de trængte bare til at få en ende på vagten uden
mere ballade af nogen art. Forholdt sig derfor så afven-
tende og upåfaldende til ham som overhovedet muligt.
Som til en sindssyg der nok ellers kunne tænkes når som
helst at ville smadre alt omkring sig, stikke ild til hele lor-
tet.

Lidt af det alt sammen, muligvis. I hvert fald indrettede
de sig. Var temmelig imødekommende, fulgte hans små
vink under inspektionen af isanretningerne. Han havde
haft en kritisk pegefinger fremme et par gange mens han
nøje kontrollerede rækken af marcipanarmerede istårne.

Der havde været noget mindre heldigt chokoladefiligran. Noget skyts der var monteret en anelse skævt på toppen.

Men så var han parat til at fyre det hele af. Han ville gå ind i salen og tjekke. For at aftale med Rinco også. Nu i øvrigt et rigtig godt tidspunkt at få snakket med Rinco.

Det fortalte hans prikkende hud ham. Hans højtryksblod, hans heftigt genophedede mave, hele hans tændte krop fortalte ham det, idet han førte den ind gennem fløjdørene. Han var i stødet til Rinco. Han ville kunne sige hvad som helst til ham. Det kunne komme til at række meget langt ud over den simple ordre. Han kunne bede Rinco pakke helt og aldeles sammen nu og bare knytte sylten. Med sine pengekrav også. Især selvfølgelig dem, men med alt, alt hvad der på nogen måde kunne falde ham ind at lukke ud. Indtil han fik noget andet at vide. Indtil han havde fået lært hvem han fik sine instrukser fra.

Der blev grinet rundtom. Per standsede, gled et par skridt til højre langs bagvæggen.

Henrik Lundbæk talte endnu. Og der blevet grinet, så småt, hist og pist. Det var nok noget med at nogen havde sagt noget lort til ham i deres taler, og nu kunne han så også komme i tanker om noget lort at sige om dem. Men spøg til side, sagde han nu. Må vel så være færdig, tænkte Per.

Jeg er bonde, hørte han Henrik sige. Hvad fanden snakker han så om, tænkte Per.

Jeg er bonde, gentog Henrik, for at det ikke skulle være løgn. Det sagde *du* til mig, Pia, og det er det jeg har været allergladest for at høre her i aften! Og jeg nævnte også lige før min far, og min farfar, Ejnar Lundbæk, og jeg kunne have fortalt jer om min oldefar og om hans far igen, om hele den lange række af bønder, ned gennem århundrederne, som jeg er kommet af, og hvis ikke jeg stadig kunne føle, som de har gjort, så ville der ikke længere være noget som helst ved det hele. Hvis ikke det var for duften af kløveren eller en gylden kornmark, eller for lyden af sommerregn over engen og fjorden, ja, hvis ikke jeg fortsat og hellere end noget andet ville høre grisens glade grynt, så skilte jeg mig af med hele biksen i morgen! Og jeg ville så endelig også være helt sikker på at jeg aldrig har været det mindste værd!

Man burde pande ham én, tænkte Per Jensen. Bonde! Den skide svinefabrikant. Den skide dyremishandler. Bare et svin selv, bare det overblærede oversvin over alle de andre tyve tusind svin. Burde pande ham én.

Og han tænkte også lige over dét. Over det i det hele taget: at slå fra sig – og at tanken om det nu med det samme kom til ham. Det var noget nyt. Han var nået et stykke længere frem. Havde fået en anden side vendt ud. En ny måde at gebærde sig på, det var så klart, han kunne føle det alle vegne i sig, og det havde aldrig før været sådan. Men det var det nu. Og det ville blive ved med at være sådan. Han ville når som helst bare kunne stille sig an over for Henrik Lundbæk og pande ham én. Ham og hvem som helst ellers.

Du skal ned til chefen, hvislede det i nakken af ham. Han har ringet op igen! Du skal ned *nu*!

Per vendte sig mod stemmen. Så kunne dens ejermand jo få hammeren i stedet for. Han var så allerede ved at stikke af, det var en af tjenerne, allerede halvt ude i køkkenet igen.

Heldigt for ham. Og okay så, han skulle ned til chefen. Kunne da også spare krudtet til ham. Kunne i det hele taget spare på øretæverne lidt endnu, først og fremmest skulle desserten selvfølgelig futtes af, og han ville gøre det nu, ja, det skulle være *nu*. Havde ikke engang tid til Rinco mere.

Isen og ilden skulle ind. Beslutningen var truffet. Der

skulle være fest, og det skulle bare være nu, og han var selv fremme ved køkkenet. Holdt begge døre vidt op for sig.

Klar ved desserterne, råbte han. I fire dér! Kim, Cæcilie, I andre to! Han havde sluppet dørene bag ryggen, klaskede tre-fire gange hænderne sammen. Og I to! Han pegede langt ned mod kokkene.

Yes! Lasse og Jesper, I tænder romerlys, stjernekastere, det hele! I tænder det hele! Og du skynder dig ind og melder klar til Rinco! Fart på nu! Tredive sekunder! Giv ham tredive, Susie! Og du der, Helle, eller Christina, du får lyset slukket i salen! Og dig, til den anden side! Kom så! Alle sammen, kom nu i gang! Tredive sekunder!

Men det var så med ét som om han ikke selv havde mere luft i lungerne.

Plejede heller ikke at råbe sådan. Havde jo aldrig nogen sinde før opført sig på den her måde. Som det sidste kvarters tid her, aldrig bare noget lignende, og han følte sig altså også så træt, lige pludselig. Og han tog fat i hjørnet af anretterbordet. Støttede sig lidt til det, og han vendte sig så langsomt om, fik sig stille og roligt lænet op mod kanten. Han lukkede øjnene.

For det var jo i gang. Kunne roligt lukke øjnene. Læne sig lidt længere tilbage, for han måtte lige hvile sig, og det hele var jo i gang. Kunne allerede høre Rinco derinde. Kunne ligesom også fornemme der blev mørkt der et stykke foran ham, et øjeblik. Og kunne så også høre de første hvæs fra fyrværkeriet, og det hele tog fat med at sprutte, og de var begyndt at klappe rundt om i salen. Han holdt stadig øjnene lukkede. Men de klappede og klappede og klappede, alle sammen nu, i takt med Rinco, og Rinco skruede højere og højere op. Overdøvede snart alting med sit lille digitale keyboard, sprængfyldt med lystigt pibende fløjter og himmelhøjt smældende messing og dunkende, baldrende, skramlende slagtøj af enhver art.

De marcherede, de drog i krig, der var fest. Og han ville ikke se noget af det og ikke høre noget.

Ligesom det da omsider også fjernede sig.

Jo, det gjorde. Herren i det høje have tak og lov. Det lød alt sammen tyndere og svagere, allerede. Det fortonede sig, hele den buldrende jubel var på vej væk. Langt, langt væk fra ham. Langt, langt ud i det fjerne. Skratterat. Tjim. Bom bom. Tjim da bom.

Emma

Det var som om vinteren gav fortabt den dag. Det var da også nær ved jævndøgn, så længe havde den metertykke is på fjorden holdt stand mod den stigende sol. Så længe havde de hvinende tørre østenvinde kunnet vifte foråret af sig.

Men nu *var* det der. Nu *måtte* det være der. Alligevel var de jo stadig godt pakket ind dér i giggen, de havde tæpper om benene, og Søren Godiksen havde viklet endnu ét om Emmas mave. På det nærmeste ubevægelige i bylterne stak de ligesom også meget forsigtigt ansigterne op af tørklæder og højt opslåede kraver, men de følte vel så hen ved middagstid de første varmestrejf over kinderne som en lille trøst fra himlen.

Og de kiggede sig efterhånden mere vågent omkring. Missende eller med smalle øjne i det skarpe lys, og de så skinnende pytter strække sig over fjordisen, og på piletræerne gæslinger der samme formiddag vist var vokset til det dobbelte. Bag giggens knirk hørte de snart en rislen under grøfternes beskidte sne. Jo, den smeltede hastigt, og her og der i luften sang småfugle allerede igennem. Et par gange fløjtede Søren Godiksen ganske svagt med.

Det blev svært ikke at opfatte det hele som et tegn. Som om det værste nu virkelig var overstået, og mere end det, som om alting i en vældig fart ville til at blive rigtig godt igen. Så vidt som til at åbne munden kom de dog først da de sad på Hotel Phønix i Nibe og var ved at være færdige med at spise.

En enkelt bemærkning havde Emma måske fået frem under turen fra Aalborg. Det var da de passerede Store Restrup, hvor Dagmar sidste sommer havde været på højskole, og Mary tre eller fire år før hende, i sommeren '38 var det nok, og Emma havde da mumlet deres navne, Mary og Dagmar.

Hun havde villet sige at hun selv skulle have nøjedes med at gøre som dem. Og måske altså virkelig sagt det. Eller hendes far havde uden videre forstået hvad hun havde i tankerne. Han havde i al fald svaret ud i vejret at enhver måtte gøre sit.

Det var noget af det der havde været med til også at give hende varme *indefra*. Lige fra om morgenen på Aalborg Amtssygehus – Søren Godiksen var kørt til byen dagen før – og lige fra han kom og hentede hende dér, havde hun mærket en slags uoverkommelig taknemmelighed i sig. Som en byrde, en ubetalelig gæld, men alligevel meget mere som en gave. Fordi han ikke *spurgte* om noget, og hverken spurgte hende eller spurgte lægen. Og jo bare ved synet af ham, hans ansigt, som øjeblikkeligt lod hende være en lille pige, der slet ikke længere behøvede at tage vare på sig selv.

Så længe hun ikke selv ønskede det. Det var da også det hun havde tænkt på, mens de kørte ud af byen, at han når som helst ville lade hende være fri. Og hun tænkte videre over det, efterhånden som hun kunne begribe, at han ikke bare havde *ladet være* med at spørge derude på sygehuset – for hun havde jo været bange for at han alligevel ville spørge – senere hen – men hun forstod det nu bedre og bedre, mens de, stumme og ubevægelige, trillede videre i giggen: at han ikke *ville;* at der *aldrig* kom noget spørgsmål. Aldrig nogen beskyldning.

Flere gange sagde hun så til sig selv at hun havde været helt urimelig heldig med den far. Med at være datter af den mand, for sådan tænkte hun også på ham, da de var kommet ind på Phønix. Næsten som en fremmed så hun ham, vel også fordi han sandt at sige havde været så lidt i hendes tanker i alle de år, hun havde været væk. Når han var dukket op i hende, måske af og til når hun var ved at falde i søvn, så var det selvfølgelig som det store menneske hun som barn havde kigget i vejret efter derhjemme på Bisgaard. Og indimellem havde hun vel så forestillet sig at han nu nok var kommet nogenlunde ned på størrelse med de fleste andre mennesker. Derfor hun kunne blive ved med at undre sig over ham, også på den led, nu her i Nibe. For han *var* altså endnu ikke blevet så tilpas uanselig som folk var flest. Han fyldte mindst lige så meget her som hun huskede ham fylde hjemme på hans egen gårdsplads, og han var for resten kørt ind på Phønix som om han også *her* havde hjemme.

Som om han ville have hjemme overalt i verden. Men selvfølgelig var han lige nu blandt folk, der alle sammen kendte ham. Han kunne snakke til dem som var det hans egne, og hun genkendte, huskede igen hans måde, da de holdt ude i gården, og hotelkarlen kom og spændte fra, hele hans måde at give ham videre besked. Om at sætte en skæppe havre for øget, og da heller ikke glemme at lægge et varmt dækken over den ·helmis, og jo også lige mærke efter om vandet til hende var godt lunkent.

Hvor let og hvor tyst, hvor sært halvvejs fraværende han fik det sagt. Men at han hørte hvert ord, karlen, at han ville udføre enhver ordre til punkt og prikke, det var samtidig så tydeligt at se, og at han endda var glad for at få lov. Og værten, da han lidt efter kom ud og bød velkommen, noget så hjertelig glad for sin gæst så han da også ud, og serveringsdamen, da de var kommet ind i restaurationen.

Det skal vel være som det plejer, Godiksen? Og hun grinede og kroede sig som de færreste ville gøre, hvis de ikke netop blev voldsomt kurtiseret af deres drømmeprins. Og Søren Godiksen så end ikke rigtig i hendes retning. Han åbnede munden en lille bitte smule, som om han dog overvejede at svare. Lod det så blive ved dét.

Oksekød i peberrod, jublede hun. Og til dessert? Mon ikke det skulle være en gang sveskegrød, Godiksen? Hvis Deres datter da også gerne vil have det? Vi skal i hvert fald nok finde noget godt til jer, Godiksen!

De spiste kødet. Og de fik sveskegrøden og fløden ind. Han havde endnu ingenting sagt.

Jeg regner med nu at blive i Staun, sagde Emma da.

Jo, svarede Søren. Det tror jeg også din mor vil blive tilfreds med at høre.

Jeg har så tænkt på at jeg måske kunne gifte mig med Orla Jensen, sagde hun. Hun havde ikke tænkt på det et øjeblik før. Aldrig nogen sinde havde hun tænkt på det. Havde han? Også den tanke faldt hende nu lige ind.

Nå ja, sagde han. Min forkarl.

Eller hvad synes du, far?

Jo, Orla, sagde han. Han er da ungkarl.

Så kunne vi to måske engang sørge for at drive Bisgaard videre, sagde hun. Orla Jensen og så mig. Når Dagmar jo nu, i Farsø. Og Mary så vel heller ikke. Med Axel.

Dagmar, sagde han. Og Mary? Hun kunne se at han slet ikke forstod hendes snak. Hun vidste også straks hvorfor.

Vi skal selvfølgelig vente med at snakke mere om alt det der til efter krigen, sagde hun. Vi må jo først se hvad Peder så måske vil. Det siger sig selv. Om han så vil hjem igen.

Ja, sagde han. Lad os se når krigen engang er forbi. Og hans ansigt var igen så roligt at han nok alligevel godt kunne have snakket om det hele med det samme. Tænkte hun.

Du har vel aldrig forestillet dig at jeg nogen sinde kom hjem igen, sagde hun.

Både ja og nej! Og han så nu lige på hende, var ligesom ved at smile.

Hvad mener du, ja og nej?

Jeg har aldrig regnet med noget med dig. Nej, forstå mig ret, Emma! Jeg har bare aldrig kunnet regne ud hvad du tænkte.

Skulle det mon være så svært? Lidt som om hun alligevel kunne have grund til at føle sig stødt.

Jeg kan huske engang til dyrskuet, sagde han. Du var måske syv eller otte år. Vi spurgte dig så om du ville have et kræmmerhus med brystsukker. Og du svarede nej! Det havde jeg aldrig før hørt et barn gøre.

Det kan jeg nu ikke selv huske. Men jeg har sikkert villet have noget andet. Noget meget større. Som jeg så trods alt ikke kunne få mig til at nævne.

Min mor har flere gange været inde på det samme, sagde han. Hun passede dig jo tit, og så sagde hun til Stinne: Det er en aparte tøs, ja, ·villele nok, men hendes tanker flyver som på én gang i alle retninger!

Aah, bedste! Hun kan jo synes at alt er så mærkværdigt.

Det kan såmænd godt være, sagde han. Men jeg har, som jeg sagde, heller aldrig selv kunnet hitte rede i det.

Emma glanede lidt rundt i lokalet. På lamper og gardiner. Hun tog servietten i hånden. Flyttede glasset fra sig.

Nu véd du da i al fald hvad jeg har i sinde, sagde hun så.

Ja, sagde han. Orla Jensen. Ville du have at jeg skulle snakke til ham?

Nej. Det skal jeg nok selv. Jeg må da også først lige se hvordan manden ser ud efterhånden!

Ja, det må du vel hellere! Men så kan I måske lige så godt blive gift med det samme. Vi kan jo altid finde en anden gård til jer, om så skulle være. Når Peder engang er kommet hjem.

Og hans tunge hoved kunne med ét ligesom svæve igen. Som altid før når det var blevet til ét stort smil.

Hun var hjemme. Skønt de endnu havde et par mil tilbage at køre om eftermiddagen.

Søren Godiksen fløjtede en anelse mens han talte penge op til hotellet. Hun var allerede hjemme.

At Emma den dag kom til at afgøre det meste af sin fremtid, at hun gjorde det så hovedkulds, og som om det næsten ingenting var, og at hun heller ikke i dagene efter ville tage det som hverken noget særligt eller noget sært noget, det skyldtes da sikkert også at hun lige havde været døden så nær.

Det var gået skidt hos en af Aalborgs kvaksalvere. Hun havde været ved at forbløde. Kunne dog råbe om hjælp fra sit værelse, men var bevidstløs da hun blev indlagt på sygehuset. Anede så i øvrigt heller ikke at hun havde fået fortalt om sin familie, før de altså kom og sagde, at hendes far var der for at hente hende.

I Staun kunne hun efterhånden forstå – hvor langt – også uden for hendes synsvidde – der end blev hvisket – at de fleste eller alle gik ud fra, at hun havde ligget i med en tysker. Hun ville alligevel ikke gøre det mindste for at rette den misforståelse. Hun syntes det kunne være det samme, eller hun syntes ikke at sandheden ragede nogen andre. Men hun syntes især det ville være lumpent overhovedet at beskæftige sig med den sladder.

En tysker, det kunne de da godt få lov at tro. Og nogle ville så nok mene at det gjorde det så meget desto mere forfærdeligt med hendes løsagtighed. Og andre ville måske til gengæld forestille sig at hun stadig havde været deres uskyldige lille Emma, der nu for første gang havde tabt

173

sit hjerte – desværre jo blot til en forkert uniform. Selv ville hun foretrække den første udlægning. Hun ville nødig gå for at være en stakkel. Men hun ville sidst af alt til at forklare sig over for nogen som helst.

I snart ti år, siden hun var seksten, havde hun vænnet sig til at stå for sig selv, til at fælde sine egne domme og lade dem være gældende. De havde frem for alt forbudt hende at have ondt af sig selv, og frem for alt tilladt hende at kigge efter den næste mand, så snart den forrige var ude af billedet.

Det havde et par gange ført hende halvvejs eller længere endnu ind i et ægteskab. Det havde mange flere gange været den rene fornøjelse, i en på forhånd så nogenlunde klarlagt midlertidighed. Men selvfølgelig kunne hun også få brug for at tale dunder til sit forgrædte fjæs, under bruddene eller i kærestepauserne. Altid så fuldkommen uhjælpeligt ensomme, hun fik nu alt for sjældent tid til også at knytte noget rigtigt venindebånd.

Det seneste forhold dér i Aalborg var blevet et af dem hun havde ønsket skulle blive det sidste. Det blev det hun – inderligere end i noget tidligere tilfælde – håbede var den endelige mening med hende. Hun var også gået usædvanlig langt efter det. Havde vraget faderen for sønnen.

Jo, hun havde først lært hans far at kende. På Kristine, hvor hun havde fået arbejde, det var byens bedste konditori, og han kom der regelmæssigt, faderen, dér på Vesterbro. Og han var en vældig elegant, helt biografagtig gentleman, ovre fra Katedralskolen, og gift selvfølgelig. Men det var hændt hende før, og når hun havde fri, og de var sammen på Hotel Prinsen, så kunne han oven i købet lære hende langt mere om både den franske revolution og krigen i 1864, end der nogen sinde havde været tale om i Staun Skole.

174

Så havde han bare en dag taget sin søn med op i konditoriet. Og dumt af ham, for det var nu så ganske bestemt sønnen, Emma ville have. Det var hun ikke mange minutter om at afgøre. Inden han dagen efter sad der igen og alene, havde han åbenbart også indset at han hurtigst muligt måtte have *hende.* Han kunne ikke få bestilt sin kaffe før det kom frem.

De mødtes så på hendes værelse. Han havde ingen penge til hotel, og det var også meget mere som det skulle være, syntes hun. Og hun havde aldrig oplevet nogen anden mand være så lykkelig over at ligge i hendes seng, og hun elskede ham desuden for hans vilde og barnlige raseri over at faderen havde rørt hende.

Men ellers boede han i København. Han læste derovre, og Emma skulle så med, fik de snart aftalt, når han havde skrevet sin afhandling. Nemlig kun derfor han boede hos sine forældre nogle måneder nu, for at kunne skrive i fred og ro, og når han var færdig, så skulle hun altså med ham. Han rejste da i begyndelsen af februar i forvejen for at finde et sted de kunne bo. Hun måtte skrive derover til ham at hun var kommet i omstændigheder, nogle få uger efter at han var rejst. Men han havde da allerede fundet en anden.

Bjørn hed han. Den bedste mand hun havde kendt. Og han havde nu skrevet så fuldstændig oprigtigt tilbage til hende at han havde fundet en anden. Ja, Bjørn var den bedste, det vidste hun. Hun kunne aldrig nogen sinde møde nogen anden som han.

Men han skulle ikke sætte punktum for hende. Han skulle ikke knuge hende sønder og sammen. Ikke smide hende ud i mørket. Han skulle ikke sulte hende ihjel. Ikke gøre hende sindssyg. Hun ville finde en kvaksalver. Hun ville begå den forbrydelse, og leve.

Hun ville også bære sin straf. Sådan kunne hun helt i

begyndelsen derhjemme komme til at tænke på det. For eksempel når hun overvejede om den meget hastige beslutning, hun havde truffet på Hotel Phønix i Nibe, om at gifte sig med Orla Jensen, om den virkelig burde stå ved magt. Men hun beholdt kun i øjeblikke det ord straf i sit hoved, kunne ikke tillade sig at have det der. Forstod med det samme at hun selvfølgelig, under alle omstændigheder, ville stå ved sin beslutning, og at hun endelig ville være helt fortabt, hvis hun nu også på den måde gav køb på sig selv.

Når hun altså faktisk giftede sig med Orla, ville det ikke alene være en grim fornærmelse af ham og en hån – også mod hendes forældre – hvis nogen tanke om straf da så meget som et sekund kunne få lov at rase løs i hende. Den ville jo også bare, og mere end noget andet, gøre *hende selv* til en straf, både for Orla Jensen og alle andre omkring hende.

Nej, hun skulle slet ikke bilde sig noget af den slags ind. At gøre sig til et forgræmmet og forbitret spøgelse, der kunne tage al livslyst fra enhver, der kom i hendes nærhed, det ville ikke være andet end forkælelse. Det ville først og fremmest være torskedumt. Bare en lille smule forstandigt, og måske endda helt anstændigt, ville det derimod være om hun nu stille og roligt satte sig for at blive tilfreds med den tilværelse, der her kunne blive tilovers til hende.

Hun ville nu se at blive et voksent menneske. For hvor havde hun haft rumpen rejst så længe hun kunne huske. Der havde aldrig kunnet komme en mand på Bisgaard, i hvert fald ikke én der sådan var lidt stads ved, uden at hun straks skulle ud i den store verden og være både prinsesse og filmstjerne. Det kunne være en gæst dyrlægen havde med på Bisgaard, det kunne være degnens nevø der var på ferie i byen. Det kunne være hvem som helst hun kunne

snuse sig til en smule byfornemmelser ved, noget der lug-
tede lidt af noget *moderne*.

Jo, hun skulle omsider se at få gjort kål på alle de der
tossede tøsegriller, der siden hun var tretten, og snart jo
ikke kun i drømme, men desværre også i virkeligheden
havde jaget hende fra det ene ynkelige fjanteværk til det
andet. Og som da til sidst havde slået hende ihjel, noget
nær.

Der blev ikke holdt den store bryllupsfest – det var ikke
svært for hende at få nogen, og slet ikke gommen, med på
dét.

De var i kirken i Farstrup, Orla Jensen og Emma, de gav
hinanden deres ja, og da de var tilbage i Staun, trak han
igen i sit arbejdstøj og kørte i marken for at rive en stub-
mark – det var der midt i august 1942.

Familien og folk i byen mente vist at forstå hvorfor det
skulle gå så stille af. Og der var nok ikke meget at gøre ved
deres forståelse, men Stinne og Søren svarede dog enhver,
der alligevel spurgte, at de godt kunne vente med at feste,
til alle kunne være til stede.

Man kunne regne ud at de tænkte på Peder. Og de mere
velvillige i byen fik sig også kringlet frem til den tanke, at
det vel kunne være rimeligt nok af Søren Godiksen at
vente, til Peder kom hjem og traf den endelige bestem-
melse om gårdens fremtid, inden han kunne sige, hvor
meget og hvor stort der burde festes for Emma.

De mindre indforståede – det store flertal naturligvis –
holdt sig til den formodning at de på Bisgaard trods alt
ikke kunne skamme sig til at fejre en luder og en tyskertøs
og en barnemorderske.

Orla havde ingen mening om alt det. Han var tilfreds.
Stinne var nogle uger før brylluppet selv gået i marken
med øl til ham, og hun ventede neden for den række roer

han var ved at luge anden gang, for så at betro ham, at Peder efter hendes mening aldrig kom tilbage. Orla måtte altså, når han nu kom ind i familien, regne med at skulle overtage gården.

Hun bad ham lade være med at nævne deres snak over for Søren. Og det passede ham godt at hans kommende svigerfar, og flest mulig andre, kunne gå rundt og tro, hvad de ville – og kun så meget desto mere hvis det nu skulle være den vildrede, der reddede ham fra at skulle sidde til højbords og danse vals.

Og var det det andet, det med Emma – som andre af byens karle ikke ret længe ville holde helt hemmeligt for ham, ja, *hvis* det da var, fordi hun lige havde aborteret – og hvad de ellers brændte efter at lade ham vide, og med alle deres sjofle fagter og gemene grin selv så ud til at kunne more sig over i det uendelige – ja, hvis det da virkelig skulle passe – hvad han slet ikke kunne tro – men *hvis* der trods alt var lidt om det, så skulle det for hans vedkommende bare være glemt hurtigst muligt. For det kunne han være fuldstændig ligeglad med, sagde han til sig selv. Han var endt med at få hende, der var ikke andet der betød noget som helst.

Emma gjorde sig det dagligt klart: at heller ikke *han* spurgte om noget. Heller ikke *nu* – kunne hun tænke – når han efter middagsmaden var blevet stående lidt hos hende i køkkenet, og heller ikke *nu i aften*, når de sammen var gået en tur til fjorden, og ikke engang *nu* – måtte hun da tænke igen – lige før han slap hende i sengen og sank ned i sin dødemandsagtige søvn.

De havde ligget sammen fra ægteskabet blev bestemt, for dog på det punkt at følge skik og brug i byen. Og i månederne inden brylluppet lå hun mange aftener vågen og grundede over det. Hun kunne godt somme tider føle en slags taknemmelighed også mod ham, over at han aldrig spurgte. Men det optog langt mere af hendes spekulationer at det måske ville være bedst for dem, hvis han alligevel spurgte, og hun så svarede.

Hun ville svare på alt. Hun ville fortælle ham det hele. Det hele og mere til, kunne hun tænke og være lige ved at grine ud i mørket. Og hun havde prøvet. Hun var begyndt at fortælle om den første hun lå med, og det var da de skulle have telefon på håndarbejdsskolen, og der var altså kommet en mand der skulle få den til at virke. Men længere nåede hun ikke med det.

Orla vendte ryggen til. Og hun havde endnu en gang haft lejlighed til at holde sin lille præken for sig selv: Hun havde bare at lære sig at blive tilfreds med forholdet som det var, og fuldt ud at blive tilfreds med Orla Jensen som han var, og mere end fuldt ud tilfreds skulle hun endda blive.

Hun skulle blive glad. Havde jo ikke grund til andet. Nej, ingen som helst årsag til noget som helst andet end at blive rigtig hjertelig glad for Orla, for han var lige så glad for hende som nogen anden mand nogen sinde havde været. På sin egen måde måske meget mere. På sin underlig forknytte måde så glad for hende som nogen mand vel overhovedet kunne blive, og hvad mere kunne hun forlange.

Og hun hørte efter sig selv. Han ville ikke snakke om ret meget, og hun lod ham være. Hun lod ham arbejde og lod ham sove. Hun lod ham gå omkring og være mut, hvis det var det han ville, eller i al fald ikke ville have hende til at blande sig. Og det skete ret tit, han var mut og indesluttet, og hun havde altså bare at lade være med så meget som at spørge hvorfor.

Hendes mor ville så snakke om det. Stinne havde selvfølgelig erfaret, gennem alle de år hun var Orlas madmoder, at han ikke ejede det allermest lette og muntre sind. Men hun kunne nu heller ikke se helt bort fra – skønt det naturligvis trodsede enhver rimelig forventning – at han som ægtemand kom til at virke endnu mere tvær og fortrædelig. En kendsgerning der i næste omgang kun alt for nemt kunne forskyde hendes opmærksomhed fra ham selv til Emma. Og da Stinne fra sin ungdom også havde medbragt den overbevisning, at enhver kvinde skyldte sin mand meget omfattende ofre, kom hun ikke ret længe uden om at give Emma skyld. Hun tog da fat på at fuldføre den del af hendes opdragelse som hun åbenbart havde forsømt, mens datteren uden tvivl havde været mere modtagelig for den.

Det var i hvert fald også af andre grunde svært for Emma at høre på de moderlige formaninger. Hun var parat til at strække sig til det yderste, men hun mente altså nok, at hun allerede havde gjort det. Og det gjorde det ikke bedre at Stinne samtidig viste den største forståelse for hende og ville *hjælpe*, så godt hun kunne.

Dermed slog hun bare ligesom helt uigenkaldeligt fast at det ikke kunne være andre end Emma, der var noget galt med. Emma gjorde sig også derfor døv for ethvert råd, der trods alt måske kunne have vist sig gavnligt, og hun lod som om hun aldrig observerede den hånd, der blev rakt frem og ville støtte hende.

Blandt Stinnes mere fristende tilbud var det med at flytte langt det vanskeligste at afvise. Stinne vendte oven i købet hele tiden tilbage til det, hun troede virkelig selv på at Emma kunne vinde ved at blive alene kone på Bisgaard. Og hun fortalte gang på gang at hun som ung da selv havde lidt under, at Sørens mor jo stadig var der, og hvor meget Ane end havde forsøgt at holde sig tilbage, alligevel ikke havde kunnet lade være med at ville bestemme, ja, bestemme alting. Og nu havde Emma ikke kun hende selv, sin egen mor, men endda fortsat og tilligemed den samme gamle Ane!

Jo, det havde Emma. Men Ane, som skulle komme til at leve tolv-tretten år endnu, havde allerede sat sig til rette til den slutning. Hun kom nu højst til måltiderne frem fra det kammer hvor hun ellers, med et indadvendt blik i retning af sit gamle stueur, forberedte sig på at modtage døden. Så meget som blot antydningsvist at blande sig i Emmas husførelse gjorde hun i al fald ikke.

Og Stinne, hvis hun flyttede i aftægtshus, hvad skulle det hjælpe? Ville hun mon så pludselig holde op med at plage hende? Emmas krænkede stolthed slog hver gang ud som en øm byld, skønt hun også hver gang fortrød, at hun ikke fik sagt ja og tak til. Og Stinne kunne ikke greje de affærdigelser. Om Emma da helst ville have, at hun *blev* på gården? Om man virkelig kunne tro, det forholdt sig sådan.

Ligesom arbejdet altid havde hjulpet Orla, hjalp det nu også Emma. Dér kom de på lige fod. Og hvor mange kvinder de end var på Bisgaard til at bestemme eller ikke bestemme, så var det dog hende selv, der måtte stå for den daglige dont.

Sammen med sin pige selvfølgelig, som for resten også var ældre i gårde, for hun havde overtaget Frida, og de to sørgede dagligt for at der stod davre på bordet, og ·unnen og nadver, og at der indimellem var formiddagsbrød og eftermiddagskaffe, eller der blev bragt øl og kage i marken, og at alle endelig også fik kaffe eller frugtgrød hen på aftenen. Og at der så blev gjort rent i stuehuset og på karlenes kamre, og at der blev vasket for dem alle, og rullet og strøget, og at køkkenhaven blev passet, og der blev bagt og plukket bær og syltet og bryggget og slagtet og saltet, røget pølser og skinker og kogt hen. Og at der blev syet og lappet og broderet, ferniseret, tapetseret og alt det andet, ud over det ekstra jo med alle de folk, der hele tiden kom på gården og skulle bespises og snakkes med og ryddes op efter. Og hun og Orla fik deres to drenge, og årene gik, og Stinne blev syg og skulle også snart passes fra morgen til aften.

Hun lå et halvt års tid. Og Peder kom meget hjem i de sidste uger. Det blev den bedste tid for dem alle i mange år. Også fordi det var det for Stinne. Peder sad så troligt ved hendes seng og holdt hende i hånden.

Det gør mig mere godt end al deres medicin, sagde Stinne.

Emma ville også gerne have snakket med ham, om Orla og hans humør. Fordi Peder jo selv var en mand, og fordi han stadig var hendes kære lille bror, og fordi hun – ligesom alle andre – var nær ved at ville sætte ham over alle andre. Men han forstod nu ingenting.

Orla har meget at tænke på, sagde han. Det er en god mand du har fået, Emma. Det tænkte jeg med det samme jeg hørte om jer. God mand, Orla!

Han rejste jo så, da de havde fået deres mor i jorden. Og året efter faldt han ned.

Da havde Søren Godiksen omsider fået sig samlet sammen til at bygge aftægtshus, et par hundrede meter længere ude ad vejen. Det stod færdigt ikke ret længe efter at de mistede Peder, og han kunne da sætte sig dér ved siden af Ane.

For Orla ændrede det ikke det fjerneste at de helt blev dem selv. Og det var nu også snart længe siden Emma endelig havde indset, at det hverken ville gøre fra eller til. Skødet til Bisgaard havde han fået i 1949. Nu skulle han så for alvor kunne blive sin egen herre, og han forblev altså i en andens vold.

Hun blev aldrig klog på hvem eller hvad det var. Vidste kun hvordan det forholdt sig. Og hun havde nu affundet sig med hans luner, i bund og grund affundet sig med ham, og hun holdt af ham, det eneste hun knap kunne holde ud, var hans hårdhed over for drengene. At han kunne lade sit raseri gå sådan ud over dem og slå dem så forfærdeligt.

For det meste var han da, gudskelov, overmåde mild over for dem. I almindelighed var han måske en bedre far end de fleste, de ville hellere end noget andet være sammen med ham. De fulgte ham begge to hvor han gik og stod, og han var god til at give dem små pligter som de kunne magte og føle sig store over at have ansvar for.

De begyndte i staldene med at feje og strø strand, de skrabede roer til hestene, strøede halm under kalvene, kravlede op på ·rånen og bøvlede hø ned på fodergangen. Og i marken kunne de selvfølgelig samle sten, de kunne rykke melde op mellem kartoflerne, efterhånden luge roerne anden gang. De kom til det hele så snart de kunne, og de kunne sætte malkekopper på køernes patter inden de var fyldt syv, de kunne køre et spand heste og spænde det både for og fra, og da de fik den første traktor på Bisgaard, Anders var nu ti og Niels Jørgen otte, var der ikke gået en uge, inden de begge kunne tumle den så godt som både Orla og de voksne karle.

Men så kunne det ske at den ene glemte at slukke lyset i maskinhuset. Eller den anden kom til at hakke et par roer for meget op. Eller de kom fem minutter for sent ud af deres senge, eller de spildte en sjat mælk når de tømte mejerispandene i truget nede ved grisene.

Der kunne sådan ske den ene fejl efter den anden. Der var hele tiden tusind småting der kunne gå galt. Og i langt de fleste tilfælde skete der så heller ikke mere ved det. Kun en gang hvert halve år, eller en gang hver tredje uge, ingen kunne vide hvornår, heller ikke Orla selv.

Han lovede jo hver gang sig selv at det aldrig skulle

gentage sig. Men der kunne så risikere at gå bare et par dage, inden han igen fuldstændig tabte besindelsen. Anders eller Niels Jørgen eller dem begge to havde tilfældigvis begået en nok så lille fejl, og Orla var tilfældigvis i det sind han ikke kunne styre. Det hele gik i ét for ham, og alting ·jørmede i ham, og han tæskede løs på drengene.

Emma trøstede dem, og hun skældte ud på Orla. Eller hun forsøgte at lade være med at skælde ud og stille og roligt snakke med ham om det. Eller at blive tavs og kold og fjern over for ham, og det var i det mindste en hævn han så ud til at kunne mærke.

Men hvad hun end sagde eller gjorde, så kom der aldrig et svar, ingen forklaring. Han kunne åbenbart ikke drive sig til bare at mumle en slags undskyldning. Han flygtede. Han kunne altid finde på alt muligt der skulle laves, og efter måltiderne var han ude af døren igen, inden han havde sunket den sidste bid, og om aftenen kom han først ind længe efter deres sengetid. Vel i håbet om at hun nu var faldet i søvn.

Niels Jørgen gik det værst ud over et efterår hvor de var ude og hente kvier hjem fra engen. Orla, karlene, begge drengene.

De voksne fangede kvierne med lassoer, og drengene fik så rebene og skulle holde fast i dem, og de vidste selvfølgelig begge to at der ville vanke nogle grimme lussinger, hvis de gav slip. De havde fået besked på at holde fast i kvierne til en af karlene kunne komme til at lægge en grime på dem og binde dem op.

Det gjaldt så bare om at bide tænderne sammen. Det gjaldt om at *ville*. Om *aldrig* at ville lade rebet smutte fra sig. Uanset hvor meget det skavede og sled i hænderne. Uanset hvor langt de her kvier slæbte af sted med dem. Uanset hvad der lå af sten og lort i det svuppende græs.

Uanset hvor meget det isnede gennem maven at blive trukket igennem den ene halvfrosne pyt af vand og pis efter den anden. Og selvfølgelig kunne de.

Og selvfølgelig ville de. For at være med i det hele, og for spændingens skyld, og fordi de sådan en dag kunne vokse gevaldigt også i karlenes øjne. Men Niels Jørgen blev så ramt af en gammel halvrådden hegnspæl der havde gemt sig i en tot. Han blev ramt over øjnene og *måtte* slippe rebet. Og Orla kom til og bankede ham, til han igen strittede omkuld, og så han ikke kunne rejse sig igen.

Forkarlen måtte køre ham hjem på traktoren, og han kunne stadigvæk ikke rigtig stå på benene. Han var svimmel og brækkede sig, og Emma fik ham ind i bilen og kørte til doktoren i Farstrup med ham.

Hun fortalte ham at drengen havde fået en pæl i hovedet. Og det var da muligvis sandt. Det kunne godt være pælens skyld at Niels Jørgen blødte fra panden.

Emma var dog slet ikke i tvivl om hvis skyld det var, at han også blødte fra øret. Og at det nu var ved at blive blåt. Orla måtte have smadret samtlige blodkar i det øre.

Lægen lod det blive ved pælen. Hvad han så ellers tænkte eller ikke tænkte. Han undersøgte Niels Jørgen og lappede så på ham uden at mæle et ord. Sagde til sidst bare at drengen skulle hjem i seng og blive der de næste otte dage. Han havde fået en hjernerystelse.

Om aftenen havde Orla så en so der skulle fare. Hun var allerede i gang inden de spiste. Han måtte virkelig skynde sig ud og se til hende igen. Emma ryddede til side og vaskede op sammen med Frida, inden hun fulgte efter.

Hun tænkte at det nu burde kunne lade sig gøre. Hvis hun passede på, og der ville i første omgang heller ikke være noget usædvanligt ved at hun også kom ud til soen. Det havde hun mange gange før gjort, det var jo helt naturligt, og der kunne være noget rigtig ·rosomt ved det. De havde tit snakket så godt når de sad sådan sammen og hjalp de små lyserøde skabninger til verden.

I hvert fald ville han ikke kunne rende længere væk endnu. Han måtte blive der, måtte høre. Og Niels Jørgen havde været lige ved at komme alvorligt til skade. Han havde været lige ved. Været lige ved, ja, det måtte for pokker da nu kunne lade sig gøre at snakke om det.

Det foregik altid i den øverste murede sti når søerne skulle fare, og Orla sad derinde på sin skammel. Han havde strøet rigelig med halm under soen og hængt en varmelampe op over hende. Det røde lys fik de nyfødte grise til at virke et nummer for lækre næsten, som om de straks var ·rinket op til at få en sløjfe om halsen og blive pakket ind i cellofan. Sprællevende var de alligevel.

Det ser da ud til at gå fuldstændig som det skal, sagde hun. Og hun lagde armene op over den hvidkalkede halvmur, lænede sig ind mod ham.

Er der ikke allerede otte, Orla, eller ni? Og der har slet ikke været nogen døde imellem?

Ikke indtil videre, sagde han. Nej, ni styks levende, og her har vi vist den tiende!

Og den tiende gled da også i huj og hast ud af soen. Og Orla tog den i hånden og nippede navlestrengen over mellem neglene. Krattede så en halmvisk sammen og gned den ren.

Endda en bitte sogris, sagde han. Og lagde hende til en af de endnu ledige patter.

Ja, det er vel det første der bliver sagt om os alle sammen, sagde Emma. Han eller hun. Og for dyrenes vedkommende vel også snart det sidste!

Det kan være, mumlede han. Men der var nu alligevel ved at blive lidt for meget med galte.

Den her appetitlige småso havde nu i al fald fået patten møflet op i trynen og suttede med det samme ihærdigt i

sig. Tænkte først derefter på at åbne øjnene, på klem. Kun
en tre-fire stykker af hendes ældre søskende havde ende-
lig fået dem helt op og var forsøgsvist også begyndt at
kigge sig i andre retninger end mælkeforsyningen.

Han skal nok komme sig, sagde Emma. Han skal nok
snart blive rask igen.

Orla rokkede lidt på skammelen. Nok til at hans ansigt
kom uden for hendes synsvinkel.

Jeg véd selvfølgelig godt at du aldrig ville ham det
mindste ondt, sagde hun. Jeg véd da hvor glad du er for
både ham og Anders. Det løber jo bare af med dig, Orla.
En gang imellem, det véd du også selv, og det må vel være
fordi du så også har det skidt med noget andet? Fordi du
måske har det skidt med dig selv, Orla. Eller jeg véd ikke
hvad. Men det kan da ikke blive ved sådan, det véd du jo
også. Det kunne ende med at gå helt galt for os! Så jeg
tænkte på, Orla, ja, jeg tænkte vi måske skulle snakke med
nogen om det? Eller du skulle, Orla? Med præsten måske,
eller jeg véd ikke hvem?

Se nu for helvede her, råbte han. Eller kunne du i det
mindste ikke lige lade mig passe mit!

Og der var kommet en ellevte gris. Og han rev den
overdrevent rask til sig og gnubbede den hårdt, som skulle
det være en afstraffelse, i en sølet tot halm.

Der er jo hjælp at få, Orla! Jeg læste et stykke, i et af de
blade Mary kommer med, der stod et stykke om et men-
neske, der nok havde det noget på samme måde som dig!

Marys blade! Sgu nok også noget godt noget at skabe
sig klog med! Du skulle holde din kæft med sådan noget
pladder, Emma!

Vi kan få hjælp, Orla! Hør så da lige efter hvad jeg si-
ger!

Kan du for satan i helvede da ikke bare lade mig være!
Han var oppe at stå nu og vrælede.

Vi kunne jo prøve at hjælpes ad med det!

Lad mig så være! Hører du! Hvis du nogen sinde vil se mig mere!

Hold dog op med den dumme snak, Orla, vi to må nu stå sammen!

Kan du se det reb der, Emma?

Han pegede hen mod døren. Der hang forskelligt skrammel på en række kroge.

Kan du se det, Emma? Rebet dér, og véd du hvad det også kan bruges til? Ellers kan du da en skønne dag få det at se!

Et øjeblik havde han holdt begge sine hænder op om halsen, og stukket tungen ud af munden. Så bukkede han sig hurtigt, rev fat i en af grisene, halede en lille tang op af lommen.

Der kom så ikke flere. Hun havde også bemærket det, skarnet var ved at flyde ud af soen. Og Orla var allerede i fuld gang med at klippe grisenes bisser.

Han klemte dem fast under sin venstre albue, klippede med sin tang i højrehånden de fremtittende, kridhvide tandspidser, og det sagde knik og knik og knik, og de skreg og skreg, de små.

Deres gummer blev oversvømmet af blod, og de skreg og hylede og hvinede så ingenting andet kunne høres. Intet ord, ingen tanke. Hele svinestalden, hele gården, hele verden var blevet ét endeløst knikkende, altoverdøvende skrigeri.

Orla Jensen døde i 1983. Han blev 68 år gammel. En kræftsygdom tog ham. Den var antagelig brudt ud i halsen, men havde bredt sig både op i hovedet og ned gennem alle hans indvolde, inden han kom i behandling.

Orla havde for længe bidt smerterne i sig. Han var så blevet indlagt på Aalborg Nord, skønt han ellers skulle høre til på Syd, men Flemming Beck fik ham ind på sin afdeling og gav ham strålebehandling. Ret snart fortalte han dog Emma at han ikke kunne udrette stort. Hun ville da med det samme have Orla hjem igen, og hun passede ham selv de sidste uger.

Meget føde fik hun ikke i ham, mange gange kun morfinen. Men hun vendte ham så tit som muligt i sengen, og hun vædede hele tiden hans læber, hun skiftede bleer og lagener, han kunne til allersidst jo hverken holde på urin eller afføring. Når han alligevel var nogenlunde klar, nåede hun også nogle gange at få sagt, at han havde været hende en god mand.

Efter begravelsen gik der endnu nogle uger med papirerne. Men da alt var afgjort, optegnet og tinglyst, og Emma stod som ejer af Bisgaard, skrev hun til Bjørn.

Hun havde lige efter krigen set et billede af ham i avisen. Han var åbenbart blevet noget af en helt i frihedskampen, og hun overvejede da også et øjeblik at vise ham frem for Stinne eller for Mary. Så der i det mindste ville være et enkelt andet menneske, der kendte sandheden. Ethvert forsøg på retfærdiggørelse var og blev dog for usselt for hende. Hun gemte med det samme avisudklippet i chatollet.

Nu her, seksogtredive år senere, havde hun billedet fremme igen. Hun betragtede hver dag Bjørns ansigt med en genvunden og stigende glæde, og hun fandt da frem til hans adresse og skrev for at høre, hvordan det videre var gået ham i livet.

Der kom et ret udførligt svar fra hans enke. Hun fortalte at Bjørn under besættelsen havde svigtet så mange, og at han i de år følte, at han også i sit privatliv kunne følge andre morallove end dem, der ellers gjaldt mellem mennesker. Enken var selv blevet offer for hans hensynsløshed, i 1944. De var så nogle år efter stødt på hinanden igen.

Bjørn var nu forandret, og hun havde tilgivet ham og var glad for at vide – hvis hun ellers havde forstået det hele rigtigt – at Emma så at sige på egen hånd havde gjort det samme. Men ellers havde han arbejdet i udenrigstjenesten. Han var blevet ambassadør, og de havde gennem deres ægteskab boet mange steder over hele verden. De havde fået en enkelt datter sammen. Bjørn var død i foråret 1981. Enken bad Emma komme og besøge hende når hun engang var i København.

Emma fik slet ikke lyst til det. Enkens brev vendte hende tværtimod straks igen fra enhver beskæftigelse med den fortid. Hun ville nu spekulere meget mere på hvad hun selv skulle få ud af resten af sine dage. Og noget kunne hun så alligevel tage med sig fra Bjørn: tanken om at rejse over hele kloden.

Det var det hun ville. Og hun troede nu også at det var det, hun altid havde villet. At hun som ung var begyndt på det og havde forestillet sig, at det ville føre hende videre og videre omkring. Og hun tænkte da nu, hvor det var blevet så sent, at hun hellere måtte til at leve som en nomade og uafbrudt være på farten.

Hun overvejede det, mens hun solgte jorden og bygningerne til Henrik Lundbæk, at lade ham få stuehuset også. Men det blev alligevel for meget, mere end hun kunne give sig lov til. Helt og aldeles at forlade Bisgaard, og lade dem jævne også stuehuset med jorden, og sådan fuldstændig gøre det til løgn, hvad hun havde sagt til sin far, da han hentede hende i Aalborg: at hun kom til Staun for at blive der.

For hele tiden at komme tilbage. Mere ville hun ikke rette på det.

Emma kom da i gang med at tage på busrejser til Tyskland og Østrig, sammen med andre ældre mennesker. Det passede hende snart ikke så godt sådan hele tiden at være omgivet af så mange, eller at høre på en stadig snakken der kunne lade én i tvivl, om man overhovedet var kommet hjemmefra. Hun rejste da alene til Rom og derpå til Jerusalem. Men hun ville nu også gerne være sikker på at kunne møde *nogle* mennesker *indimellem.* Nogle hun kunne snakke om sine oplevelser med. Og hun skrev rundt i familien, og i 1992 var hun klar til at komme af sted på sin første rejse til Amerika.

Axels rolle

Mary blev en læser. Allerede så småt fra hun blev gift – kun et halvt års tid efter Emma, men med noget større festivitas på Kristiansminde – og med fynd og klem fra midten af halvtredserne, hvor Anne Marie og Henrik og omsider jo også Søren kom til at lægge mindre beslag på hende – fra den tid, altså, tilbragte hun langt størstedelen af sin tilværelse med en bog eller et blad mellem hænderne. Og det ville intet menneske i verden naturligvis førhen have troet.

Tanken om at lige netop Mary Godiksen skulle ende med at blive et stuemenneske, en stillesidder, en bogorm, den ville da – hvis nogen overhovedet havde kunnet tænke den – have virket på enhver, der kendte hende som ung pige, ikke alene som det rene vås, men også som en temmelig ubehagelig spøg. For ville man da spå hende en art ulykke, fantaserede man måske om at hun længe før tiden skulle sygne helt hen? Nej, at Mary nogen sinde skulle sidde i en stol længere end fem minutter ad gangen, det kunne slet ikke ske – i hvert fald aldrig uden at hun med et solidt stykke reb var blevet bundet til den.

Selv da hun faktisk sad der og af sig selv blev siddende, år efter år, kunne hendes jævnaldrende dårligt høre hendes navn, uden at det også straks skulle nævnes, hvordan hun egentlig var, som man sagde. Og egentlig flagrede Mary altså uafladelig vildt omkring med sit evindelige, sært dybtliggende grin rullende efter sig. Nogle kunne så synes der også havde været noget dreng over hende. For hun ville gerne slås. I al fald så længe det kunne foregå under rungende latter, og hun skubbede og masede, og hun rev og flåede i bukser og skjorter, og hun dunkede og sparkede i røv, tog livtag og uddelte begmænd, og det gik uden lange afbrydelser ud over enhver, der selv ville være med på bare det mindste.

Enhver *dreng*, for det var da åbenbart kun drenge, hun kunne se noget sjov ved, og kun dem hun gik efter, men så til gengæld uden at gøre den store forskel på dem. Et enkelt yndlingsoffer fandt hun indimellem, men alle byens drenge, i skolen eller senere til ballerne, kunne sagtens og når som helst få en chance for at halse omkring og tumle sig med hende.

Alle undtagen Axel. Ham undgik hun, lod ham være eller lod ham undvære. Og det var næppe fordi han ville have været umulig at udfordre; havde Mary virkelig ønsket en brydekamp med ham, ville han ikke have undslået sig, det var han simpelt hen for flink til, og det var hun uden tvivl også fuldstændig klar over. Han ville have sloges med hende så heftigt og så længe hun lystede. Heller ikke de tre år, han var ældre, kunne forklare sagen, for hun gik jævnlig løs på de allerstørste, hvis de så bare et øjeblik ville regne *hende* for mere end en fjantet lille rolling.

Og selvfølgelig var det heller ikke fordi hun ikke brød sig om Axel. Hun beundrede ham. Det kunne alle mennesker se, og når han sagde noget til hende, eller når blot hun fulgte hans gang med øjnene, kunne hun til en afveksling stå bomstille og holde bøtten lukket. Og deri lå der dog endelig stof til den historie man senere hen kunne brygge sammen, om Mary og Axel. For ham – sagde man da altid – ham havde hun jo, næsten fra hun var helt lille, haft sine særlige planer med.

193

Jo, alle kunne nu huske det, lige netop Axel Lundbæk havde Mary bestemt haft noget ganske anderledes for med end med nogen andre. Og det hørte også snart med til den historie at Axel nok var den, der havde opdaget det sidst af alle. Mary måtte sige det direkte til ham, da hun ikke kunne vente længere på, at pråsen gik op for ham. Hun ville have ham, og det lod hun ham så vide, og han lod sig på sin side ikke mærke med andet end at det også for ham var, som det skulle være.

Med den forlovelse ophørte da straks enhver almindelig tumult med Mary. Det sagde sig selv at den også kunne have forekommet mindre passende nu, men der var andet end anstand på spil i den indre kolbøtte, Mary tilsyneladende havde slået. Fra dag til dag ophørte hun med at være den, hun altså gik for egentlig at være. Pludselig kunne hun nu virke som noget i retning af en almindelig ung og forelsket pige. Af sådan én at være endda som noget, der snerpede hen ad en død cigar.

Det blev nemlig snart tydeligt at hun var offer for mere end en nok så slem forlibthed, der i løbet af nogle måneder dog så nogenlunde måtte fortage sig. Det var åbenbart helt anderledes alvorligt fat med hende, og Axel kunne nok slet ikke lastes for det. Han var højst kommet til at trykke på en forkert kontakt, og der tændtes da i hende et lys som med det samme, og for tid og evighed, forrykkede hendes opmærksomhed fra en stor del af det, andre mennesker sædvanligvis var optaget af.

Det skadede ikke hendes daglige arbejde, tværtimod faktisk. Hun kunne bedre samle sig om det og få det gjort færdigt, og det ødelagde heller ikke fuldstændig hendes forhold til de gamle kammerater og slagsbrødre. Mary kunne stadig i øjeblikke – og den slags øjeblikke indtraf for resten helt op i hendes høje alderdom – igen være sig selv – som femtenårig; men netop også kun i øjeblikke, man fik sjældent tid nok til rigtig på den gammeldags facon at komme i lag med hende.

Ellers hilste og smilede hun naturligvis fortsat så hjerteligt på alle som de kunne ønske sig. Måske nu alligevel også en lille smule fjern i blikket, som var det samtidig rettet mod en anden. Som gik hun lidt i andre tanker. Og hvis nogen stadig med djævelens vold og magt ville lave korporlig sjov med hende – og til formålet bildte sig ind at hun nok endnu, inderst inde og når som helst, var parat til det – så blev de ramt af et vantro blik fra hende. En undren som ingen havde lyst til igen at udsætte sig for.

Hvad Mary i stedet var kommet til at gå op i, det eksisterede, kunne man da begynde at forstå, hovedsagelig på skrift. Hun havde fået smag for avislæsning, og hvis der ikke lige lå et blad, hun ikke allerede havde været igennem nogle gange, tog hun da også Aalborg Amtstidende forfra og rub og stub igen.

Desværre stod der ingen bøger på Bisgaard, ud over de nødvendigste til helligbrug, og heller ikke hjemme hos Axel på Kristiansminde. Mary gik da meget mere end tidligere på besøg hos uddeleren, og hos en husmand oppe under skoven og hos en af fiskerne. Ja, ingen af de steder havde hun rigtig været inde og sidde før, men alligevel fået færten af, at de havde bogreoler. Ikke omfattende, måske en enkelt eller halvanden hylde, men hun lånte og læste, hvad de havde, og gik så selvfølgelig videre med biblioteket i skolen.

Skolens bibliotek rummede dog læsning der kunne strække til nogle år, og læsning af højeste kvalitet. Enoksen havde i folkeoplysningens ånd opbygget og udvidet samlingen med den største skønsomhed. Den række af vikarierende seminarister, der fulgte ham i embedet, kunne jo heller ikke på dette område fortsætte hans arbejde med nær den samme klogskab og ansvarlighed, og for Mary var det da for så vidt et held, at Staun Skole i slutningen af halvtredserne blev nedlagt til fordel for centralskolen i Farstrup. Derefter indrettede man nemlig ved biblioteket i Nibe en bogbus, som også en gang hver fjortende dag kom omkring Staun. Og her kunne hun – med hjælp fra en professionel bibliotekar – i de følgende årtier skaffe sig en hvilken som helst bog, hun havde brug for og lyst til.

Det var dog udelukkende faglitteratur hun bestilte hjem gennem bibliotekaren. Romaner ville hun ikke ulejlige ham med og læste tilsyneladende tilfældigt hvad han havde taget med i bussen. Indimellem, når en af de her romaner havde fanget hende, nævnte hun det lige, når hun afleverede den, og bibliotekaren skrev sig det naturligvis bag øret. Han tog på næste tur flere med af samme slags, som regel dog kun for at måtte se, at hun nu fandt nogle meget anderledes. Ofte helt uegnede for en bondekone, efter hans faglige vurdering. Men Mary var nok fortsat – hvad *romaner* angik – med på den værste; der kunne, i deres verden, ikke gå lang tid med noget, før hun syntes, der skulle ske noget andet.

Sådan gik det i al fald helt åbenlyst med hendes forbrug af faglitteratur. Det udviklede sig vældig hurtigt. Visse fremstillinger kunne godt i løbet af de her fjorten dage have skabt en voldsom appetit på mange flere store bidder af den meget omfattende viden, hun endnu manglede, og som så måske måtte hentes hjem fra biblioteket i Aalborg, eller et andet endnu længere væk. Hun kunne da udefra set – som nu gennem bibliotekarens halvbriller – forekomme at være lige i nærheden af at have skaffet sig et elementært overblik. En skønne dag troppede hun så op i bogbussen uden den ringeste interesse for noget som helst, der blot kunne minde om det.

Hendes studeringer var da ikke, nej, *alligevel* altså ikke, særlig seriøse – måtte manden jo tænke – og oven i købet komplet uberegnelige. Men både det første og sidste gjaldt netop kun når man *udefra* så på Mary og bøgerne. Set med hendes egne øjne læste hun sig hver gang til lige præcis den tilstrækkelige viden. Og arten af den var, lige så lidt som dens omfang, så ganske tilfældig: det fulgte alt sammen meget naturligt af hvad der foregik i hendes nærmeste familie.

Hendes bror, Peder Godiksen, var død nogle år før hun fik mulighed for at sidde med en bog det meste af dagen. Men da det endelig var blevet sådan, satte hun sig grundigt ind i alt, hvad der vedrørte flyvning og flyvemaskiner, opbygningen først af Royal Air Force og senere af Flyvevåbnet i Danmark, Anden Verdenskrigs historie, herunder især de britiske styrkers bedrifter, og den norske modstandsbevægelses. Men også et par bind med billeder af de sønderbombede tyske byer bladrede hun igennem.

Axels søster Ellen Lundbæk satte hende på sporet af pædagogikken og den tredje verden, og hun gik da videre med hele afkoloniseringen og udviklingsarbejdet, frem for alt i Afrika naturligvis, og med FN og andre internationale kræfter, organisationer såvel som personligheder, og så da ikke mindst med en lang række værker om afrikansk kultur og levevis.

Hendes svoger Jens Vilsteds politiske karriere affødte ikke i sig selv nogen omfattende læsning – også fordi den var så knyttet til det landbrug, hun fandt det urimeligt at sidde på en gård og læse om. Men da Dagmar første gang havde været med ham til en fest ved hoffet, vakte det i Mary en interesse for det danske kongehus og dets historie. Og hun fulgte så senere Jens og Dagmars mere eller mindre officielle rejser i Europa, men også i Kina, Mexico, New Zealand og flere andre steder, op med lån af bøger om alle disse landes natur og seværdigheder.

Blandt hendes børn gav Anne Marie især anledning til

orienteringer i metalindustri, erhvervsøkonomi, edb og management, og Søren til spredte studier af en række hurtigt vekslende akademiske, historiske, kulturelle, litterære, kønspolitiske, uddannelsesmæssige og mange flere emner. Ud over hele det teologiske og folkekirkelige område som hans ægteskab med Ulla Bang efterhånden måtte drage hende ud i.

Hun var ellers en langsom læser, Mary. Men inden hun mod slutningen af sit århundrede fik alvorlige problemer med synet, var hun dog nået meget vidt omkring. Få mennesker i landet havde vel som hende retfærdiggjort omkostningerne ved bogbussen. Hvis tanken med den da ellers var at tilfredsstille sådan én som Marys behov.

Langsomt, inderligt nydende – og med en særlig nydelse ved den endnu langsommere genlæsning af et afsnit her og der – sådan havde hun læst og levet sig ind i store dele af en verden, hun ellers ikke personlig havde nogen berøring med. Men uanset hvor stærkt denne fremmede verden kunne betage hende, så lagde hun aldrig en bog fra sig uden at føle en endnu stærkere glæde over, at hun var, hvor hun var, og at hun havde sit eget liv tilfældigvis lige i Staun og tilfældigvis lige sammen med Axel på Kristiansminde.

Heller ikke så mange andre end Axel Lundbæk ville have givet hende lov til al den læsning. Ingen andre dér i byen i det mindste, og hvis ikke han i alt andet havde virket som fornuften selv, og man også altid for hans dygtighed var nødt til at respektere ham, så ville man måske have troet, at det ikke kun var *Marys* hoved, der var noget galt med.

Var han da alligevel også blevet lidt af en særling, så måtte man nok indrømme, at hans afvigelser ikke bestod i noget slemmere end en hang til at bagatellisere ethvert problem.

Lad os for Guds skyld ikke gøre det værre end det er, sådan bekræftede han ofte selv sin holdning. Og havde han hørt den almindelige mening om størrelsen på problemet Mary – at hun var livsfjern, doven, uduelig, en skidt kone og en møgforkælet kælling – så ville han sikkert en gang have spurgt sig, hvem der mon især kunne være ophavsmand til sådan nogle dumheder. Men ellers have nøjedes med den tanke, at Mary jo uden tvivl havde fornøjelse af sine bøger og måske endda en skønne dag kunne få nytte af dem.

Hvad det praktiske angik, udsatte det ham heller aldrig for den mindste sindsoprivelse, at hun intet udrettede og dagen lang ikke rørte sig ud af flækken. For de kunne jo bare som førhen på Kristiansminde holde en tjenestepige eller to, og hvorfor dog pludselig lave om på det, fordi de nu havde fået vaskemaskine og fryser og støvsuger? Og skulle det stadigvæk knibe for pigerne at nå det hele, så var det da slet ikke værre, end at han kunne lade en af karlene gå igennem køkkenhaven med et lugejern.

Frem for alt var Axel – og forblev gennem alle årene – taknemmelig over, for det første, at Mary ikke et øjeblik lod bøgerne gå ud over sit gode humør og, for det andet, at hun aldrig – mens hun havde sit helbred – så meget som antydede at han burde læse blot en enkelt af dem.

Mary, der måske knap var sig de der hensyn bevidst, tog så tilmed et par andre, som han på sin side nok fandt mere selvfølgelige, og derfor ikke hæftede sig særlig ved: hun undlod ethvert boglån der ville være begrundet i hendes interesse for landbruget, skønt den dog var så levende som enhver af de andre, hun havde; for hun ville ad den vej ikke skaffe sig viden om et emne, som ingen kunne tænkes at kende bedre til end hendes egen ægtemand. Og ud over sådan at gøre Axel til den klogeste, gjorde hun ham også til en friere mand end de allerfleste. Hun luftede ingen ønsker om at han skulle være sammen med hende oftere og mere, end han fik lyst til. Han kunne derfor med den bedste samvittighed ikke alene gå op i sit arbejde og sin virksomhed, han kunne også sagtens lede et par gymnastikhold og deltage i så mange jagter det passede ham. Og han kunne rejse hvorhen han ville for at kigge på veteranbiler, og når han indimellem købte én og havde fået den hjem, så mødte hun som det naturligste op på gårdspladsen og beundrede den så længe og så dybt, som hun følte, han havde behov for.

Det nærmeste Mary i de år kom på at opfordre ham til at sidde lidt stille sammen med hende, var hendes lejlighedsvise antydninger af, at der måske kom noget godt i fjernsynet.

Axel havde i 1961 anskaffet et tv-apparat uden at gøre sig andre tanker om det end at sådan ét åbenbart hørte til i enhver dagligstue. Mary havde heller ikke straks de store planer om at se noget på det. Men hendes vane med at følge Radioteatrets udsendelser førte hende alligevel inden længe til at lukke op for de levende billeder, når programmet bød på en transmission fra Det Kongelige Teater, eller endda en selvstændig iscenesættelse i Tv-teatret. Og Axel var jo som altid med på at opfylde selv hendes lettest henkastede ønsker, og da hun nu lød, som om hun gerne ville have hans selskab til de her forestillinger, så kom *han* altså også til at sidde næsten hver eneste søndag aften og følge med i en teaterkunst, han aldrig før havde anet var til i verden.

Mange gange fik han heller ikke det mindste ud af at sidde og stirre på den. For var der opera eller ballet, og det var der tit, kunne det højst lige more ham – det første kvarters tid – når han samtidig tænkte på sin svinestald. Han lod da også Mary vide hvilken stukken so der mindede ham mest om hvilken af de sangerinder, der åbenbart alle sammen efter tur blev trukket til slagtning. Og balletdanserne – så godt som altid i meget stramtsiddende lange underbukser – satte ham uvægerligt i gang med at forklare hvad det var, man kaldte *posegrise*. Og Mary havde naturligvis også altid vidst at det drejede sig om de stakkels dyr, der led af pungbrok efter en mislykket kastration. Men hun besvarede dog hver gang hans fjollerier med alle rester af sin gamle hvalpelatter, før hun nævnte, at både dansen og sangen vist skulle udtrykke følelser, som alle mennesker kendte til.

Jo, det gjorde de vel nok, indrømmede han da. Men for sig selv nåede han aldrig videre i sin forståelse af operaen og balletten end at de medvirkende måtte antages at få en masse penge for det.

De almindelige skuespil, derimod, dem ville han godt have betalt mere end hele licensen for.

Ligesom de fleste andre mennesker i byen havde han jo også haft fornøjelse af den årlige dilettantforestilling i forsamlingshuset. Men fjernsynsoplevelsen af rigtige skuespil, med rigtige skuespillere, gik ham nu gang på gang til marv og ben.

Axel kunne sidde der foran apparatet og komplet glemme både Mary og Kristiansminde. Og sig selv kunne man roligt tilføje, hvis ikke det netop også var sig selv, han mere end noget andet oplevede. Og det var ikke først og fremmest handlingen i stykkerne der virkede så voldsomt på ham, heller ikke hvad den ene eller anden person skulle sige og gøre, og hvad de hver især måtte lide eller kunne juble over, nej, det var selve det at de *gjorde* det, skuespillerne.

De store skuespillere. At de så fuldkommen kunne forestille at være et bestemt menneske, så man slet ikke kunne forestille sig, at de kunne være nogen anden. Og at dét altså lige præcis var, hvad de *når som helst* kunne være.

Det gik da op for Axel, hvad han så samtidig vidste, at han altid havde vidst: at han selv var en skuespiller. Og at målet med hele hans liv var at spille de roller, han havde fået, og kunne få, så godt som hans evner overhovedet rakte til.

Måske fordi han var adopteret. Det kunne være det der havde skærpet hans sans for spillet. Udviklet hans evne til at være den person, man havde udset ham til at være. Og så hans lyst til det: at han med det samme *ville* være den person. Og at han dermed allerede havde underkastet sig et uafrysteligt behov for at *kunne* være den.

Ganske vist fik han aldrig nogen sinde fuldstændig klar besked om sin oprindelse. Han kunne end ikke skaffe sig nogen direkte bekræftelse på at han ikke var født som søn af Rigmor og Ejnar Lundbæk. Men han hørte tidligt snak om det, rundt om i byen. Hans jævnaldrende kunne finde på at råbe det i hovedet af ham for at hævne også temmelig ubetydelige forurettelser: Du er jo ikke ægte, Axel, du er sgu da bare adoptiv!

Og de voksne kunne af og til nævne noget med blod og vand og æbler og stammer, og han fik hurtigt fat i meningen med det. Og han holdt øje med dem, deres blikke imellem sig, deres små smil, eventuelt deres klap. Det brød han sig mindst om af det hele: når en eller anden sluttede det der mummespil med at klappe ham på hovedet, som om han skulle trøstes.

For fandeme skulle han da ej. Ikke for noget som helst, og da slet aldrig for ikke rigtig at være Axel Lundbæk og søn på Kristiansminde. For det var han jo med hud og hår og fra top til tå, og meget mere – og det var han sikker på – han var *meget* mere den *han* var, end Peder Godiksen, for eksempel, var Peder Godiksen og søn på Bisgaard.

Der var derfor heller ikke nogen grund til at snakke med forældrene om det. Det syntes han næsten aldrig der var. Det ville kun være så dumt, og det kunne måske også komme til at ødelægge noget imellem dem. Noget af deres ellers så stærke familiefølelse, det kunne måske alligevel skade den lidt, et par dage.

Nej, der var ingen grund til at tage det op. Og alligevel kunne han ikke altid helt lade være. Det skete endda en del gange at han fortalte sin far, hvad nogen havde sagt til ham nede i skolen. Mest når han hjalp til med at malke, kunne han komme ind på sådan noget. Der kunne somme tider opstå sådan en stemning, dér mellem køerne, til lyden af deres langsomme gumlen og rytmen af mælkens strint i spandene. Man kunne få det som om man nu kunne sige lige, hvad der faldt én ind.

Passer det, spurgte Axel da. Og han lød vist ikke engang som om svaret ville gøre den store forskel for ham. Passer det, far?

Hør aldrig efter sådan noget bavl, svarede Ejnar så. Og pas nu hellere hvad du har med at gøre, Axel! Se her, kan du tømme den spand for mig!

Og Axel jokkede da af sted med den spand. Og han var så inderlig godt tilfreds med at hans far aldrig nogen sinde ville sige, at det passede.

Selv om det gjorde. Han var heller ikke et sekund i tvivl om dét. Det behøvede bare aldrig blive sagt mellem ham og hans far. Kun en enkelt gang af hans mor.

Det ville han have. Det prøvede han at presse hende til. Hårdere og hårdere efterhånden som han voksede til. Han ville én gang have hende til at sige det som det var. For så ville hun også snart, og stærkere end nogen sinde før, kunne mærke på ham, hvor meget hun var hans mor. Og han var næsten fyldt seksten inden han endelig opgav.

Det var i sommeren 1932, en søndag eftermiddag i haven. Han var blevet lidt længere end de andre mandfolk ved kaffebordet på plænen. Han var blevet siddende hos sin mor, for at det nu skulle være. Og han kastede sig da ud i det. Så snart hun havde spurgt om han ikke skulle i engen efter køerne.

Han påstod da at han dybt inde følte sig så uhyggelig tom eller var som plaget af en sult, der sled og flænsede i hans indvolde og kun kunne stilles, hvis han nu fik at vide, hvem der var hans rigtige forældre. Og at han desuden her som voksen karl måtte have ret til *sandheden*. Og at han i alle fald ikke kunne leve længere uden at kende den.

Du er vel ikke så meget ringere end nogen andre, svarede Rigmor. Og jeg véd da hverken hvad for sandheder du nu snakker om, eller hvad for sandheder det måske er, vi alle sammen har måttet klare os uden at kende det mindste til! Det er jeg for resten ikke i tvivl om at du også nok kan magte, Axel!

Men hun gav sig så alligevel til at fortælle om sin højskoletid. Fordi sommervejret og kastanjetræerne nu på en måde mindede hende om parken dernede foran hovedbygningen. Men også fordi hun var kommet i tanker om en historie fra dengang, ved at høre på hans snak. Om en veninde hun havde haft på højskolen, for hun var blevet med barn, mens de var der, hendes allerbedste veninde, den sommer. Og hun fødte det barn vinteren efter, ja, vel om foråret dér, og hun havde ikke nogen far til det. Og hun havde da været nødt til at adoptere ham væk, den her bitte svend. Og det var så foregået, mens han var helt spæd.

Jo, det havde været en dreng. Og helt spæd havde han været, og udøbt.

Men det var nu også det sidste jeg hørte om det, sagde Rigmor. Jeg har aldrig siden været i forbindelse med den pige. Hun var da ellers det dejligste menneske!

Hvem var faren, spurgte Axel.

Rigmor kiggede på ham. Sagde han mon noget?

Hvem var far til den dreng, råbte han så. Hvad var han for én?

Det hørte jeg aldrig noget om, svarede hun.

Du siger jo I var gode veninder! Gu selvfølgelig har hun da fortalt dig noget om det!

Nej, aldrig det mindste, svarede hun.

Hvad for en slags mand var han? Du kan for fanden vel sige om han var ung eller gammel? Om det var én hun var glad for? Eller det var måske en helt tilfældig? Var han måske en eller anden slags rigmand! Lad mig sgu da nu høre, mor!

Jeg véd ikke hvorfor i alverden det skulle interessere dig så vældigt? Og hun spurgte om han ville have den sidste sjat kaffe. Eller den stump kringle der lå tilbage.

Det barn var jo mig!

Og han havde af fuld hals vrælet det ud til hende, og han kunne bagefter ligesom høre hvor vildt et hyl det havde været; i nogle lange øjeblikke efter kom der ikke et pip fra nogen fugl i haven. Og Rigmor var som blæst op af sin stol. Hun var landet flere meter fra ham, henne ved lågen.

Du er dig, og det véd du jo, Axel, og hvem din far er, og hvem jeg er, råbte hun så tilbage.

Han huskede senere hen hendes ansigt som hun stod der med solen i øjnene. Men ikke kun derfor var det så anderledes, så flagrende i udtrykket, som havde hendes sædvanlige faste træk været en maske, der nu var ved at smuldre væk for hende, og ligesådan så kunstig, og lige så forfærdelig skrøbelig, havde hendes stemme lydt, og hendes ord jo også. Hun som ellers *altid* havde haft svar på rede hånd. Hun som altid havde lagt så kolossal vægt på at tale klart og frit fra leveren, hun blev nu stående dér og missede og måbede efter sit sære råberi. Som om hun fortsat ikke kunne finde på nogen som helst ord der rigtig gav mening, eller som for alvor var hendes egne, og Axel huskede da også alle sine dage dem der omsider kom frem. Hendes sidste lille råb, inden hun vendte sig og forsvandt ud ad lågen:

Du er jo selv den du er, Axel!

Det måtte han så være. Hvis han ville være sikker på hendes ansigt. Ikke længere nogen vej uden om den endelige beslutning nu. Han var Axel, søn af Rigmor og Ejnar Lundbæk.

Det var hvad han var. Og det var naturligvis også et spil, og dér havde det anet ham at det aldrig – og i grunden jo fordi han så inderligt ville være, hvad han var – kunne blive andet end et spil. Og der var andre omstændigheder der i øjeblikke havde gjort det klart for ham, at han evigt var dømt til forstillelse. Der var sider af hans far der måtte gøre drengens helhjertede beundring til en viljesakt.

Der lå en svaghed i ham, Ejnar Lundbæk. Og Axel ville ikke kunne finde en eneste lille mangel ved sin far, og alligevel kom han gang på gang til det, allerede fra han var en stor dreng. At se lidt for lang en tøven, når noget var galt. At se sin far gøre for lidt, og andre gange straks for meget. Noget grimt sådan.

Det gik senere op for Axel at han måtte blinde sig, hvis han ingen fejl ønskede at se. Eller han måtte godtage dem på trods. Som en dag han havde set Ejnar give en af deres heste af pisken.

Kamma, den ældste af deres køreheste, og Ejnar havde af en eller anden grund trukket jumben frem og ville spænde hende for, og det var der sådan set allerede noget unødvendigt ved, for de havde jo nu fået bil. Hun ville da heller ikke, Kamma. Og Ejnar tog pisken op og lod den smælde over hendes flanker. Nogle gange, og det kunne ikke kaldes meget, men det var alligevel *for* meget.

Ikke fordi Axel ellers var så sart, og i al fald slet ikke uvant med voldsudøvelse over for dyr. Han havde så mange gange set folk tærske løs på deres kreaturer. Han havde set deres egne karle blive ved med at banke en fork eller en kost ned over ryggen på en ko eller en tyrekalv, til de selv ikke længere kunne stå på benene. Og han havde snart kunnet begribe at de på den måde ville banke noget lort ud af sig selv, men også allerede at det ikke hjalp. At de bare fik det meget værre endnu. Han så en af karlene slænge sådan et jernrør fra sig og så smide sig på staldgulvet, med snot og gråd over hele sit udasede fjæs, han blev liggende der i møget og hulkede.

Og hans far burde overhovedet ikke *have* sådan noget i sig. Han burde i hvert fald vide at det aldrig, aldrig hverken kunne eller skulle *ud* på den måde. Og så at piske sin hest, ødelægge alt hvad der havde været imellem dem. Bare med de der få piskeslag. Kamma ville jo aldrig mere kunne glemme det, og Ejnar måtte altid skamme sig ved synet af hende. Bare for de der få piskeslag, som var for mange, og som var for unødvendige, og alt for akavet så det også ud. Det var dumt, og det var ondt, og Axel måtte blive ved med at stirre på det, som for at kunne tro at det skete i virkeligheden.

Men hvor havde det så været en mægtig beslutning for ham at hans far slet ikke var blevet ringere af den grund!

Og hvor var det ubegribelig skønt at han *igen* var nået frem til at kunne sige det til sig selv. Han var Axel. Søn af Rigmor og Ejnar Lundbæk.

For noget andet havde han jo heller aldrig kunnet gøre sig nogen levende forestilling om. Højst kunnet forstyrre hele sin historie en lille smule med barnlige spekulationer. Og sådan måtte han da også helt igennem være storebror da hans lillesøster Ellen kom til. Og han blev snart endnu mere storebror fordi hun havde dét med benene. Og siden hen jo om muligt endnu meget mere, da han som voksen havde truffet og gang på gang bekræftet sit valg.

Så ualmindelig meget fætter blev han selvfølgelig også til Peder. Især da det havde vist sig at Peder også gerne ville hjælpe Ellen. Og at Ellen gerne ville være både søster og kusine og var allergladest, når hun havde dem i nærheden begge to.

Men Ellen og Peder kom derudover til at bestemme Axel i den forstand at han ikke kunne lade være med at opfatte sig som *den tredje* i forholdet. Der var de to, og det lyste kun alt for klart ud af dem, og så var der ham selv. Han måtte derfor på en eller anden måde *afvige*. Og sådan noget som at de to så rejste, og at han skulle blive tilbage i Staun – det sidste havde han selvfølgelig altid regnet med, han var jo ældste søn på Kristiansminde og hvem skulle ellers, men alligevel – det blev for ham en slags stadfæstelse af hans særstatus, at de stak af, Ellen og Peder.

Han følte at det gav en ny og større fylde til hans person. Hans plads i spillet, som man måske ellers kunne have opfattet som så godt som tilfældig, fik en klarere og en varig mening ved, at han – som den eneste af de tre – blev tilbage i deres gamle land og var den, der skulle føre det videre. Han drømte da heller aldrig om at han i stedet skulle have været den ene af de to, eller sådan som dem begge – i et kraftigere lys, ja, på en verdensscene – måske have ført et liv i den store stil.

Drømmeri lå for resten slet ikke til ham. Axel var og blev et helt igennem jordnært og nøgternt menneske. Og han havde rigeligt at beskæftige sin fantasi med blot ved at være søn og bror og fætter.

Og alt det var han, og han blev alt det han efterhånden *også* måtte være. Arving til Kristiansminde jo, og derpå indehaver, gårdmand og ansvarlig for sin jord, for folk og fæ og så endda, mere end midtvejs i livet, efterhånden også for andre af byens gårde.

Hans ældste søn, Henrik, var da ved at komme med ind i firmaet, som de nu kunne kalde det. For de var blevet et aktieselskab, og Henrik var ikke mere end et par og tyve inden han i praksis kom til at fungere som dets direktør.

Axel stod dog selv for flere af de første opkøb. Det var de mindre ejendomme der tidligst kom til salg, og med ret lange mellemrum – der skulle dog endnu gå nogle år inden sammenlægningerne virkelig tog fart. Og på Kristiansminde kunne de i begyndelsen også godt i hele og halve år afvente Orla Jensens skridt.

Om de på Bisgaard mon skulle være interesserede i at udvide? Men der skete så ingenting, og Orla lod på ingen måde høre fra sig, og Axel kunne da ikke se andet end at han måtte bestemme sig for at gøre, hvad der skulle gøres. Måtte jo stadig tage de roller der bød sig, når de sådan kunne siges at ligge for ham. Og når han i grunden også selv regnede med at kunne spille dem, som de skulle spilles.

Bedre end nogen anden gjorde han det nok. For det var ikke altid så nemt. Det var nu ikke en enkelt ko eller nogle tønder korn han kom til at handle med sine bysbørn – sine gamle venner eller sine skolekammerater – det var – for mange af dem – hele deres liv. Det var – for nogle af dem – deres arv og arbejde, ja, for enkelte noget nær deres tro, håb og kærlighed.

De sad der over for ham og solgte hvad de altid havde regnet med, at deres tilværelse skulle dreje sig om, deres jord og deres ejendom. Der kunne så være dem der på forhånd havde sagt til sig selv, at enhver anden fremtid ville være bedre – de fleste nåede dog sjældent igennem det – og så måske frem til en helt ny og fuldkommen uforudset lettelse – uden at passere igennem et indre mulm og mørke af bitterhed, vrede og had.

Noget af det kunne da blive rettet mod køberen. Uanset hvad man kunne sige til sig selv – om tiderne og udviklingen, om en uheldig, en umulig start, fulgt op af de værst tænkelige tilfældigheder – eller hvad man måske endda var parat til skælde sig ud for – sin dumhed dengang dér og sin uforsigtighed et par andre gange – og sådan måske samtidig undskylde sig – uanset hvad, så ville en fornemmelse af endeligt nederlag hvert andet øjeblik sætte sig i kødet. Og det kunne da gøre så helvedes ondt, og det kunne vel linde lidt at læsse noget af alt det forbandede lort, man altså nu med ét var ved at drukne i, over på ham den store, hovne, svineheldige skiderik på den anden side af bordet.

I det mindste i tankerne. Men vist ingen af dem, der solgte til Axel, kom til at føle mere end den flygtigste trang til andet end at række ham deres åbne hånd. Vel fordi han hele tiden vidste at han lige så godt kunne have været enhver af dem.

Ikke sådan at han sad og slækkede på det at være Axel Lundbæk. Tværtimod holdt han sig hvert sekund for øje netop at være alt hvad han skulle være, herunder nu også den køligt vurderende opkøber. Men lige meget hvem han i situationen skulle være og var – på sin ganske præcise, men også upåfaldende måde – så forhindrede det ham aldrig i samtidig at tænke og at gøre sig klart, at hele den tilsyneladende massive ophobning af forudsætninger, der gjorde det muligt for ham at være den, han var lige her, at den jo var lige så fjerlet og tynd som nu for eksempel den slutseddel, der lå på bordet imellem dem.

Sådan så hele forskellen ud, lige nøjagtig som sådan en lap papir. Så lidt og så meget skilte dem, og på den anden side af bordet kunne de åbenbart også alle sammen mærke det. Der var ingen der behøvede at spille nogen taberrolle.

Meget andet havde gennem årene bidraget til at gøre

Axel så afholdt i byen. Vel højst et par små tølpere eller halvtosser havde nogen sinde kunnet finde på noget rigtig skidt at sige om ham. Det kunnet på den anden side få det til at virke en smule svævende og gøre det svært at pinde ud, hvad det så i grunden var, man i almindelighed så godt kunne lide ved ham. De fleste endte da med at slå fast at det nok var, fordi han så enestående var sig selv.

For det var hvad man også altid havde sagt om ham: Axel Lundbæk, han er nu engang bare sig selv, og det har han alle sine dage været.

Selv vidste han naturligvis bedre. Men når nogen ville smigre ham med misforståelsen, holdt han også af høflighed sine indvendinger for sig selv. Og var det ellers forstandige mennesker, prøvede han at forklare deres fejltagelse med, at flere af hans roller jo også var blevet meget lange, for ikke at sige livsvarige, og at de derfor nok for andre var praktisk talt umulige at skelne fra et naturligt væsen.

Som gammel mand kom han endda for sit eget vedkommende til at lægge mindre vægt på forskellen. Han blev faktisk enig med sig selv om at alle rollerne efterhånden kunne siges at være blevet samlet i én eneste, og at det sandsynligvis ville være rigtigt at kalde den ham selv. For så vidt i al fald som han ikke længere kunne danne sig nogen forestilling om, hvem han ellers skulle være.

Og det måtte vel være hovedrollen, tænkte han så. Den største og den vanskeligste præstation, som Marys ægtemand. Jo, det var uden tvivl dén der havde samlet ham.

Inden han nåede så vidt, var de for længst flyttet fra Kristiansminde. De havde i 1981 bygget nede i byen, et lavloftet typehus der på den tids facon domineredes af en rummelig vinkelstue. Dér vænnede han sig lidt efter lidt til at sidde mere og mere sammen med Mary.

Efterhånden var der heller ikke så meget andet han skulle. Få mennesker, og slet ikke dem selv, ville det førhen være faldet ind at de skulle være et særlig lykkeligt par, og måske heller ikke det modsatte – nu kom de dog i det mindste til at ligne en drøm om en alderdoms ægteskabelige idyl. Bortset fra det med alderen havde de jo tidligere også levet alt for adskilt – både fra hinanden og på hver sin måde fra sig selv – til at sådan et billede kunne tegne sig i deres hoveder. Men ikke alene i det ydre blev de nu ført tæt sammen, også deres indre omveje og afveje kom til at krydse hinanden.

Det skete da Mary ikke længere kunne se bogstaverne i sine bøger, og Axel begyndte at læse dem højt for hende. Ikke uden at være blevet opfordret til det, af sine børn, men han så da klart nødvendigheden og var med det samme parat, og han kom nu til gengæld og for alvor ind i hendes læseliv. Han levede i bøgerne sin daglige tilværelse sammen med hende, og fulgtes hver anden uge med hende til bogbussen, stadig mere fordringsfuld over for bibliotekaren. Og fra sin side kom Mary omsider også – gennem hans kunstfærdige oplæsninger – helt ind i hjertet på alle de mennesker, han så skuffende kunne fremstille.

Sådan sad de da i en krog af det store, flade vinkelrum og var sammen et andet sted. Dér levede de et nyt liv, men genoplevede samtidig det gamle, og sig selv som de havde været, igennem stadig skiftende personer, der i første omgang kunne virke både fremmede og aparte, og som for resten bare var opdigtede.

Axel ville helst kun læse romaner. Mary syntes heller ikke længere der var noget i den virkelige verden, hun behøvede at vide. Hun hengav sig nu fuldt ud. Hun slugte hvert ord med vidtudslåede øren og kunne slet ikke få nok, og hun kom kun med et hulk til indimellem at afbryde ham, og hun gentog så, med tårer af rørelse eller grin i sine halvblinde øjne:

Der er gået en stor skuespiller tabt i dig, Axel!

Og han kunne hver gang svare hende med samme dybe overbevisning: Nej, nej, Mary, det tror jeg slet ikke der er.

1960

Det var det år Søren Lundbæk blev konfirmeret. Og fik det fotografiapparat han havde ønsket sig. Dagen efter konfirmationen begyndte han at tage billeder rundt omkring i byen og oppe i bakkerne og nede langs stranden. Han fandt hjørner mellem husene og punkter i landskabet hvorfra han kunne have mest muligt med i søgeren. I løbet af et par måneder affotograferede han hele sit lille hjemlige univers på alle ledder og kanter. Som om han anede at det om et øjeblik ville forsvinde.

Hvad han naturligvis ikke gjorde. Det var bare hvad der skete. Både byen og landskabet forsvandt. Det blev *alt sammen* – som enhver inden så længe skulle mere end ane – fjernet fra Jordens overflade, *hver en stump* af det, der hidtil havde været. Det hele smuldrede, faldt fra hinanden, det røg ud af tiden, sank væk i et frossent mørke, skulle aldrig mere vise sig i live.

For 1960 var jo også det år da landsbyen måtte vige sin plads som den vigtigste by i landet. Hvor landbruget for første gang i tusinder af år ikke længere var et større erhverv end alle de andre tilsammen. Hvor Staun som et samfund og en verden i sig selv gik under, for så småt, og som alle andre landsbyer, at blive til en afsides og forhutlet lille bebyggelse i den globale metropol.

Og som konfirmand, og lige mens det skete, havde Søren naturligvis ingen begreber om det. Men vist alligevel en fornemmelse – en sær og fjern slags fornemmelse – af

217

at filmstrimlen var gjort af et solidere og mere bestandigt stof end det landskab, den afbildede.

Han fotograferede markerne. De havde navne: De Lange Agre, Vestervangen, Boelsjorden, Skovagrene, Toften, Kirkeagrene, Fiskestierne og Trenne Lynge. Og Håstevajret og Højagrene, Kragemarken og Det Gamle Jord, Rødkæret og Vesterkæret, hvortil kom Mosen og engene, Den Smalle, Den Mellemste og Østerengen, og så holmene, Horngårds og Tøtten.

De fleste af dem var fordelt på flere af gårdene, som så ofte igen havde splittet deres stykke op i to eller tre agre af hensyn til sædskiftet, den årlige vekslen mellem afgrøderne. Man så dem om sommeren dele landet op i lodder med hver sin duft og farve, og hver sin særlige måde at modtage eller værge sig mod vejret på. Nervøst eller saligt, stor i slaget, sårbart eller trodsigt, sådan åbnede de sig for solen, bøjede sig for blæsten, bredte sig ud under regnen: græsset og kløveren, kartoflerne og kålrabierne og sukkerroerne, runkelroerne og turnipsen, byggen, rugen og havren, en sjælden gang hveden, men så da ærterne eller lupinen eller lucernen.

Og de skulle alle sammen forsvinde. Eller udstrække sig over det hele, som byggen kom til, her og der sammen med senere tilkomne foderplanter som majsen eller rapsen. For sædskiftet blev snart overflødiggjort af megatons af kunstgødning og pesticider, fungicider, herbicider. Og de stadig større traktorer gjorde samtidig de småt opdelte agre alt for upraktiske, og sammenlægningen af gårdene kunne så stryge det ene skel efter det andet. Enkelte marker blev spændt ud over alle andre. De lave og de højtbeliggende, de våde og de tørre, de blev til ét uanset jordbund og gennemskæringer af bække eller træbevoksede bakkekamme.

De blev til ét stort anonymt produktionsområde, for det

overskred jo også samtlige de gamle navne, som derfor rask væk gik af brug. I en ubegribelig hast levede der snart ganske få som blot kunne grave dem frem af hukommelsen.

Og Søren tog billeder af husene og gårdene, af stalde og lader. Alle byens bygninger – og de skulle alle sammen forsvinde – var endnu bestemt af deres plads lige præcis der i byen. For byens håndværkere havde sikret en stabil byggeskik, blandt andet fordi de nødigt vovede sig ret langt ud i nogen slags tegninger, som de ikke havde lært at følge af deres fædre og mestre. De havde da også sjældent været omkring og set så mange anderledes huse at fristelsen til at bryde traditionen kunne mande dem op. Og skulle en håndværker alligevel en gang imellem komme til en bygherre og lufte en ny idé, ville sandsynligheden for, at den blev virkeliggjort, stadig være mindre end ringe.

Den der byggede, ville rimeligvis prioritere flere andre hensyn: huse på den sædvanlige måde viste sig at kunne stå længe; den sædvanlige måde kendte man prisen på; den sædvanlige måde tjente hos alle andre sit formål; den sædvanlige måde blev af folk i byen betragtet som både køn og passende for ens slægt eller stand.

Forskelle i størrelse, højde og bredde, det gav sig selv, en og to tønder hartkorn skabte ikke samme behov. Men derudover var der enighed om at udformning og eventuel udsmykning dels skulle bestemmes af mådehold, dels alligevel antyde den enkeltes formåen. Det havde aldrig set godt ud der i byen at nogen klædte sig tarveligere end de behøvede, og da lige så lidt at de byggede mere skralt end strengt nødvendigt. Derfor lå murstenene i særlige mønstre omkring døre og vinduer i de stores stuehuse, og derfor var sokkel og gesims på deres hvidkalkede stalde omhyggeligt farvet med sort eller brunt, gult eller blåt.

Al den enighed om hvad der hørte sig til for Per og for Poul slap nu op. Alle de gamle hensyn til ditten og datten blev glemt, og håndværkerne døde ud. Husene forsvandt. Med de mindre folkehold på gårdene blev der også straks mindre tid til vedligeholdelse, og slet ikke til noget så overflødigt som at bruge andet end den samme hvide kalk *over det hele*. Var der enkelte håndværkere tilbage, skulle de jo alligevel med om bord i det flunkende nye forbrugs- og fritidssamfund, de blev for dyre til lokal brug, folk greb til at bygge *selv*. Og de byggede som de bedst kunne, teknisk på det lavest brugbare niveau, af materialer som ikke kunne skaffes billigere, og efter køkkenbordstegninger der på kryds og tværs var inspireret af kviste og udhæng og kulører, man havde kigget ud på søndagsturen i bilen, eller fået et glimt af i fjernsynet.

På forhånd faldefærdige, skrabede og forvirrede barakker og skure rejste sig sådan hist og her, og imellem dem forfaldt det ene af de gamle huse efter det andet. Det kunne være at konerne var rejst, fordi de nu kunne forsørge sig selv andre steder, og mændene sad lamslåede tilbage og drak bajere. Eller de var rejst med, mændene – og med børnene i de endnu hele familier – bittert eller sultent var de fulgt efter de penge, der allerede var sevet ud ad alle sprækker.

På gårdene var de samtidig i gang med at rive staldene ned. De opførte så stål- og betonhaller der tog sig ud – og skulle fungere – som alle andre bygninger i alle andre menneskeforladte industrikvarterer. Uden anden arkitektonisk målestok og ambition end flest mulige kvadratmeter for det lavest mulige kreditforeningslån.

Og der kom nye beboere i de tomme huse, og de fiksede op og gjorde ved, eller de lod være. Der var allerførst kommet en del velbeslåede romantikere som, mellem deres pendlinger, søgte landlig fred og enkel levevis. De re-

staurerede og udbyggede deres stuehuse på det nydelig-
ste. Mindre af egen fri vilje kom der så fattigfolk. Den stejle
velstandsstigning i de store byer havde smidt dem ud og
lede efter tag over hovedet på landet. Langt, langt ude på
landet kunne de da finde sig en forsømt rønne. Og de
havde ikke kræfter, penge eller vilje til at gøre det mind-
ste ved det. Eller det ragede dem suverænt og gudsjam-
merligt hvad hvem som helst måtte tænke om et par for
længst knuste ruder i gavlen eller om den overgroede
skrammelplads, der førhen havde været en have.

Der ligger byen så – uden overhovedet at kunne minde
om sig selv som den stod i 1960, og i nogle århundreder
før da – ligger der nu som dette tynde industriområde
med tragikomiske indslag af forstadsidylliske villaer og
stumper af den slum, der tidligere var brudt ud i storby-
ernes arbejderkvarterer.

Men skoven og fjorden kunne der stadig laves billeder
af som ville ligne dem fra dengang? Jo, man kunne finde
en forårsdag hvor skoven vil stå i det samme skærende lys
med endnu en gigantisk ladning af friske og dunede
blade, svajende og slaskende i den samme sydvestenvind.
Og man kunne finde et øjeblik hvor de sitrende krapbøl-
ger over fjorden ville spejle himlen i nøjagtig den samme
uforlignelige flimren af alle farver gennem gråheden.

Det samme som dengang, det ville se sådan ud, og det
ville ikke engang være det halve løgn. Skoven er ganske
vist ikke længere skoven. For skoven var en del af hverda-
gen og en del af livsgrundlaget, der lå et savværk inde
midt i den, og her kunne nogle stykker i byen i mange år
hente deres ugeløn. Men savværket var så for lille til at
følge med i mekaniseringen af skovbruget og dermed
klare konkurrencen. Og der kom endnu et par huse til salg.

Og fjorden blev ikke ved med at være fjorden. For i fjor-
den var der fisk, og på fjorden var der fiskere. Landbru-

gets modernisering – maskinerne, sammenlægningerne, kemikalierne – i en rasende fart forurenede det fjorden, og det tyndede ud i fiskebestanden, og fiskerne måtte lægge bådene op. Lade dem rådne, sætte sig til at dø, eller også sætte deres huse til salg og komme væk.

Som karlene og pigerne allerede var kommet af sted. Som husmændene, som så mange af konerne, som flere af gårdmændene, som skovarbejderne og vejmændene, som smeden og maleren og snedkeren, og så blev brugsen for resten jo nedlagt, og købmanden og slagteren lukkede butikken.

Og alligevel kunne der i dag tages billeder af skoven og fjorden som ikke ville være til at skelne fra de gamle, og det ville ikke engang være det halve løgn. Skoven står der. Det har været dens mindste kunst at undvære savværket og den forstlige pleje, den har af egen natur holdt sig oppe, og har overlevet et par slemme stormfald også, er blot for hver gang vokset endnu vildere. Har ikke engang ladet sig skæmme af nogen syreregn, indtil videre.

Fjorden, derimod, var ved at dø. Livet i fjorden var så meget skrøbeligere, det kunne på tyve år forgiftes og kvæles. Der måtte skrides voldsomt ind over for forurenerne for at redde det sidste gisp. Der måtte, med alvorlige statsmagtstrusler, sættes stop for udledninger, der måtte etableres landbrugsmæssige frizoner, bygges rensningsanlæg. Så hjalp det alligevel. Fjorden kunne ånde og leve igen. Og den ligger der igen og er levende, fjorden, der er fisk i den, og der er fiskere på den.

Og skulle alt det andet så bare uafbrudt være gået den gale vej? Er byens og markernes ukendelighed lutter opløsning og forfald? Er en mand som Søren Lundbæk mon så ganske banalt blændet af sine gamle billeder?

Det kan jo da også alt sammen være på vej mod en hidtil uset, helt anderledes balanceret sammenhæng. Hans hjemby kan allerede have fundet de første spor i sin søgen efter en ny og selvfølgelig væren og værdighed.

En anden konfirmand må da gå omkring og fotografere det hele. Idet hun måske vil sige til sig selv: Det er sådan her ser ud. Lige præcis så smukt som nu. Det er sådan her ser ud, som her skal.

Suppe

De er på vej oppe fra Bisgaard, de går ned gennem byen, tilbage til forsamlingshuset.

De har været oppe på gårdspladsen og se på bilen der står der, Axel og Ivar og Orla, og Peder er kommet efter dem, da han opdagede, de var forsvundet. For det kunne de godt gøre, syntes de. Kunne godt lige smutte af sted et kvarters tid, når nu de alle sammen havde fået den første tallerkenfuld suppe inde ved bordene. Der kunne ikke være nogen der ville savne drikkelse lige med det samme, og ellers måtte Hans Peter Selvbinder ordne det alene, han ville jo ikke med dem.

Nej, fandeme om han ville, og han havde skældt ud på dem, de var skaffere og havde sågu bare at passe deres sager. Og selv gav han for resten aldrig en skid for sådan et spektakel af en bil, hvor amerikansk den end var.

Det gjorde Axel. Han ville have givet vældig meget for den. Og det var ham der først ville derop, og hans hjerte stødte bølger af varme ud i alle lemmer, i samme øjeblik han så bilen der foran sig.

Chevrolet, mumlede han. Og den var mørkerød, med sorte skærme og sort tag.

Model 32, har han så sagt til de andre. For det har han straks kunnet se på kølerhjelmen, med de forkromede klapper langs siderne, i stedet for de sædvanlige gitterriste. Og han har meddelt dem at der lå en sekscylindret motor i den model her. Og at den kunne yde tres hestekræfter ved tre tusind omdrejninger. Og at gearkassen havde tre trin fremad, og at den var synkroniseret mellem anden og tredje.

Da har Ivar villet vide hvor han havde alt det fra. Om han måtte spørge. Men hellere sådan et spørgsmål, tænkte Axel med det samme, hellere det end at der aldrig kom den mindste lyd fra dem, og næsten som om Orla, den torsk, overhovedet ikke har hørt efter. Som om han hele tiden har været langt væk. Og Peder, ja, han måtte vel så undskyldes her i aften. Skulle næsten have lov til ikke at sige noget, Peder, havde jo røget kæften fuldstændig hudløs.

Jeg så det i et blad oppe ved doktoren, har Axel så svaret Ivar. Som om han var blevet spurgt af den reneste og skæreste interesse. Da jeg var oppe og få et par tænder trukket ud.

Nå, går doktoren også op i sådan noget juks, fik Ivar sagt. Ville ligesom ikke helt slippe sit trakasseri.

Bladet lå ude i venteværelset, fortsatte Axel som ingenting. Og han sagde endda at jeg godt måtte blive siddende derude også bagefter. Så jeg lige kunne nå at få læst det hele. Der var femten nye modeller i.

Hvem tror du bliver de første, der får bil her i byen? Ivar overgav sig allerede sådan.

Det gør vi, sagde Axel. Jeg har da flere gange snakket med far om det. For jeg ville faktisk gerne have haft sådan en Chevrolet helt magen til den her, Peders morbror nu har fået. Men nu venter vi nok og ser, far og mig. I hvert fald til næste år. Så må vi se hvad de så kommer med derovre.

Det får du sgu da aldrig den gamle med til! Ejnar Lundbæk – du må ikke være rigtig klog, Axel!

Og Axel har grinet med og så ladet det blive ved det. Og de går videre ned mellem gårdene, gennem den endnu lyse og lune aprilaften. Mærkelig nok uden at møde nogen andre. Selvfølgelig sidder der mange fra byen i forsamlingshuset, men der er trods alt lige så mange der ikke gør, mindst, og man skulle næsten tro nu, at ikke en eneste af dem har ladet sig friste til at gå udenfor igen, efter at de har fået deres nadver. Derhjemme ved deres eget bord.

Her og der ser de så alligevel en skikkelse der hastigt trækker sig væk fra vejen. Skynder sig af sted, forsvinder om et hushjørne. Og de gør det vel ved synet af de fire knægte her. Eller karle, som de nu nok ville kaldes, i deres hvide skjorter, der jo på lang afstand afslører, at de er med til det store gilde. For hvad skulle man så sige til dem?

Alt muligt vil man kunne sige til dem, i morgen. Men nu her, de allerfleste vil nok synes at der ikke er så meget at sige. Nej, der er egentlig slet ingenting at sige nu, hvor meget og hvor længe de end vil kunne bavle løs i morgen med både den ene og den anden. Bedst slet ikke at komme i gang med noget.

De ville da også få svært ved at svare, både Axel og Ivar, for slet ikke at tale om Orla og Peder. De ville jo ikke kunne svare på de spørgsmål som de alle sammen ville stå der og tænke på, uanset hvad de ellers kunne prøve at få sagt: Hvorfor er I med, og hvorfor er vi ikke med? For der er ikke noget at sige til det. Det er som det er.

Der er ikke noget svar på det, bortset fra alle de svar som alle mennesker kender i forvejen. Nå ja, alle kan ikke være i forsamlingshuset på én gang, kunne man sige. Men ellers er nogle jo ikke budt med, fordi de alligevel ville sige nej til at komme. Ville blive nødt til det, fordi de aldrig selv kunne invitere, aldrig gøre gengæld, og vel også knap har tøj de ville være bekendt at vise sig i. De er jo så arme de knager, flere af husmændene, og i de her forfærdelige tider, de har ingenting, intet, hverken at bide eller brænde. Og der kan så være andre som de af andre grunde heller ikke har haft med i deres omgangskreds på Bisgaard. Nogle af håndværkerne som de måske snart ikke i en menneskealder har haft til at bygge så meget som et hønsehus for sig, og nogle af de daglejere som de yderst sjældent eller kun i nødsfald har givet arbejde, fordi der alligevel er så lidt arbejde i dem. Og en hel del af de fiskere de ikke ret tit køber deres fisk ved. Eller som i alle tilfælde helst vil holde sig for sig selv, sådan som fiskere nu er.

Men ellers er alle, der har det mindste at gøre med Bisgaard og Søren Godiksen, selvfølgelig med. Og der er ingen i byen der ikke véd, hvem det er og hvorfor, hverken af dem der er med eller af dem der ikke er med. Og der er ikke mere at sige til det, og det der er at sige, er det bedst at lade være med at sige.

De er enige, jo også de fire skaffere der går her og fylder hele vejen. Enige med alle andre, de vil kun kunne bringe hverandre i forlegenhed hvis de nu i aften skulle stå og snakke med nogen af dem, der ikke er med. De kan snakke i morgen. Som de ellers altid gør. Og de vil gøre det igen i morgen. De vil alle fire standse op og snakke med enhver af dem der ikke kan snakkes med i aften. Især da lige med dem, og om hvad som helst andet, i morgen.

Nu er der bare så stille i byen. Så det altså næsten alligevel virker underligt, men det er også noget med luften. Der er en tørhed i den, det kan være den tager livet selv af fuglenes pippen. De veksler et par ord om det, Axel og Ivar, at de helt sikkert kan komme i Kragemarken og få lagt de sidste kartofler i morgen. Og Orla får da lige sagt at de på Bisgaard nok skal sætte kvier over på holmen. Men bortset fra det kunne de godt bruge en smule regn, alle sammen, og inden så længe, og Ivar sparker i vejen så de kan se, den ligefrem støver, her så tidligt på året.

Selv nede ved Kresten Jægers og Knud Terkelsens møddinger står der ikke så meget som en rådden pyt, og her

plejer saften sædvanligvis at strømme ud over alle bred-
der, så det sejler med ajle helt nede ved brugsens trappe.
Og det kan da for så vidt være rart nok til en afveksling at
undvære, mener de, og ikke mindst nu der er fest, og så
mange fremmede er kommet til byen.

Men så bryder med ét en larm igennem på trods af alt
andet: oppe fra Raymond Sørensens hus. Der er musik, og
der er bægerklang, der er latter og skrål og skrig. De har
så bestemt sig for at holde deres eget gilde, og sandelig da
fået tændt for radioen. Eller nærmere vel den grammofon
de nu også har skaffet sig til huse.

De skaffer sig altid det hele deroppe. Det er ikke folk
der kan vente med noget. De holder sig bestemt aldrig til-
bage, og man kan ikke engang sige så meget til det, for de
slider og slæber for hver en øre, både Raymond og Ottilde.
Hun strikker som en besat for en forretning i Nibe, og han
cykler land og rige rundt og handler med radrensere, vas-
kekummer, pelsfrakker, eller han tegner forsikringer om
søndagen. Hvad som helst for hvem som helst han kan
komme i lag med, og indimellem kan han da stadig være
mere end villig til at tage en uges tid som vejmand eller
håndlanger for mureren.

Nej, han har aldrig været bange for at tage fat, Ray-
mond. Det er virkelig en slider, hovedet fejler heller ingen-
ting, de er vellidte alle vegne, både ham og Ottilde. Kunne
også nemt have været velstående folk allerede. Hvis de el-
lers ville passe lidt på. Hvis de også kunne lade flasken stå.
Men indimellem lader de sig stadigvæk hjemsøge af hele
det gamle slæng fra fattighuset, og i dagevis, og Raymond
er selvfølgelig også født og opvokset derude, men enhver
anden ville vist sige, at han for længst har ydet dem sit.
Han kommer med klæder til dem, og han sender købman-
den ud med mel og sukker, smider somme tider selv en
kvart gris ind ad deres dør. Og så drikker han sig altså også

af og til fra sans og samling sammen med dem. Og alle synes jo det er synd og skam, et par folk med så mange muligheder.

Hårdere end som så har ingen alligevel lyst til at dømme dem. Han er svær at blive klog på, Raymond, det er sådan de fleste helst vil udtale sig om den sag. En knagende dygtig mand, men altså – og hverken Axel eller Ivar synes nu heller de har mere at bidrage med.

De er nået tilbage til forsamlingshuset, ude på trappen står Dagmar i sine bare knæ. Hun ville have været med dem.

Du havde bare fået olie på din kjole, trøster Ivar.

Jeg glemte at sige at den kan køre lige ved femogtres engelske mil i timen, siger Axel.

Så står Hans Peter Selvbinder i døren. Hans hår klistrer i strimer helt ned over hans næse.

Fanden bukme da på tide I kunne være her, råber han. De sidder og tørster, hver anden af dem. Man skulle ellers tro I noget snarere havde kunnet blive færdige med at glo på sådan en skralderkasse!

De første femogtredive engelske mil når den op på i løbet af seks komma syv sekunder, siger Axel. Deluxe Phaeton kalder de den. Fra '32.

Det er den vældigste suppe. Pakket med fyld, ja, en hel overdådighed af tommetykke porrer og gulerødder i vældige klodser har man fået i sin tallerken; og dertil da de talløse melboller, og nogle ordentlige klunker er det også, og sparet på smørret til dem er der så sandelig slet ikke blevet, og de svære kødboller lader jo umiskendeligt én fornemme det skære, nyslagtede grisekød om gummerne. Ikke for meget vand heller. Der er kommet lige tilpas med vand i den her suppe, og det er mørkt og stærkt af kalveknogler, og fedtperlerne står så tæt og får porrerne til at glinse hvidliggrønt som en forsommerdag, og gulerødderne, hvor skønt og varmt de dog lyser én lige op i ansigtet.

Og endnu er den skoldhed, og hver skefuld brænder livsaligt hele vejen ned gennem kadaveret, og Knud Terkelsen får hver gang bakset en god repræsentant for både kød- og melbollerne samt flere af grøntsagerne op i sin ske. Han vil hver eneste gang han løfter den mod munden have den toplæsset med alt, hvad der hører sig til i en virkelig gildesuppe. Alt hvad den her jo så rigeligt kan mønstre, det skal fra først til sidst være sådan et ulasteligt optog af himmerigsmundfulde.

En djævelsk god skik at begynde med sådan en omgang, mumler han indimellem til sin Ingeborg. Og han sender en skoldvarm tanke til den fremmelige Else Andersen ude i køkkenet, og ikke nok med at han har hendes suppe her foran sig og Ingeborg ved sin side, han er også blev sat så heldigt at han skråt til venstre for sig, ovre ved bordet langs vinduerne, har det bedst tænkelige udsyn til Maren Hannings røvbalder.

Selvfølgelig passer han først og fremmest sin suppe. Samler sig jo fortsat og gang på gang om sin tallerken og sin ske. Men når han så lige har vendt skeen ved undertænderne og væltet hele herligheden ind over tungen, så kan han – mens han kører den tomme ske nedad igen – godt tillade sig at rette et langt blik mod bænken derovre, og lige præcis mod det sted hvor hendes bagfjerding i to brede buer krænger sig ud over kanten.

Knud Terkelsen kunne ikke have fantaseret sig til et herligere syn. Jo heller ikke hver eneste dag han prøver på det, men han har alligevel mange gange følt sig nær ved at få hende uhjælpeligt på hjernen. Og i kødet vel, og det er alt sammen indtruffet på et halvt sekund da hendes sommerkjole, idet hun vendte sig, havde lagt sig over hende på en særlig måde, som om den næsten ikke var der. Og snart endda for flere år siden, han havde haft et ærinde nede ved Karl Hanning, skulle lige snakke med ham, de havde kvier på den samme strimmel eng, og så havde hun budt ham ind, Maren, ind og sidde i køkkenet og få en kop kaffe. For Karl kunne være der, hvad øjeblik det skulle være. Og da hun så ville fylde kedlen fra en spand på køkkenbordet og derfor drejede sig fra ham, på sin raske manér, som i en dans, så kom det øjeblik, hvor han fuldkommen klart og tydeligt gennem kjolen kunne se røvskuren, så hjertegribende tegnet af begge hendes gebommerlige balder.

Lige med det samme havde han ikke den fjerneste mistanke om at det skulle blive et uafrysteligt syn. I øjeblikket efter havde han faktisk glemt det igen, og han kunne uhildet tage del i en rent venskabelig sludder om stort og småt. Indtil Karl kom hjem og med sine brede skuldre måske spærrede for enhver videre forestilling om konens røv, hvis den nu ellers skulle have været ved at stige op i Knuds hoved. Der gik ikke mange dage inden den i hvert fald sad der, og sad der for at blive siddende.

Og han ville se den igen og igen. I sin fantasi der jo gik ud på, at han så den igen i virkeligheden. Og jo flere gange han havde fantaseret sig til at se den som han så den, jo stærkere blev hans overbevisning om, at hun ikke havde haft det mindste på inde under sommerkjolen. Hun var ingen bukser i. Han kunne have rejst sig og stukket hånden lige op og mærke på hende.

Og hun er måske aldrig i bukser indenunder. Han kan når som helst. Kunne gøre sig et andet ærinde nede ved Karl Hanning. En dag han ikke er hjemme, og Maren hælder vand på kedlen til ham. Og han kan mærke hendes bare balder, og hun læner sig bagover, lægger halsen mod hans mund. Eller han kunne møde hende ude i laden.

Bede hende vise sig noget ude i laden, nu Karl ikke er hjemme, og hun er ingen bukser i, har lagt sig i halmen. Eller han kan møde hende i marken. Oppe under skoven, og hendes hud skinner om kap med det hvide hav af anemoner, eller bare derhjemme i køkkenet. Igen og igen er han i hendes køkken, og ser hende dér uden hendes bukser, lige ved at tage hende, og ser hende igen og igen, lige ved at tage hende, og ser hende igen uden noget indenunder.

Og han ser hende, og han skulle vel snart kunne få sin lyst styret, siger han nu til sig selv, idet han læsser sin ske med endnu en gang gildesuppe. Han skulle kunne få set sig mæt på den røv, så belejligt den duver over bænken lige der fremme for ham. Skønt han da godt véd bedre. Det vil uden tvivl kun blive meget værre i de kommende tider. Allerede i aften vil han nærmere på, det véd han jo også. Han skal længere ud på natten have Maren Hanning med ud og danse. Og så kan han nok lige liste sig til at mærke efter om hun altså ingenting er i, inde under sin kjole. Så bliver han i det mindste så klog.

Men Frida snakker nu til ham, bagved. Om han vil have mere suppe.

Jo, jo! Tak skal du sandelig have, Frida. Lidt mere kan jeg vel nok lige få ned! Og han griner op til hende, og kigger så over til Kresten og Jenny på den anden side af bordet.

Vi spiste jo ikke for meget til vor ·unnen, nu vi skulle til sådan en fest!

Så vil du vel også, Ingeborg, siger Frida. Men det vil Ingeborg bestemt ikke, heller ikke da hun bliver nødet, nej, nej, ellers tak, hun vil skam også kunne spise noget af det andet.

Derfor vil du da ikke forsmå så skøn en kødsuppe, siger Knud og lægger en arm om hendes skulder. Nej, vist

vil du da have mere, Ingeborg, og han blinker og kissemis-
ser: Skulle det komme til at knibe, kan jeg måske hjælpe
dig med det sidste.

Og Ingeborg smiler da til ham og ryster på hovedet, og
hun rækker sin tomme tallerken op til Frida. Og Knud Ter-
kelsen giver hende et kraftigt klem og så et klap på kinden,
og han griner igen over mod Kresten og Jenny, de forstår
jo også nok. Han har nu tilmed sikret sig Ingeborgs anden
gang suppe. Hele tre skudefulde har han reddet sig. Sik-
ken aften.

Enoksen sidder der som sædvanlig uden fru Enoksen, og
han har som sædvanlig afleveret hendes undskyldning
hos værten og værtinden: Alle de mennesker, al den larm,
hun kan ikke tåle det, hun har desværre slet ikke nerver til
det.

Byens folk må efterhånden have lært den lektie udenad.
Han fremsiger den dog gerne igen og igen, forstår kun alt
for godt at hun ikke gider. Guderne skal vide, det gør han
heller ikke selv, over for alle andre må han så gøre gode
miner til slet spil, det er nu engang hans pligt at vise sig,
et par timer i det mindste.

Han må ønske konfirmanden tillykke. Skal ske umid-
delbart efter første ombæring af stegen, og han vil da
holde sin lille tale for Peder, idet drengen jo også snart af-
slutter sin skolegang. Må vel nævne at han tilsyneladende
har befundet sig bedst i frikvartererne. At han med sit lyse
hoved dog har tilegnet sig tilstrækkeligt med kundskaber
til at han vil kunne løfte opgaverne i sit kommende vok-
senliv. At han for resten er af den rette støbning. En sund
karakter. Sådan noget, det skal ikke blive langt. Til sidst
blot hans hjerteligste ønsker for drengen og hans forældre,
hele hans familie og alle på Bisgaard, om en lykkelig frem-
tid.

Så kan han bryde op. Mange tak for at jeg måtte være med her i aften. Endnu en gang beklage at min hustru, og så videre. Det sædvanlige.

Må nu blot holde ud så længe. Det kan endnu vare en stiv skoletime. Folk vil proppe sig til det yderste. De vil indimellem knevre løs. Ingen vej udenom heller for ham. Mindst af alle for ham, han vil til stadighed blive spurgt, han skal absolut tage stilling til alt mellem himmel og jord. De vil underdanigt udbede sig hans dom, fromt lytte til hans overvejelser pro et contra. For bagefter at kunne more sig så meget desto bedre over hans verdensfjerne forestillinger og aparte sindelag.

Det vil naturligvis blive hans løn for tålmodigt at høre på deres vrøvl. Gedulgt hån. Skumlende mistænksomhed. Han er jo her som altid omgærdet af *mænd*. Havde der kun siddet et par koner, kunne der muligvis være opstået en samtale om noget fornuftigt. Deres børn om ikke andet. Men de puffer vel deres ægtemænd hen imod ham, fordi han selv sidder her uden kone. De bruger det utvivlsomt som påskud for at komme af med deres herrer, for blot sammen med hverandre at kunne få sig en hyggelig aften lidt længere oppe ved bordet.

Under alle omstændigheder er han blevet sat her med den forfærdelige Asger Hansen oppe fra Farstrup, må forvente at skulle høre på hans endeløse bragesnak om land og rige, og hvad andet han heller ikke har begreb om. Og han sidder her, Gud bedre det, også med et fæhoved som Morten Lergaard hvis evigt smilende grimasse vel tilmed skal antyde, at det er *ham*, der holder enhver anden for nar.

Eneste trøst må være Frederik Halkjær. Hvis man kan se bort fra hans maniske og tragikomiske optagethed af sin nedbrændte snadde. Og hans mærkværdigt stædige socialisme. Skønt han nu har autorisation som dræningsmester og selv har fået arbejdere under sig. Er dog et forstandigt menneske, samme Halkjær. Man vil aldrig høre ham fare med sladder. En vis holdning må man tilkende ham. Og en slags værdighed, besynderligt nok også, på trods af bogstaveligt talt *alt*.

Her udgør han i alle tilfælde den eneste chance for støtte. Og der kan virkelig blive brug for støtte, over for Asger Hansen. En mand som endog vil formå at gøre denne familiefest endnu værre end de fleste andre. En mand som næppe engang vil forsøge at lægge skjul på sin ondskabsfuldhed. Asger Hansen er jo aldeles ikke uden grund berygtet for at forpeste enhver lille nabosnak i brugsen eller hos købmanden deroppe i Farstrup. Han har langtfra nok i at tyrannisere ethvert møde i deres eget forsamlingshus, ethvert valgmøde naturligvis, om det så er til sognerådet eller Rigsdagen, men også enhver foredragsaften de måtte afholde, om det så ellers nok så meget skulle dreje sig om oldtiden eller den svenske malm.

Nej, der kan ikke længere herske den mindste tvivl om at han på et tidspunkt – også her i aften, til en konfirmationsfest – og snarere før end senere – vil forsøge at drage deres opmærksomhed i retning af en vis person, syd for grænsen. Og så vil man være nødsaget til at rejse sig og gå med det samme.

Man vil ikke høre det menneske omtalt. Og konfirmandtale eller ej, man må forføje sig, og man må derfor nu – også for Søren Godiksens skyld – forsøge at holde Asger Hansen stangen. Måske op mod tre kvarter endnu. Imødegå denne våsemikkel, aflede ham, overhøre ham. For enhver pris og med alle midler hindre ham i på nogen måde at invitere den germanske skrighals indenfor og spolere en festlighed, der dog for folkene på Bisgaard, med deres samling af familie og venner, rummer en vis højtidsfuld alvor.

Men det fatale øjeblik nærmer sig hastigt, det er kun alt

for tydeligt. Asger Hansen har allerede været ude i lang-strakte beklagelser over landbrugskrisen. Uden i øvrigt med ét ord at nævne at en tilsvarende krise har ramt store dele af det øvrige erhvervsliv. Nej, det er alene bønderne, og herunder frem for alle Asger Hansen personligt, der er det store offer for tidens ugunst, og så endog et forhånet og foragtet offer. Enhver må jo allerede have hørt at visse af dagens socialister tillader sig den skammelige frækhed at anvende ordet 'bonde' som var det et skældsord, denne sande hædersbetegnelse, gennem alle tider det ypperlig-ste navn nogen mand kunne drømme om at bære.

Jo, Asger Hansen har skridt for skridt nærmet sig sit yndlingsemne, om end han vel nu foregiver at ville op-holde sig ved den *danske* Rigsdag. Han udtaler sig om sin skam over at være borger i en stat der styres af landsfor-rædere, bolsjevikker og ansvarsløse stratenrøvere. Hvis ikke det var så ufattelig grinagtigt, ville han hver eneste dag græde som en pisket ved tanken om den hovne og selvtilfredse grobrian, det såkaldte demokrati har kunnet gøre til landets statsminister.

Jeg håber virkelig ikke at det er Stauning du sådan hen-tyder til, får Frederik Halkjær alligevel indskudt. For så ty-der det i al fald på at du ikke er så særlig oplyst. Hvad jeg måske heller aldrig har haft dig mistænkt for, Asger.

Og Frederik har igen klemt et par trevler tobak i piben og tænder op og bapper ihærdigt.

Hvis du vidste nogen ting, bitte mand, så ville du agte sådan en statsmand, om end du måske også tænker ander-ledes. Du ville vide at vi ikke har haft andre af den karat her i landet siden Christian den Fjerde!

Aah nej, nej, såmænd da, skogrer Morten Lergaard.

Hvilken opfattelse enhver af os end måtte have af stats-ministeren, så er han folkevalgt, siger Enoksen. Han er fol-kevalgt, og han er udpeget til regeringsleder af et flertal i

Folketinget. Alt ifølge Grundloven, og derfor hvad vi alle bør holde os til. Men derudover kan jeg til dels også, Halkjær, forstå Deres anerkendelse af manden. Meget tyder på at han med dygtighed styrer landet efter en kurs, der dog ikke sættes af hans eget parti alene.

Der er ingen andre der når ham til sokkeholderne, siger Frederik.

Da vel slet ikke til skægget, fniser Morten Lergaard. ·Pinnede nej, om de gør!

Men dermed har vi måske også talt nok om politik for i aften, siger Enoksen. Vi er jo samlet om noget ganske –

Hvis jeg også lige måtte få indført et enkelt ord, brager Asger Hansen ind over ham.

Og Asger Hansen har jo hidtil snakket mere end alle andre tilsammen. Og ingen har for alvor turdet regne med at han var færdig med det, og han fortsætter nu, på sin hidsige og fortrædelige facon, ud i den herskende elendighed hvor al virkelyst, driftighed og god gammeldags flid og arbejdsomhed bliver straffet. Og hvor dovenskab og snylteri hæves til skyerne og belønnes med de uhyrlige summer af skattepenge, der så skånselsløst presses ud af landbruget af det her forbryderregime.

Det *er* blevet værre siden sidst. Enoksen har sænket blikket. Eller det er *blevet* sænket, han føler det er blevet banket ned i bunden af hans tallerken. Kan næsten ikke få sig til at se op på Asger Hansen igen.

Det er blevet *meget* værre med ham. Det har bestemt ikke hjulpet at de i Nibe har ladet ham blive medlem af Landbobankens bestyrelse. Eller at han derfor straks skulle have erklæret at han for fremtiden vil stemme på Højre. Han kan jo ikke høre til i noget eksisterende parti, Gud ske lov for det, må man så sige. Men vanskeligt at se på ham. Må dog nu forsøge igen. Måske også lige ved at være ens pligt. Frejdigt at se ham i øjnene.

Jeg kan da sige jer så meget som at alle vore lumpne socialister nok skal få sig en lærestreg inden så længe, og måske også før de venter det! Et par rigtig gode lussinger har vi da allerede parat til dem, og en ordentlig røvfuld, for nu at sige det på dansk!

Asger Hansen lader sig på ingen måde standse af Enoksens frejdige blik.

Nej, nej, hele horden af slyngler i de store byer, de skal en snarlig morgendag få at mærke hvem der skaber værdierne her i landet. Hvem det er der sætter føden for dem, og de skal for eftertiden få lov at slide og slæbe som de her foragtede 'bønder' for hver en krumme, de putter i munden. Og ikke en dråbe mælk skal sendes ind til dem, og ikke den mindste gnalling flæsk, ikke før de så omsider har fundet ud af, at pengene ikke længere ligger frit fremme på kommunekontoret, og har fået hænderne op af lommerne og en smule sved på panden.

Ja, ·hubav endda! Morten Lergaard blinker fiffigt rundt mens han tørrer sved af sig.

Indtil da må de sågu sulte! Indtil det frække grin er visket af deres fjæs, og de har forstået hvor føden kommer fra. Ja, lad os nu bare sige det ganske jævnt og ligetil, kære venner, rakkerpakket skal sulte!

Ja, ·pinnede om de skal, klukker Morten Lergaard.

Nej, hør nu, det er dog meget for let sagt, siger Enoksen. Især vel i et øjeblik som dette hvor alle vi andre kan sidde her og mæske os!

Hver en bid af det De sætter til livs, Enoksen, råber nu Asger Hansen. Hver en bid af det, som De sådan siger, De sidder her og mæsker Dem med! Hver eneste bid er Søren Godiksen kommet til som en retskaffen mand og i sit ansigts sved! Skulle vi ikke både agte og ære ham for det!

Aah jo, det er også sande da, griner og ·nigrer Morten Lergaard.

Jeg kunne næsten ønske, Asger, at du en skønne dag fik behov for en smule hjælp, siger Frederik. Så gik jeg da gerne til kommunen og anbefalede den. Ja, jeg ville være så sjæleglad den dag den blev bevilget, for så kunne vi måske blive fri for igen at skulle sidde og høre på dit forbandede, hjerteløse vås!

Der er ingen her der har snakket om sygdom, råber Asger videre. Vi har været inde på byfolks evindelige snylteri og dovenskab! Vi har spurgt os selv om ikke vi snart bliver nødt til at lære dem noget andet! Så vi alle sammen kunne rette ryggen igen og alle sammen se på hverandre som hæderlige mennesker!

Aah ja, det kunne endda være skønt, flirer Morten Lergaard.

Gløderne hvirvler ud til alle sider fra Frederik Halkjærs pibe.

Jeg skal sandelig nok huske at takke Søren Godiksen for maden, får Enoksen noget forsinket frem.

Men jeg sad for resten lige og tænkte på konfirmandens storesøster, Emma. For jeg har forstået hun ikke kunne nå hjem til festen, men hvor er hun da henne i verden?

Et hjælpeløst forsøg naturligvis.

Frederik Halkjær gør nok mine til at ville svare, men Asger Hansen er så allerede ude i sin brovtende jammer over den menneskelige usselhed der uvægerligt vil blive følgen af, at ingen længere behøver at kunne klare sig selv. Den ene efter den anden vil falde i hullet, begrave al ære og anstændighed, overgive sig til tiggersindet og strække hænderne frem og lade sig fodre som en syg pattegris. Og lutter svæklinge kommer der jo ud af det, det må enhver kunne sige sig selv, en hoben ubrugelige mennesker, men hvis *nogen* sidder her og ville kalde *ham*, Asger Hansen, for hjerteløs, eller hvad det var for noget kællingesnak Frederik Halkjær har ladet sig forlyde med, så skal de vide, at han taler ud af menneskekærlighed. Det er tanken om staklerne selv der gør ham allermest ondt. At de lader sig friste til at synke ned i en verden af undermennesker, hvor der ikke er andet end slaphed, misundelse, den forkælede snothvalps uafladelige forurettelse. Og hvem der kommer til at betale prisen? De kommende slægter selvfølgelig, århundreder kan det tage at rejse sig igen som sunde og stolte mennesker, når først byldepesten har fået lov at brede sig i krop og sjæl. Når bare et enkelt slægtled som det nulevende har ladet forrådnelsen gro ind i den danske folkekarakters inderste.

Og Asger Hansen har prustet sit rumlende raseri op på højeste blus, og han retter nu et par allerede forkullede knolde af et blik mod Enoksen.

Måske kan selv en mand som Dem, Enoksen, efterhånden mærke stanken? Hvis De ellers et øjeblik ville løfte Deres næse fra alle Deres pæne og dannede bøger! Men der beholder De den vel helst? Hvabehar, Enoksen? Det skal vel fortsat være så sart og fornemt det hele! De skal ikke have noget af at beskæftige Dem med den almindelige svinske virkelighed, det må De selvfølgelig føle Dem for ophøjet til! Også til så lidt som at sige *fra*, til noget så simpelt og ligetil som at kræve det sunde og stærke menneskes naturlige ret, ja, De er uden tvivl endda alt for fintfølende til at gribe sværdet og forsvare Deres fædreland mod bolsjevikkerne! For Deres skyld kan Danmark til evig tid sagtens bare hytte sig som den sølle, feje lille slavestat! Har jeg ikke ret? Men jeg tror nu jeg må sige til Dem, Enoksen – som Deres ven – jeg tror jeg må sige til Dem, at vi inden så længe kan blive nødt til at se bort fra Deres og Deres ligesindedes fine fornemmelser! Det synes jeg måske nok De ville gøre klogt i at forberede Dem på, Enoksen! De kunne jo for eksempel begynde at stikke snuden i en anden slags bøger, det vil jeg i hvert fald meget stærkt råde

Dem til! De skulle virkelig tage og få begyndt på at gran-
ske i hvad der sker syd for grænsen!

Enoksen har haft sit ur oppe af vestelommen. Han har
taget sine briller af og i højre jakkelomme hentet futtera-
let, og han har lagt sine briller på plads der, og han har
knappet alle fire knapper i sin jakke. Han har gjort sig fuld-
stændig klar til at rejse sig og med et par ord meddele at
visse omstændigheder tvinger ham til at forlade selskabet
med det samme.

Bag sig hører han så lige en pige. En så velkendt
stemme, en klang han holder af.

Skal De have mere suppe, Enoksen?

Han vender sig og ser op på hende, Else-Marie, og han
smiler og vinker afværgende.

Hvordan går det dig, spørger han. Undskyld – går det
Dem, Else-Marie?

Jo tak, svarer hun. Det går vist ikke så galt.

Vil De hilse Deres søster fra mig, siger han. Jeg så hun
serverer oppe ved hovedbordet.

Jo tak da, svarer Else-Marie.

Han nikker, har et øjeblik lagt hånden på hendes arm.
Hvor det glæder ham at have set hende. Dem begge, og
med de to i tankerne er han så ved at have sat sig til rette
igen.

Inge-Merete, ja, og Else-Marie her, disse smukke, uen-
deligt indtagende piger, langt de dygtigste han har haft, og
han har allerede fået sin jakke knappet op igen, og han
tænker: Hvor alt for lidt, han kunne gøre for dem. Hvor de
jo havde fortjent at nå videre med deres forbavsende ev-
ner. Komme på et gymnasium i det mindste. Han havde
henvendt sig til deres forældre om sagen. Mere var der vel
ikke at gøre. Mere magtede han ikke.

Men han har nogle sekunder næsten også kunnet
glemme hvor han er, og hvem han sidder her med. Nu vil

han give talepligten en chance til. Virkelig anstrenge sig for at holde ud til stegen kommer. Så vil Asger Hansen have nok at gøre med den en tid.

Indtil da vil man udelukkende henvende sig til Frederik Halkjær. Man vil udspørge ham om dræningsarbejderne ude i engene. Forhøre sig om samtlige arealer, de forskellige jordbundsforhold, varierende vandmængder og rørledningernes længde, per hektar og i alt. Man vil ikke spare sig for nogen teknisk detalje. Blot bygge videre og videre på sådan en samtale med Halkjær. Virkelig gøre den til en mur.

Udelukke enhver yderligere lyd fra Asger Hansen. Til han har kastet sig over stegen. Og idet han tager den sidste bid, vil man så endelig rejse sig. Holde konfirmandtalen. Komme hjem.

I den lille sal har Mary sat sig overskrævs på bænken ved opvarterbordet.

Kom lige her, min Ivarmand, kalder hun. Sæt dig her foran mig. Nej, med ryggen til! Et ben på hver sin side, dit drog, ligesom mig! Og så lidt længere frem med dig!

Og endelig tilfreds læner hun sig tilbage mod muren og svinger sine fødder op på hans skuldre.

Aah, det var skønt! Nej, hvor jeg trængte til at hvile skankerne!

Frida er ved at komme ud fra køkkenet, og hun må da standse op ved synet og sunde sig nogle sekunder, før hun kan tage til orde.

Få dem så lige ned, Mary! Vi kan jo se dig helt op!

Det er værre I kan se mine fødder! Der var én der sagde, at jeg kunne stå op og dø på dem! Mary griner så det meste af Ivar ryster med.

Hvad er det da *du* kan se, Frida? Så vil jeg sgu også, brøler han og prøver at krænge hovedet bagover, og Mary fanger det mellem læggene og klemmer til og får ham halvt væltet ned fra bænken, inden hun giver slip og springer ud på gulvet.

Jeg skal dæleme give dig! Ivar rejser sig og spiller olm og vil stange.

Ja, kom du bare, jubler Mary. Min bitte kipkalv! Og hun hopper op på bænken og derfra op på bordet.

Tag du dig hellere i agt! Jeg er nu så vild og voldsk som vor gamle tyr! Og han sætter efter hende, hen over bordet og ud i vindueskarmen, mens hun allerede er tilbage på gulvet, står der skrævende og grinende, på spring igen.

Aah, du er såmænd bare så ·tålle, mit Ivarlam!

Orla, siger Frida. Kan du ikke lige få de to til at te sig!

Der kan åbenbart holdes pause for snart dem alle sammen. Orla er jo allerede dukket op, men hænger bare op ad dørkarmen og gør ingenting for Frida. Og Helene og Hans Peter støder til og nøjes også først med at kigge på de to, der jager rundt i lokalet og op over bord og bænke.

De siger der er en mand, der har skudt kone og børn oppe i Thy, siger Helene så alligevel. Og Frida og Hans Peter og Orla har da straks vendt sig mod hende, og selv Mary og Ivar går i stå, og de har nok endda ikke rigtig kunnet opfatte, hvad det var Helene sagde. Men bare det at hun har sagt noget, det er altid så underligt.

Sig selv skød han da også, fortsætter hun. Først deres tre børn, så sin kone og så sig selv til sidst. Ja, det siger jo sig selv. Hvordan skulle han ellers. Men sådan sagde de, dem deroppefra.

Hvem oppe fra hvad, spørger Mary.

Din familie fra Thy! Og de fortalte det på en måde som om det i grunden ikke var noget særligt. Så man skulle tro de er vant til lidt af hvert. Jeg kunne virkelig godt tænke mig at komme derop engang. Til Thy.

Det kunne du da uden tvivl, siger Frida. Og de ellers

ret fornuftige piger fra den østre ende af byen kan pludse-
lig ikke lade være med at fnise.

Nej, sådan noget spændende kan jeg desværre ikke for-
tælle om mine vendelboer, siger Inge-Merete. Jeg hørte
ikke andet end en af dem slubrede i sig! Han holdt taller-
kenen sådan her op under hagen, så han bare lige skulle
vippe skeen ind over sit underbid. Det lød som lærer
Enoksens træk og slip!

Hvad så med min fætter Kristian, siger Mary.

Ham der stirrer sådan? Med sine store glugger?

Kristian er da lige noget for dig! Indrøm det bare!

Ja, jeg tænkte godt nok på at trykke den store bums ud
han har lige midt på næsen!

Lyder til man skulle kigge nærmere på ham, siger Else-
Marie. Hvis du lige ville ordne det der med næsen først?

Og Else Andersen er trådt frem fra køkkenet.

Giftesyge tøser, råber hun. Lad være! Se på mig!

Ja, de roser i al fald din suppe op og ned langs alle
borde, siger Inge-Merete.

Ingen klager, spørger Else Andersen.

Ene lovprisninger!

Det kunne da også lige passe andet! Men nu må I an-
dre også hellere skynde jer at få en tallerkenfuld. Så sma-
ger jeg på sovsen en sidste gang, og så må I være klar!

Ja, vi kunne sgu også godt snart trænge, siger Hans-Pe-
ter Selvbinder. Sæt dig nu her!

Han kigger igen på Mary der hænger op over Ivars
skulder.

Gå med i lunden, synger hun. Med læberne tæt ved
hans øre og alligevel temmelig højt. Så spidser vi munden!

Hun traller et par linjer videre. Vi er kun dig og mig,
mig og dig. Og Axel kommer endelig ind fra den store sal,
og hun vil da hjælpe ham med nogle af de tomme flasker
han har i hænderne.

Theodora Mathiesen har ellers været ved at tro at hun kunne komme igennem aftenen uden at skulle sige et ord. Fordi hun er blevet sat ved de her mennesker, der jo ikke kendte hende. Selvfølgelig ikke noget hun selv havde villet. Hun var søgt over i krogen, bag ved kakkelovnen, da de skulle til at sætte sig til bords. For hvis det så skulle vise sig at der ikke blev en plads tilovers til hende, så kunne hun da sige, at hun ikke havde taget pladsen fra nogen andre. Så kunne hun også klare sig med en taburet ude i køkkenet. Måske endda gøre sig lidt nyttig derude. Søren Godiksen skylder jo ikke hende noget. Hun ville da helst have hjulpet til. Givet et nap med ved opvasken. Hvis ellers Stinne havde ment hun var skikket til det. Så havde hun indimellem kunnet tage sig en kartoffel derude med god samvittighed.

Men så er det faldet så forbistret ud at ingen har villet sætte sig der nederst på bænken, lige dér foran hende. Som om de har mistænkt hende for at hun stod der, fordi hun ville sikre sig, at ingen andre skulle sætte sig dér. Og hun har ikke vidst hvad hun skulle gøre af sig selv. Hun var snart den eneste der stod op. Hun havde allerede fået det som om der endda var flere og flere, der lagde mærke til hende. Kunne slet ikke længere lade sig gøre lige at smutte omkring kakkelovnen og så væk.

Nej, det skulle hun have været klog nok til at tænke på noget før. Ikke andet for nu end at liste frem og klemme sig ned der ved siden af Lars Lild.

Det kunne så nemt have været dén der var værre. Lars Lild ville ikke regne med at hun skulle give sig i snak med ham. Det ville han heller ikke selv bryde sig om. Han snakker aldrig med et menneske. Undtagen måske sin mor. Vel nok været for svag til at komme med ham. Og det par der sidder overfor, dem har hun altså nu engang ikke det fjerneste kendskab til. Har aldrig så meget som set dem for sine øjne. Så hun er lige ved at kunne sige at hun har været heldig. For de virker også til at kunne tie stille. Dem der overfor.

De har vel fået snakket nok derhjemme. Der vesteroppe, må det være, det har hun alligevel kunnet gætte sig til. Ud fra den smule de har måttet svare hende fra Kristiansminde, der varter op. Helene, hun er ikke så forlegen, hun har spurgt dem om de holder får. Som om det kunne komme hende ved.

Men så med ét har det hele taget en helt forfærdelig vending. Det må hun da lige med det samme sige. Selv om de varsler, hun havde observeret, måske var knap så ubehagelige. For nok var de begyndt sådan at sidde og kigge til hende derovre, da de var færdige med den første gang suppe og havde lagt skeerne fra sig. Men de kiggede på en måde, som om de i grunden også selv ville have foretrukket at lade være med det. Som om de gjorde det af en slags pligt, eller ligefrem en form for høflighed. Og altså bare ville advare hende om at de syntes, de kunne blive nødt til at spørge hende om et eller andet, inden så længe. Men så måske også lade det være godt med det og passe sig selv resten af aftenen.

Ja, lidt på den måde har hun tydet deres miner, indtil manden bryder overtvært og åbner munden.

I har måske også landbrug, spørger han.

Det er alligevel en mageløs uforskammethed. Andet kan Theodora ikke lige i øjeblikket tænke om det. Og den slags behøver hun jo slet ikke at svare på. Hun er i sin gode ret til ikke at have hørt en lyd. I øjeblikket efter er hun så ved at indrømme ham at han vel ikke kan vide det. At manden måske er i god tro. Men så har han jo på den anden side igen tvunget hende til at svare. Hvis ikke hun bare skal lade det blive siddende på sig. Han har sat hende kniven for struben. Hun må give sig i lag med ham.

Lars Lild og mig har ikke det ringeste med hinanden at gøre og har heller aldrig haft det, svarer hun da.

Og det skulle vel så ikke være til at misforstå. Eller kun for Lars Lild, kommer hun i tanker om og skæver til ham. Og han sidder som altid, som om han overhovedet ikke er til stede. Som om han stadig står og glaner ud over havet deroppe, hvor han kommer fra.

Det kan på ingen måde være gået ham på at hun kom til at lægge så voldsom afstand til ham. Det var jo heller ikke meningen. Jo ikke derfor hun sådan gav det eftertryk. Men det kunne måske så, hun kan pludselig høre det, det kunne da snarere lyde som om hun ville nægte, ja, det kunne bedst lyde som om hun ville lyve sig fra det, der i virkeligheden var tilfældet. At hun og Lars Lild, nej, hun ville ikke mere ind på det, ikke have det i hovedet, og de skal heller ikke, derovre. Det skal helt væk fra bordet, hun er nødt til at sige noget mere, noget helt andet.

Jeg er enke, siger hun. Jeg har et bitte boelssted halvt oppe i heden. Jeg er helt alene med det!

Manden nikker. Vender så på sig, som om han vil kigge efter, halvt oppe ad heden til. Hvor den så end ligger. Konen ryster på hovedet. Ville vel ligesom aldrig have troet at noget menneske kunne være så uheldigt stillet.

Det var der sidste forår jeg mistede ham, fortsætter Theodora. Eller der sidst på vinteren, han var gået ud for at pirke til marken, om ·tællen var gået af den, så faldt han om. Min søde mand. Og der stod en vis gammel kone så tilbage og skulle have både pløjet og sået, for varmen kom allerede til begravelsen, og der vil jeg sige, Søren Godiksen viste mig sin barmhjertighed. Han gik op og sagde til mig at en af hans folk kunne komme omkring med et spand heste, så jeg med det samme kunne få pløjet og sæden i jorden også. Og jeg ville jo ikke have det, det siger jo da sig selv, men jeg kunne slet ikke stille noget op imod ham, vi forsømmer ingenting med det, sagde han, og vist gjorde de da det, men han var der igen til høsten, Søren Godiksen. Jeg vil lade Hans Peter køre herop med selvbinderen, sagde han til mig, så du kan få bjærget den smule korn. Ja, sådan en mand er han, det må jeg have lov at sige, for jeg har aldrig i mit livs skabte dage kendt andre som ham, og det er den største ære at sidde her ved hans bord, ja, det er alt for meget, og det skal I også vide, hvis I er af hans mors familie, han er et sjældent godt menneske, Søren Godiksen, han er en så helt enestående mand!

Hun véd ikke rigtig selv hvordan det går til. At hun nu sidder her som en anden sludrebøtte og lader munden løbe over for et par mennesker, hun aldrig har set og aldrig vil se igen. Men det virker allerede endnu mere sært at lade være, bare lige et øjeblik her. Det er som om snakken nu vil strømme ud af hende i det endeløse, fordi hun altså i et ubetænksomt øjeblik er kommet til at slække på tøjlerne.

Det er virkelig en Guds gave at have fået sådan en nabo, giver hun da efter. Findes der mon hans lige nogen steder i verden? Tænk sig at ville hjælpe en fattig gammel kone uden at kunne få det mindste igen for det!

Det manglede vel i grunden også bare, siger hende derovre. Skulle vi da ikke alle sammen kunne hjælpe en nabo?

Jeg kan nok høre du kommer langvejsfra, siger Theodora. For sådan ville du aldrig snakke hvis du kendte til folk i byen her. Nej, jeg vil aldrig sige et ondt ord om nogen, men her er der altså ingen, der nogen sinde har tænkt på andre end sig selv. Og kan de endda udnytte hverandre, og snyde og bedrage selv deres nærmeste, så gør de det. Løgn og bagtalelse, det må jeg sige, det er hverdagskosten her ved os, og den ene er mere ondskabsfuld end den anden!

·Tho, det var da skrækkelig, siger konen.

Og Theodora er kommet i tanker om Lars Lild igen og ser til ham, om han skulle føle sig gået for nær. Men han sidder stadig og spiller døvstum, og man skulle ellers tro de fremmede derovre kunne interessere ham en smule, hans landsmænd som de vel er, deroppe vesterfra. Man skulle tro han kunne få trang til i det mindste at sende en hilsen med dem hjem, og så ter han sig, som om han over-hovedet ikke var kommet i byen og bare sad med sin mor og kunne tillade sig ikke at høre efter og i timevis ikke selv mæle et ord.

Nej, ham behøver hun ikke tage mere hensyn til. Hun kan trygt sige den rene og skære sandhed til de her folk, som nu er så godt i snak med hende, og hun har bestemt heller ingenting at skjule for dem.

Skrækkelig og skrækkelig, svarer hun. Jeg klager san-delig ikke, og jeg kan heller ikke tænke mig at Søren Go-diksen har budt nogen af os med, for at han så skulle høre os sidde her og jamre over både det ene og det andet. Det vil han nok allerhøjst lade Volmer og Tove derovre om, men nu ikke et ord mere om dem fra min side, og derfor kan vi andre jo også nok lige lade et enkelt alvorsord falde, og vi er jo da ikke børn længere, og jeg synes alligevel ikke jeg vil sidde her sammen med jer uden at lade jer vide, at der foregår ikke så lidt her i Staun, som slet ikke tåler da-gens lys. Og hvordan skulle det vel også være anderledes, må vi da spørge. Med sådan nogle mennesker der er endt her, det er som engang alverdens udskud har søgt til lige her. Ja, det tænker jeg endda så tit at der alligevel må have været dem, der er sluppet af sted fra Sodoma og Gomorra i live, og så siden hen har slået sig ned her i byen. For ingen andre steder har man vel kendt til så syndigt et leben som nu også her!

Jamen, uha endda, siger konen derovre, og hun stikker

den ene hånd ind til manden og holder den anden op for munden.

Men jeg ville nu bare lige sige jer det ord om Søren Godiksen, siger Theodora. For han er virkelig en så enestående mand! Og så kan vi måske lidt senere hen, når vi også har fået en kartoffel, komme ind på noget af det andet, der er knap så behageligt at tænke på. Men Søren Godiksen er og bliver, som jeg siger, et i bund og grund hjertensgodt menneske!

Ordene vil blive ved med at vælte ud af Theodora Mathiesen. Hun kan mærke det. De har revet sig løs inde i hende, de er gået i skred. Hele aftenen vil hun komme til at bruge kæft.

Ingen, og slet ikke hun selv, kunne have forestillet sig at det nogen sinde ville ske. Men det er de her fremmede folk overfor. Så skønne de er at være sammen med. Nej, aldrig har hun tænkt at det nærmest kunne blive en fornøjelse at være med til sådan et gilde.

Selvfølgelig har Ellen god øvelse i at finde et eller andet at underholde sig med hvor end hun bliver sat. Hun kunne sagtens stå de tre eller fire timer igennem ved bordet med hvem som helst i nærheden, men allerede da Peders moster Dagny satte sig bare et par takker til højre overfor, var det et tegn på, at det nok skulle blive en aften, der af sig selv ville flyve af sted. Man kunne til den lyse morgen bare sidde og følge hendes grimasser, som forblæste skyer skifter de hvert sekund. Og da så Thomas Poulsens stødte til, var der ikke længere nogen tvivl. Det blev bombesikkert et rigtig grinagtigt sted at sidde.

Og han havde nok ellers villet tages lidt alvorlig, Thomas Poulsen, og derfor sat sig i nærheden af hendes far. Da han først var færdig med at gå rundt og tage sig ud, ville han vel vise, at han ikke kun i det ydre er noget ud

over det almindelige: han kunne som ingenting sætte sig
på bænken over for Ejnar Lundbæk; det er sammen med
sådan en mand han hører til. Og for Ejnars skyld kunne
enhver jo komme og ville snakke. Han sanser aldrig at no-
gen vil sleske for ham, og Rigmor er i alle tilfælde mere
end tilfreds. Hendes humør stiger himmelhøjt når hun er
i selskab med mandfolk, der ser så godt ud som Thomas.
Hun stråler som solen selv og giver dem det glatte lag.

Det tynger hende slet ikke at Hortense da også sidder
der. Det siger sig selv, værre er Thomas Poulsen heller ikke
end at han har husket at få konen med sig til bords. Men
hun gør aldrig meget væsen af sig, Hortense. Hun kom-
mer ikke meget til orde. Indimellem er hun alligevel så rar
at kigge på, synes i al fald Ellen. Og både rar og sjov, for
der er noget i hendes øjne, som om de indvendig måske
griner lidt på samme måde, når de sidder og bare hører på
de andre.

Der har været det spil i Hortenses øjne hele tiden, mens
Rigmor har ladet Thomas Poulsen høre for, at han er by-
ens førende spradebasse og ligner en rigtig sjofel udhaler
med de flæser på skjorten. Og spurgt om han har hældt
hele flasken med brillantine i håret, og om alderen allige-
vel ikke er ved at trykke ham, når han ved sådan nogle gil-
der halser omkring og vil kramme hvert et skørt, han får
øje på, som var han stadig toogtyve.

Og hvad hun ellers har kunnet finde på. Og Thomas har
besvaret det alt sammen med sit store, glade smil. Han har
jo ikke kunnet forestille sig at Rigmor mener den aller-
mindste smule ondt med noget af det. Nej, han véd så ud-
mærket hvordan det hænger sammen. Hun fryder sig også
bare – på sin egen lidt mærkelige måde – over at han er til.

Og Dagny har gang på gang bemærket hans uforstyr-
rede smil med den største lettelse, og hun er så igen ble-
vet forskrækket over Rigmors udfald, og er så straks igen

af Thomas blevet befriet for enhver bekymring. Og pludselig virker det nu som om han vil til at vise dem sit alvorlige ansigt.

Det får ham bestemt heller ikke til at se ringere ud. Og han sidder et stykke tid sådan og ligner et maleri, måske af en højtstående kommandant, og Ellen kan ikke helt regne ud hvad han gør det for. Hendes mor har ikke lige sagt andet til ham end at hun håber, at han til daglig er lige så galant over for sin egen kone og sørger for, at det groveste arbejde bliver gjort for hende, så hun også indimellem kan sætte sig og være en rigtig dame.

Det er ikke så godt med Hortense, siger han så.

Ikke så godt, siger Rigmor. Så må du vel til at tænke på at gøre det bedre!

Nej, det er skidt med hende, siger han. Det er alvorligt fat, Rigmor. Hun har ikke lang tid igen.

Hvad er det du siger, Thomas?

Det er Ejnar Lundbæk der har kunnet spørge. Rigmor stirrer bare langt væk.

Jo, sådan ligger landet altså, siger Thomas. Vi fik såmænd beskeden fra doktoren her den anden dag. Så jeg tænkte alligevel også jeg ville sige det til jer. Nu vi sidder her mellem gode venner. Og et halvt års tid, sagde doktoren, det er hvad hun havde tilbage, Hortense. Og så skulle vi endda være heldige. Ja, det er vel noget tæring. Der forneden.

Ellen har holdt øje med sin mor. Ventet hun meget snart ville komme med noget. Og hun har set på hendes hænder, at de var ved at ryste, og at hun så har taget dem ned under bordet, at hun sidder og knytter dem, hårdt, der i skødet. Og Ellen har sneget sig til at kigge op på Hortense som bliver ved med at rødme, som om hun ikke kun er ked af det, men endnu mere genert over at skulle snakkes om. Og det har så næsten været nemmere at holde ud at se på Dagny, for en gangs skyld helt stille i ansigtet, med åben mund og vand i øjnene. Hun ser nu simpelt hen ud som de *alle sammen* må føle.

Ne-ej, sukker Thomas Poulsen. Det bliver svært at blive alene.

Du skulle skamme dig skulle du, siger Rigmor så prompte.

Så, Rigmor, mumler Ejnar.

Han véd i det samme det er naragtigt. Han kan selvfølgelig ikke standse Rigmor hvis hun vil sige noget. Det er aldrig lykkedes ham, tværtimod, hun har så snarere sagt noget hun ellers ville have ladet ligge. Hun vil så absolut have sagt hvad som helst hun mener er rigtigt at sige. Og det kan altså også i hendes øjne blive rigtigt af at *han* synes, det er forkert.

Nu véd hun nok alligevel ikke hvad hun skal tro. Hvad det ville være på sin plads at sige. Og han véd det heller ikke selv. Han véd det vel langt mindre, det er derfor han nu tænker på Søren Godiksen. Som hver eneste gang han er i tvivl om noget.

Søren Godiksen melder sig da straks i hans tanker. Begynder at kunne tænke dem for ham. Så det er ham han spørger, når han nu spørger sig selv, hvad han skal sige til Thomas Poulsen. Eller om han skal sige det til Hortense, eller noget andet vel så til hende. Ja, hvem ville Sørens blik nu falde på? Hvad for nogle ord ville han hente i sig? Ville han bare småsnakke dem frem, eller måske alligevel sige noget bestemt? Er det mon ikke sådan en lejlighed? Ville han ikke sige noget på en måde så de kunne forstå, at han nu havde sagt, hvad der skulle siges?

Ejnar kan ikke høre det. Ikke tydeligt nok. Det hjælper ham nu i al fald at prøve på det. Han får altid en særlig ro i sig når Søren har indfundet sig i hans hoved. Det har altid gjort ham godt. Og det er jo også kommet så naturligt, for der er mange ting i livet, Søren har gjort før ham. Selv om han kun er de få år ældre. Det meste er han alligevel kommet med i, som hørte han til forrige slægtled, han har ligesom så tidligt vidst, Søren, på en eller anden måde, hvordan alting skulle gøres, og hvad der skulle siges, og hvordan. Ejnar havde allerede indset det da Søren ikke længere ville være formand for brugsforeningen, og han selv måtte forsøge sig med det. Og da Søren heller ikke længere havde lyst til at være formand for mejeriet, og han selv blev den der skulle magte det.

Han havde da i tankerne kunnet lade Søren blive ved med at gøre det på *sin* måde. Så det blev godt nok gjort. Og mere end det – men en enkelt gang eller to, der som yngre, da havde han vel også villet skubbe ham til side, i sit hoved. Han havde villet spørge sig selv, og ikke nogen andre, om der ikke var noget usselt ved evig og altid at skulle søge Søren Godiksens mening i sig selv. Om han ikke burde tænke det hele på egen hånd. Men det kunne ikke nytte noget, aldrig når der var noget alvorligt på færde. Eller der bare kom en sag der gjorde ham utilpas, urolig, så var han nødt til at søge hjælp og forestille sig, at Søren ordnede den, før han selv rigtig kunne finde ud af det. Og sådan har det været siden.

De står sammen. Og mange gange har Ejnar også, og det kan ske den dag i dag, fornemmet det som om de var *omvendt* sammen, og som om det var ham, der var kommet ind i Sørens hoved, og hans eget ansigt var blevet til Sørens. Så han endda ikke har kunnet holde sig fra at mærke efter. Det kan overgå ham selv når han går alene i marken og spekulerer, at det så virker så livagtigt, som om han går rundt med Sørens ansigt. Hvor vidt forskelligt de end ser ud, og han har taget begge hænder op til ansigtet for at føle efter, om det da var blevet på størrelse med Sørens. Om det virkelig var Sørens tykke, tunge ·høser han bar på. Og han har ikke været sikker på nogen ting før han havde sit eget smalle og skarpe kranium mellem hænderne. Men mere end som så har det heller ikke generet ham. Ellers har han jo kun haft grund til at være tilfreds med at han var med ham. De tusind gange han er blevet reddet.

Skønt lige her vil ingen redning vist vise sig. Nej, selv Søren Godiksen véd nok ikke engang råd. End ikke han har nu ·monnet der skal til.

Det er nu også ud af den mistrøstighed han bliver kaldt tilbage, Ejnar. Når frem igen fra sine tanker, til bordet mellem de andre, og det kommer ham så for at de allerede sidder og morer sig.

Nej, tak skal du have, siger Hortense. Tak skal du sandelig have, Ellen!

Nej, for hvad da, må han spørge.

Hører du ikke, Ejnar, hun vil gerne komme og hjælpe mig, siger Hortense.

Det kan jeg jo godt, siger Ellen. Hvis bare hun skubber mig hen til det, der skal gøres!

Ejnar Lundbæk kan forstå det er sjovt, men han får også straks tårer i øjnene. I sine helt egne øjne. For hvor skal de være taknemmelige for den pige. Som går det trods alt retfærdigt til her i livet.

At Han deroppe har givet hende så god en forstand, og så stort et hjerte. Når Han nu ikke mente at hun skulle kunne gå.

Orla Jensen er søgt ud i forgangen bag køkkenet, han vil være alene.

Han vil være alene med sig selv og hvad han har i lommen og hiver det begærligt op. Skal også være inden det bliver for mørkt. Her ved ruden i yderdøren må han kunne se. Og først endda alt for tydeligt, hvor krøllet det er blevet i hans lomme, hans brev. Har jo ikke kunnet holde fing-rene fra det dernede i sin lomme, og så grimt og fedtet det er, både øl og suppe har han vel indimellem spildt på sig.

Nåmen skriften er til at tyde endnu. Han kan se sit navn der øverst på papiret. Orla, med et mægtig stort O. Lige-som K'et. Det er trods alt det der betyder noget. Hvad hun har skrevet til ham, Emma. Med sine mægtig store forbog-staver. Kære Orla, står der. Kære Orla, og han kunne blive ved med at granske de to ord.

Må nu straks videre. Må have det hele læst. Må ellers vente til i morgen. Kan jo ikke tage brevet frem inde i sa-len, når der bliver tændt lys. Må ordentlig igennem det herude ved ruden, nogle flere gange, så han kan huske hvert ord og have dem med sig resten af aftenen, tænke på dem hele natten. Til der bliver lyst igen, og han kan læse det igen, for hjemme på kammeret går det heller ikke før. Hans Peter vil blive tosset hvis han tænder deres lys og sætter sig til at læse der midt om natten. Og han holder brevet tæt op ad dørkarmen, og læner sit hoved op mod ruden, så han bedst kan se blækket. Kære Orla. Og hvad hun ellers har skrevet. Og hvad der så står.

Du skal have tak for din hilsen, står der. Det er dejligt at høre, at I er blevet færdige med at så. Jeg var også glad for, at nummer fjorten er blevet rask igen, når hun nu mal-ker så godt, som du siger. Hvis du passer lige så godt på dig selv, lille Orla, så skal det nok gå alt sammen! Jeg har det selv som blommen i et æg her på skolen. Her kommer så mange skønne og glade mennesker, så det er, som var her hver dag fest.

Venlig hilsen Emma.

PS: Du går vel ikke og kysser Frida …

Det véd hun godt jeg ikke gør, siger han halvhøjt. Og gentager det. Véd hun da godt. At jeg da er fuldstændig ligeglad med Frida. At hun da også er alt for gammel til mig. Ville aldrig i livet have hende. Aldrig nogen sinde røre hende. Aldrig nogen andre.

Orla læser Emmas brev igen. Lige så stille, ord for ord. Og så en gang til noget raskere.

For han er allerede ved at kunne huske det hele udenad. Og måske er det også kun noget hun har skrevet for at lave sjov, det med Frida. Kunne måske godt ligne hende. Selv om hun aldrig har været nær så pjattet som sin søster. Langtfra som Mary. Men det kan være der er flere andre på den der skole, der er sådan. Så de kan have smittet hende med det. For hun kan ikke for alvor tro på at han gør det. Det véd hun godt. Hvis altså ikke hun virkelig skulle være bange for det. At han skulle kysse Frida. Ligesom han kan være bange for at hun går og kysser nogen. For det står der selvfølgelig. På en måde. At hun ikke håber han gør det. Hvis det skal forstås helt bogstaveligt. Så må han ikke kysse nogen andre for hende. Det vil han heller aldrig.

Han læser brevet igennem et par gange og tre til. Og han kunne grunde længe over hvert eneste af hendes ord, og det skal nok også komme igen, i morgen, men nu her, hvor mørket snart er ved at lukke bogstaverne for ham, og vil holde dem lukket i så mange timer, her står det for ham som om de i sig selv betyder så meget mere, end de ord de danner. Hvert enkelt af bogstaverne hver for sig, og sådan som hun har hægtet dem sammen med sin pen. Det er det han nu vil have med sig til natten. Billedet af hver en streg og prik og runding hun har tegnet. For det er hun selv i. I alt det kan han se hende, som sad hun lige her ved ham.

Som var hendes hår faldet ned over papiret. Sådan er det han allerførst har kunnet fornemme at hun er til stede mellem hans hænder. På papiret, da det lige et øjeblik blev væk i hendes store, vilde hår. For så har han også kunnet se *hendes* hånd for sig. Den med pennen, hun har den dér ved sin tommeltot, for enden af pegefingeren der knækker lidt bagover, og den anden hånd, det er som om hun har lagt den op om halsen. Der under øret, det gør hun så tit når hun sidder sådan ved et bord, lægger sin åbne hånd-flade ind mod huden, der er så hvid der omme ved nak-ken, ser så blød ud. Det er den venstre hun skriver med. Det er den der bevæger sig efter bogstavernes form. Og de bevægelser kan han nu følge op gennem hendes arm, hele vejen op under de korte ærmer, og de sætter sig så inde bag hendes runde skulder. Men alligevel ikke helt, for pen-nens sving og streger op og ned går længere ind gennem hendes krop, så også den anden skulder rokker en smule frem og tilbage, og hvert bogstav tegner sig da ned gen-nem hendes bryster, med hver deres anelse af en dirren under hendes lysegule bluse, og de fortsætter, de går vi-dere endnu, skråt over mod hendes hofte, den højre der bugter sig langt ud til siden, og rokker så småt over sædet der, for hun har lagt det ben op over det andet, og helt ud i den anden ende, ned gennem hendes lår og knæ, helt ud i hendes bare tæer kan han fornemme hvad der sker oppe mellem hendes fingre, hvert eneste lille vrik og hop med pennen, som bogstaverne får hende til.

Han kan stadig lige se skriften, tæt ved vinduesglasset. Så han også med sin egen finger kan følge den, bogstav for bogstav. Og mærke hendes bevægelser op gennem sin egen arm, den højre han bruger, men den er nu som ét med hendes venstre, og hele hendes skrift og hendes bløde skulder mærker han igennem sig, på én gang i sig selv og imod sig, hendes bryster under blusen der dirrer, ja, lige den anelse der, og hendes hofter der bugter sig og rokker, ja, han kan mærke hendes pen og dens bevægelser ned gennem sine egne lår og helt ud i tæerne, han kan mærke hende mod sig og i sig, som var de blevet ét. For sådan har hun skrevet dem sammen, bogstav for bogstav, på papiret han har stået her med, mens mørket er faldet på, sådan har hun forenet dem i de bogstaver han nu ikke længere kan tyde. Bare tage papiret op og trykke det mod sin mund, og han krammer det ud over sit ansigt.

Volmer Viderup, og Tove, ja. Også en sag dér vi lige skulle have ordnet. Siger Søren Godiksen til sig selv. Men allerede for tredje eller fjerde gang. Jo ingen af gangene blevet færdig med den, knap fået begyndt, knap kunnet se at nogen ordning var mulig. I grunden ikke helt klart kunnet se hvad det er for en slags sag. Men ordnes skal den. Så meget véd han.

Og det vil den blive. Han kan fornemme det i maven nu han har lænet sig lidt tilbage, at den ro der skal til, og som de netop forstyrrede for ham, Volmer og Tove, der lige før sangen skulle synges, den ro han så længe har måttet savne og søge, for igen at kunne tænke en tanke, den er omsider ved at finde plads i ham. Den breder sig i kødet af ham, er ved at svale hans blod.

Forklaringen ligger endda ligefor: det kommer fra Peder. Det er jo fordi Peder nu er færdig med at rende rundt og har sat sig til rette her mellem Stinne og ham selv, derfor at ingenting mere kan spolere hans almindelige forståelse for, at alting er, som det skal være. Og fordi han har lagt en hånd om drengens skulder og hviler den dér og kan mærke hans hals ved sin tommel – og det er som henter han kraft igennem den – derfor véd han nu også, at han straks tør finde en ordning på den der sag: at Vorherre vil sørge for at det bliver den rigtige.

Heller ingen vil snakke til ham, mens hans tænker. Stinne har travlt med dem til hendes side, eller med at råbe og vinke ud over hele forsamlingen. Hvert andet øjeblik prikker hun til én her og en anden dér med sit højt fornøjede fugleblik. Og Peder, han skal nok slet ikke have mere sagt i aften. Han har røget sig hudløs i hele kæften, har han lige ladet forstå. Og ellers kun fået de ord frem at han aldrig i sit liv vil ryge tobak igen.

Det morede også Stinne at høre. Hun troede det nok ikke, men Søren var med det samme kommet i tanker om sin far, den gamle Peder Godiksen. For det ville blive sjovt at se, om drengen virkelig så nøje skulle slægte ham på. Ham han var opkaldt efter. Om Peder her da også skulle blive sådan en mand der fra det ene øjeblik til det andet – og ud fra en i og for sig helt tilfældig historie – kunne træffe de største afgørelser, og så siden hen aldrig ville være til hverken at tale eller true fra dem igen.

Det var nok ikke den nemmeste måde at være til på. Hans far havde været nødsaget til at stå imod ikke bare hvad verden ville, men også hvad han selv ville. På den måde havde *han* så vundet en smule fornuft. Enhver måtte sådan forholde sig som han nu var skabt, selv har Søren aldrig haft meget af den slags gammelsind. Han har aldrig villet lade en enkelt ting til evig tid bestemme hans syn på alt andet. Det kan så måske have tvunget ham til at tænke noget længe over alting. Gjort ham noget sen til at sige hvad der måtte være meningen med det ene og det andet.

Skønt han nu allerede er ved at ville sige om de her forskellige menneskenaturer, at de vel i sig selv kunne være meningen. Og at det er godt at han selv er blevet anderledes end sin far, og godt at Peder igen måske vil blive anderledes end ham selv. Godt for Bisgaard.

Og Søren fløjter et par toner, og så et par til frem for sig, og han kigger ned til sin mor på sin venstre hånd, nå ja, hun havde måske af og til lidt under den gamles stivsind. Men nu nok også glemt alt andet end det bedste hun vidste om ham, Ane, sådan snakker hun mere og mere. Det bliver seks år siden han døde her, Peder Godiksen, og i hendes mund har der snart aldrig levet en skønnere mand.

For resten vil hun heller ikke forstyrre ham med noget nu. Det er ikke fri for at hun sidder her ved ham og tværer en smule. Hun har ikke mælet et ord siden de satte sig. Er vel stadig noget misfornøjet med at hun ikke skulle sidde sammen med sine folk derhjemme fra Thy, og snakke sit sprog også hele aftenen. På den anden side véd hun selvfølgelig godt hvor hun hører til.

Men det var nu Volmer og Tove.

Og han behøver jo slet ingenting at forstå af det. Det er hans første klare tanke. Han behøver ikke at bryde sin hjerne så meget som et øjeblik mere med hvad der gik af dem.

Det vil aldrig blive umagen værd. Der er ingenting i det der fortjener andet end at blive glemt. At de kunne sidde her midt mellem hans gæster og overdænge hinanden med ukvemsord. At de kunne vise hinanden sådan en foragt, og værre end det, at de kunne vise deres egen pligt den foragt. Deres simpleste pligt som ægtefolk.

Allerførst, mens der blev sunget, var det sådan gået ham på, han havde ikke engang kunnet samle sig til at synge med. At de var kommet og ville være hans gæster, Volmer og Tove, uden dermed også at ville respektere ham. Uden at ville bøje sig for ham. Bøje sig for nogen almindelig orden. Han havde ikke kunnet opfatte det anderledes end at de fornærmede ham. Men især da Vorherre, det sagde sig selv. Ja, både ham selv og Vorherre var de kommet og havde fornærmet, som om han ingenting var. Som om de sad her for bare at æde hans brød. Som om de ikke foran alteret havde lovet Ham foroven, og alle mennesker, at leve sammen i fordragelighed.

Så havde han fået sin suppe. Han havde prøvet at tænke på den, på alt andet end Volmer og Tove og deres forbandede frækhed. Da de alligevel ville melde sig i hans tanker, nægtede han med det samme at blive gal igen. I det mindste ville han ikke selv være så urimelig at sidde her i salen og skumle foran alle de andre, der kun havde villet ære Stinne og ham selv ved at komme til deres fest.

Han måtte da i stedet forsøge at finde en årsag til det de var blevet vidner til. Han har siddet og grublet over hvem de kunne have deres skamløse blod efter. Han har kendt både Volmers og Toves forældre og aldrig troet at der var andet at sige om nogen af dem, end at de var gudfrygtige og skikkelige folk. Og han har grublet over om de forældre alligevel, enfoldige som man også havde lov at kalde dem, om de mon alligevel havde sat ondt i verden ved at godtage noget tilfældigt kæresteri mellem Volmer og Tove. Om de ikke havde formået at få rede på hvem deres børn var, og hvem de så måtte søge at gifte dem med.

Men han har aldrig hørt eller hæftet sig ved nogen historie fra Volmers og Toves unge dage. Ikke kunnet komme nogen vegne med nogen forklaring nu.

Derfor han endelig kan trække vejret fuldt igennem og fløjte igen. I samme øjeblik han kan sige sig selv at der intet er at forstå. At det eneste, han skal foretage sig, er at få Volmer og Tove sendt hjem.

Så véd han straks det hele. De skal have en bid af stegen før de går. Han vil sige til Hans Peter at han skal byde Volmer på en øl til også. Så vil han selv rejse sig og gå ned til dem. Han vil spørge dem om de måske ikke hellere vil hjem med det samme, og så vil han følge dem ud gennem salen. Og så vil han endelig, når folk alligevel er blevet stille, så vil han sige, nede ved døren, at Volmer og Tove ikke føler sig så godt tilpas og er nødt til at gå hjem.

Det vil folk så forstå. At *de* heller ikke skal lade dem høre mere for det, Volmer og Tove, hvis de aldrig gør det igen. At det så for ham selv vil være som var det aldrig sket. Det vil de da forstå, folk i byen, at det er sådan han ser på det, når han rækker Volmer og Tove sin hånd.

Skal Else Andersen mon have besked, spørger Stinne. Hun kender melodien han hvisler frem mellem læberne. Han vil nu kunne høre hvad hun siger. Eller kommer hun med kartoflerne når det passer hende?

Det vil jeg tro, svarer Søren.

Det lød skidt med Volmer og Tove, siger Stinne. For selvfølgelig har hun vidst hvad han har siddet og ruget over.

Tror du ikke de måske hellere snart vil hjem?

Det er nok muligt, svarer han.

Men lad dem nu lige først få en bid steg også, siger hun.

Ja, jeg tænkte også hvis Volmer skulle være mere tørstig, siger han.

Ja, selvfølgelig, siger hun. Jeg håber da ikke Hans Peter glemmer at byde ham en øl.

Nej, mon, siger Søren.

En skam til din egen konfirmation at du slet ingenting har lyst til, siger Stinne til Peder, med en finger over hans kind. Men når du nu ingenting kan få at spise, så må du jo se at få så meget desto mere ·lide af dansen, når den tid kommer!

Hvis han ellers kommer, siger Søren. Jeg mindes før han er blevet væk.

Nå ja, måske hvis du ville have ham til at luge roer, siger Stinne. Skal der spilles, så skal han nok være på pletten!

Og Søren har jo da også vovet at bestille den her Alfred Zachariassen. Nu fordi Stinne har hørt ham rost så kolossalt. Skønt han aldrig har været det mindste bevendt til noget andet. Har næsten med det samme igen måttet skille sig af med ham, de gange han har prøvet at få lidt arbejde ud af ham. Men altså gnide på sin violin, det siges der jo, det skulle han endda været helt ·villele til. Skulle alligevel undre ham.

Spørgsmålet om skilsmisse

De kom aldrig fra hinanden, Tove og Volmer Viderup oppe fra Møllen. Om de faktisk i det daglige blev ved med at rives, som man havde hørt dem til Peder Godiksens konfirmation, var det ikke så nemt at få svar på, for de holdt hverken karl eller pige. Og trods alle Sørens forsonlige fagter, den aften, var der ikke mange, der som førhen kom til deres dør.

Under den smule omgang de så trods alt kom til at pleje med andre mennesker, kunne det måske se ud til, at de havde et par milde øjne tilovers for hinanden. De fleste ville dog altid mene at enhver sådan idyl var en komedie, de nu tvang sig til at spille, når de var i byen, og at det tydeligvis faldt dem uhyggelig svært.

Synet af dem løber mig koldt ned ad ryggen, sagde Rigmor Lundbæk på sin manér.

Hverken hun eller nogen anden kom på den tanke at det måske ville være bedst for dem at skilles. Næppe heller de selv, i al fald ikke i tide, for de var begge oppe omkring de firs, da 'skilsmisse' i løbet af 1960'erne begyndte at tegne sig som en løsning, det også var muligt for staunboer at tage i betragtning.

Naturligvis havde man allerede længe været klar over at det forekom i byerne. Det var da en af mange sikre bevisligheder for at disse byer var befolkede af en slags personager, der lod sig lede af deres tilfældige lyster; der for en hvilken som helst grille var parat til at ødelægge deres familier; der til enhver tid satte deres egen behagelighed over børnenes tarv; der i det hele taget var gennemført upålidelige og selvfølgelig heller ikke regnede deres eget ægteskabsløfte for en lunken skid.

Kort sagt altså folk der med de kønneste undskyldninger på læben, og vammel snak om deres følelser og deres lykke, opførte sig som tølpere og skøger.

Enkelte forstod jo da også at byfolks urimeligheder kunne hænge sammen med at de ikke havde ansvar for noget i verden, og at man derfor vel burde anse dem for børn og ikke laste dem for unådigt. Ud fra samme skånsomme forståelse kunne man samtidig undgå at rose sig selv. Man var som bonde så at sige kommet naturligt til sin trofasthed: ingen, der ejede jord, kunne finde på at sætte noget som helst andet over hensynet til den jord. For jorden ville ethvert par ægtefolk holde sammen til det sidste, og om de imens var lykkelige – nå ja, det ville de i al fald nok være den dag de overdrog deres gård til det næste slægtled og kunne sige, at den slet ikke var ringere, end da de selv havde fået den i arv.

Alligevel havde byen engang oplevet et par løjerlige tilfælde af ægteskabsbrud. Hermed tænkte man slet ikke på hvad der kaldes hor og utugt. Den slags fandt naturligvis sted når lejlighed bød sig, og som det havde gjort siden de første fiskere i oldtiden slog sig ned der på stedet. Man havde altid kunnet få kik på hinanden på tværs af alle kirkeløfter og ejendomsforhold, og man kunne også indimellem få sig bragt sammen på steder hvor ingen og intet – så vidt man lige kunne se – stod i vejen for at lade lysterne rase ud.

Derpå holdt man hændelsen skjult. Hvis ægtefæller, forældre, søskende eller forhenværende, forhåbningsfulde, på forhånd sejrsikre kærester eller andre nært berørte alligevel opdagede – eller fik fortalt – hvad der var på færde, ville også *de* i almindelighed forsøge at lade som ingenting. Det var heller ikke i deres interesse at huske på det, og havde man alligevel svært ved at glemme det, kunne man i det mindste afholde sig fra at snakke om det, frem for alt med nogen tredjepart.

Der skulle ikke yppes kiv – hvor festligt det end kunne have været nu at forestille sig, at staunboerne på en eller anden måde var blevet smittet med adelens og ridderskabets æresbegreber og derfor havde følt sig forpligtet til voldsomt at hævne den mindste svækkelse af deres kvinders dyd. Men de kom aldrig i kontakt med sådan nogle ærekære mennesker, og de ville ellers også have vist sig immune, for de havde ikke råd til andet. Slog man naboen for panden, hvad skulle man da stille op med hans kone og hendes unger? Og huggede man øksen i bådebyggeren, kunne man måske snart ikke gå på fjorden uden at ens kåg med det samme stod halvt fuld af vand. Rent bortset fra at man vel også blev hængt.

Nej, de her ægteskabsbrud var på ingen måde begrundet i hor, tværtimod faktisk. Og det drejede sig altså om hele to tilfælde, og det at de begge indtraf med få måneders mellemrum i slutningen af tyverne, er vel en af grundene til, at ingen af dem kunne gå i glemmebogen.

Hovedpersonerne hed Georgine-Bent og Annæus Fiskesti. Hvad der umiddelbart gør krav på et par kommentarer: For det første var der selvsagt to hovedpersoner mere, nemlig de to mænds ægtefæller, men disse kvinder var begge blevet hentet udensognsfra, og de opholdt sig så kort tid i byen, at de færreste nåede at opfatte deres navne, og de svedte dem så også straks ud igen.

For det andet var herrerne jo selv forsynet med gode døbenavne, Bent Aage Christiansen og Annæus Holmager, og at de altid og alle vegne kom til at gå under deres øgenavne, var ikke udtryk for nogen som helst ringeagt; det er da også hér en simpel efterabning af den virkelighed hvori de to – med usædvanlig konsekvens, men uden nogen mangel på varme – blev kaldt sådan, og hvori deres rette navne snarere ville have haft en kold og fremmed klang.

Det er også muligt at anvendelsen af deres fulde navne blev holdt tilbage som følge af deres lange ungkarlestand. Ægteskabet kunne mange gange få et øgenavn til at gå næsten helt af brug. Som om en mand først med vægt kunne hævde sit døbenavn, idet han ved siden af sin brud foran alteret erklærede sig indforstået med at stifte familie. Det var hverken Georgine-Bent eller Annæus Fiskesti nået frem til inden de fyldte fyrre.

Men det skulle der nu rådes bod på. Georgine-Bent traf sin tilkommende ved Rebildfesten i 1928. Der var han sammen med sin mor taget på udflugt, dér den 4. juli, for at møde nogle slægtninge fra USA som netop var rejst til Danmark for at fejre de to nationers venskab.

Efter talerne fik de alle sammen deres kaffe i restaurationen, og her kom hans mor så godt i snak med en af serveringsdamerne. Det kom frem at hun var enlig, og Mette Christiansen skrev derfor senere på sommeren til hende og bad hende komme til Staun og besøge dem på Østergaard, så snart restaurationen lukkede ned for vinteren.

Serveringsdamen kom da i begyndelsen af september. Og hun syntes godt om byen, og hun syntes godt om gården, og som alle andre mennesker syntes hun jo også godt om Georgine-Bent. Frem for alt faldt hun pladask for hans velholdte have og for hans yndlingsplante der nu blomstrede på det skønneste i sine gyldne, mørkerøde og blåviolette varianter. Og mens han var ude og røgte og malke, indgik hun i den pæne stue en aftale med Mette Christiansen om ægteskab. Serveringsdamen og Georgine-Bent blev gift til Mortensaften der det år faldt på en lørdag.

Annæus Fiskesti lod sig muligvis lokke ved tanken om

det bryllup. Men som Georgine-Bent havde han også sin mor i huset, og hun skyndede i hvert fald på ham lige fra de hørte om forlovelsen på Østergaard. Hun mindede ham nu dagligt om at han snart blev den eneste af byens mandvoksne, der ikke havde taget sig sammen til at få en kone i sengen. Og vinteren stundede til, og Annæus havde ikke meget at bestille med sine ørreddamme, så det kunne også være af bar kedsomhed at han satte en annonce sammen og sendte den til Aalborg Amtstidende.

Inden jul havde han endda bestemt sig for hvem det skulle være. Der var straks kommet en del svar, og han havde svaret med nærmere oplysninger på fire af dem. Af de to der så fortsat var interesserede, valgte han den yngste. Hun var tilmed barnløs, og hun kom på besøg fra Aars og virkede stilfærdig og beskeden, og heller ikke Annæus Fiskestis mor kunne se nogen grund til at tøve længe med brylluppet. Det blev holdt, med brudens forældre og et par af gommens morbrødre og deres koner som gæster, i marts 1929.

Dette ægteskab bestod i tre uger. Men allerede inden Annæus Fiskestis unge kone var rejst tilbage til sine forældre i Aars, var også konen på Østergaard rejst fra byen med et sidste farvel til Georgine-Bent.

Det var sket ganske få dage efter at Annæus Fiskesti var indtrådt i ægtestanden, men Østergaard-folkene havde dog så allerede holdt sammen i næsten fem måneder.

Den forhenværende serveringsdame fra Rebild Bakker nåede alligevel ikke rigtig at kende nogen i byen. Kun en enkelt havde hun engang i vinteren halvvejs klaget sig over for, og det var ingen ringere end Ane Godiksen. Ikke fordi Ane havde fået meget mere at vide end hun på forhånd kunne have sagt sig selv, nemlig at Mette Christiansen på Østergaard ville bestemme alt – både ude og inde, fra morgen til aften – og at hendes søn ikke var mand for at mæle det spageste ord imod det, og at de for resten, moren og sønnen, ikke brød sig om at snakke med andre end sig selv og måtte behandle den her nye kone på gården ringere end nogen tjenestepige.

Ingen andre fik dog bare så meget af en forklaring på hendes flugt fra Østergaard, for Ane Godiksen var ude af stand til at sladre, selv over for sine nærmeste. Havde hun opfattet det som betroelse, hvad der blev sagt til hende, kunne hun aldrig igen komme af med det. Men derfor kunne hun jo godt gøre brug af sin viden på anden vis.

Som mange år senere ved en kaffekomsammen, hvor de to ægteskabshistorier for hundredogsyttende gang var til komisk behandling, og flere af mandfolkene var kommet langt ud i spydige formodninger om Georgine-Bents klokkeværk, ja, da oplod Ane sin røst og spurgte, hvem af de tilstedeværende der i sin tid havde haft ·mon og hjerte til at tøjle Mette Christiansen og nogen sinde havde vovet at tale hende imod. For skulle der have været en enkelt, så ville Ane gerne høre, hvad han endnu kunne have at sige, men ellers ville hun bede dem alle om at holde deres beskidte kæft.

Om Annæus Fiskestis særlig korte ægteskab blev der sædvanligvis sagt at hans mor efter brylluppet som førhen ville ligge i sengen med ham, og at Aars-pigen altså ikke længere end de tre uger kunne holde ud, at hun aldrig fik ham for sig selv.

Hvordan det end måtte forholde sig, så er det ikke usandsynligt at både Georgine-Bent og Annæus Fiskesti senere i deres århundrede var blevet rubriceret – med et ord hverken de eller andre i byen dengang kendte – som homoseksuelle. Naturligvis heller ikke utænkeligt at de så selv havde opfattet sig sådan. Men de kendte ikke ordet, og de kunne ikke af sig selv opdage den mulighed at et samliv mellem to voksne mænd var til at stable på benene.

De indvilligede da i et enkelt eksperiment med kvinder, og de blev så blot forladt og uden mange beklagelser, og de slog sig til tåls ved tanken om ungkarletilværelsens fordele. Skønt de på ingen måde ønskede at benytte sig af dem, og de fortsatte uden videre på samme vis da deres mødre var døde, og de levede stilfærdigt videre i deres ensomhed og med deres øgenavne til de selv skulle herfra.

Homoseksualitet, nej, ingen havde hørt om det, ordet var ukendt. Men sagen var naturligvis ikke. Den blev for det meste omtalt som røvpuleri. Med flere lag af uvidenhed og unøjagtighed indbygget, for røvpuleri betegnede både det ene og det andet, og eksempelvis også det forhold at visse enlige mænd og vældig mange unge knægte af og til kunne se deres snit til at springe på en kviekalv.

Den slags nødløsninger blev takseret med nogenlunde samme overbærende blikke som dem, der mere eller mindre så bort fra den evindelige og gensidige gnubben og pulen, der nu som altid før gik for sig i karlekamrene. Hvor de også holdt dreng – der da som regel lå hos forkarlen – blev der nok en gang imellem tale om ret langvarige og følelsesladede forhold. Men uanset vægtningen af sjæl og saftspænding havde de færreste rigtigt noget at indvende mod alt det dér, som man med Enoksens ord måske kunne kalde naturens ret. Og ingen ville heller have kunnet finde på noget som helst at sige til det, hvis Georgine-Bent og Annæus Fiskesti ellers selv kunne have fundet ud af at slå pjalterne sammen.

Hvis de da i øvrigt havde brudt sig tilstrækkeligt om hinanden. Der var ikke noget der tydede på det, og heller ikke noget der tydede på det modsatte. Man så dem aldrig i snak. Og ikke fordi man tænkte over at man ikke så det, ikke før man senere hen kunne tænke, at de måske endda havde undgået hinanden. At de måske endda havde været bange for at falde i snak.

Tiden ville på ingen måde have hjulpet de to med at fatte det mindste mod. Tiden var overhovedet ikke indstillet på at der skulle overlades dem ét eneste lykkeligt øjeblik sammen.

Den har sin egen gang, tiden. Den vil over lange stræk holde skjult for alle, hvad der bliver åbenbart for enhver, i det samme den omsider skifter kurs. Og den går så videre, rokker sig af sted i sin pyramidalske skikkelse, og lyset og mørket bliver anderledes fordelt på Jorden, og andre end før kan med deres væsen rette sig op og vokse fuldt ud, og nogle som længe og i al selvfølgelighed har blomstret, må nu visne. Og det kan virke så ganske vilkårligt hvem det bliver, og hvornår det sker, og som tilfældigheder hvad tiden vil lade nogen, og ikke andre, se og forstå.

Den går jo bare sine veje; og aner en enkelt alligevel noget dér forude, forstår han en stump af hvad der gemmer sig bag tidens slagskygge, så hjælper den ham aldrig med at lade andre begribe den utidige indsigt, og den bøjer på ingen måde deres modvilje mod at høre på ham. Den lader dem villigt forbyde ham at tale. Blot ved at gå som den gør og fortsætte ad egne uforudsigelige veje. For det er alt hvad den vil og kan i al sin magt, tiden, fortsætte sin gang, skifte kurs her og der og så fortsætte og fortsætte, med alle mennesker i sin lomme, og den har intet for med dem, og den lader dem gerne krybe op af foret hvis de kan. Lader dem uden at blinke springe ud i evigheden som en tot uld.

Og ægteskabet mellem mand og kvinde lod den her tid jo altså gennem århundreder være synligt som det alene tilladte og den for samfundet ubetingede nødvendighed og – hvis enkelte stadig ikke havde fattet det – som en af hovedbestemmelserne fra oven. Kunne man ikke stille sig tilfreds i ægteskabet, måtte man lide under det, og da tiden endelig meldte anderledes ud og gav frit udsyn og adgang til skilsmisser, har ikke så få mænd og kvinder vel forbandet det forhold, at de var født for tidligt til rigtig at få nogen fornøjelse af denne nyudstedte tilladelse. Det blev nu så sent som hen mod slutningen af 1960'erne at tiden nåede helt til Staun og kunne forkynde sit skilsmissebudskab. Og lige først havde mange endda svært ved at tro, at det kunne være dens alvor. Skilsmisse havde ligget for langt ud over hvad noget almindeligt menneske kunne forestille sig, og skilsmisser havde man jo heller aldrig i virkeligheden set i byen – hvad Georgine-Bent og Annæus Fiskesti havde udstået af forfjamskelser desangående kunne ikke regnes for *virkelige* skilsmisser. Blandt andet jo også fordi skilsmisser egentlig ikke var noget, der forekom dér i byen.

Men tiden forklarede sig nu tålmodigt over for de vantro. Næsten som om den havde været rede til at standse op en stund, stille sig midt i byen og udpege alle meningsløsheder i den for et øjeblik siden forsvundne mening:

Der er nu ingen som helst grund til at I skulle blive sammen for gårdens og arvefølgens skyld, jeres unge mennesker henter jeg alligevel til byerne til andre formål, og jeg har for nylig åbnet for etableringen af nye ejerforhold i form af anparts- og aktieselskaber også i landbruget! Og der er ingen som helst grund til I koners frygt for at I ikke kan forsørge jer på egen hånd, jeg skaber dagligt tusinder af arbejdspladser netop for jer kvinder, ja, også lige heromkring! Og der er heller slet ingen grund til bekymringer for børnenes tarv og hvem der skal passe dem, for jeg indretter i ét væk vuggestuer og børnehaver hvor de får det uendelig meget bedre, end de nogen sinde har haft det hjemme hos jer selv! Og først og sidst og frem for alt, der er ikke det der kunne ligne en fornuftig grund til den vageste betænkelighed ved nu bare at lade jeres lyster råde – og hvorfor tror I for resten jeg forleden rakte jer p-pillen? – nej, I kan nu med den bedste samvittighed af verden sætte jeres begær og jeres grådighed over et hvilket som helst andet hensyn, for jeg er ved at få gang i en ny økonomi, der over-hovedet ikke kan klare sig uden! Ja, hvis egentlige og stør-ste og stærkeste drivkraft er hver eneste af jer og den sam-lede effekt af jeres alle sammens totalt frigjorte begær og grådighed! Forstå det *nu*! Jeg skal videre!

Så forstod folk det også. Og for mange kunne det så heller ikke gå rask nok med at få det prøvet. Det halve af byen, eller så det halve af det halve, tog fat på at give hinanden anledninger til skilsmisse og frem for alt: lade dem komme åbent frem, og begge dele med en så rastløs og fandeni-voldsk ihærdighed, at hele den vilde tummel – hvor tids-svarende den end måtte siges at være – kom til at tage sig ikke så lidt grinagtig ud.

Grinet blev endda hængende og ramte derfor også de tre skilsmisser der faktisk fandt sted, allerede inden året 1969 var omme. Skilsmisser der splittede par og familier, som længe havde givet det udseende af at være solide og måske nærmest hyggelige, og som i al fald tidligere ville have væ-ret urørlige af alt andet end døden; men det forfærdelige og sørgelige der – sådan set jo – også var ved disse bratte op-brud, det tilføjede kun latteren over de almindelige udskej-elser ny styrke og nye biklange. Skingre og gustne, sner-rende eller deliriske, alt efter hver enkelts gemyt.

Det begyndte vist med at murermester Holger Vester ved en lejlighed byttede kone med gårdejer Henning John-sen. Agnete Vester flyttede derpå sammen med Henning, og Lise Johnsen fik et værelse nede i brugsen hos sin ven-inde, Kirsten Ullits Jørgensen. Her lagde uddeler Ullits Jørgensen an på Lise og erobrede hende, og Kirsten, som nok i forvejen havde haft et godt øje til husmand Hans Erik Mark, indtog da snart Tove Marks plads ved hans side. Tove havde forinden fået arbejde på spritfabrikkerne i Aalborg og overvejede nu at flytte derud, men forholdet mellem Henning og Agnete gik så temmelig hurtigt i stykker, og Tove kom op til ham. Imidlertid var Holger gået i lag med køkkenassistent Bitten Møller, gift med rutebilchauffør Karsten Møller, og Karsten slog sig så inden længe på den arbejdsløse Irene Poulsen, gift med malkemaskineagenten og fritidsfiskeren Jens Poulsen. Et par måneder efter dette blev det godt igen med det forhenværende kærestepar Henning Johnsen og Agnete Vester. De giftede sig senere. Også ægteparret Bitten og Karsten Møller fandt igen hinanden. Tove Mark tog sig sammen og flyttede fra byen. Holger boede i mange år alene, hentede sig så en kone i Østen.

Det værste var da for længst overstået. Eller det bedste – sammenbruddet i '69 havde nemlig ikke bare for tilskuerne, men langt hen ad vejen også for de medvirkende selv, været den herligste hurlumhej. Endda deres børn, der så nogenlunde trygge flyttede rundt med mødrene, havde været begejstrede for al den forandring. Indtil de måske i nye hjem måtte opleve de sædvanlige familietrakasserier med en forstærket bitterhed, fordi de påførte fædre og søskende ikke helt som de gamle var til at sluge som en slags naturnødvendige onder.

Hvad der så vel også medvirkede til at de allerfleste voksne snart igen kunne foretrække at holde sig i ro og på deres pladser. Der gik efterhånden flere år mellem byens skilsmisser, og tendensen var at de blev begrundet med stadig mere alvorlige svigt og forseelser. I hvert fald var der ingen der grinede længere.

I slægterne Godiksen og Lundbæk syntes ægteskaberne indtil meget sent at forblive ubrydelige. Det var først et tipoldebarn af Ane og Peder Godiksen, Majbrit og Niels Jørgen Jensens datter Katrine, der ved årtusindskiftet lod sig skille. Tre år efter giftede Pia og Henrik Lundbæks søn Morten sig til gengæld med en mand.

Steg

Det kan blive svært rigtig at høre efter hvad folk sidder og siger, sådan en hel aften igennem. Thomas Poulsen mærker det gang på gang. Han får ikke fat i hverken hvad Frida eller den her stodder, hun omsider har skaffet sig, vil fortælle ham. Han orker det ikke. Hvad Frida kan blive ved med at savle over af skønne og sørgelige stunder fra alle de år hun tjente på Bisgaard. Hvad filejsen kan tillade sig og ikke tillade sig med sin folkepension.

Godt man da også, derovre på skrås, har et par tøser og deres bare lår. Som Orlas drenge har slæbt med, Anders og Niels Jørgen. I kjoler der knap kan nå ned om røven på dem.

Kunne man underholde sig med i timevis. Hvis Frida lige ville holde bøtte med sit gamle vås. Og hvis han også kunne holde sin kedsommelighed lidt for sig selv, galanen. At han førhen har brødfødt sig som inseminør og kontrolassistent gør ikke sagen meget bedre. Selv om man endda kender ham noget fra den tid man selv havde landbrug, og han kom, Svenning Olufsen, med sit spermapparat og plantede det i krydset på køer og kvier.

Ikke engang dét kunne kalde et lille smil frem på hans kirkegængerfjæs. Fandt man selv på en enkelt sjov bemærkning om hans tilværelse som reservetyr, så forstod han ikke længere sproget. Alligevel er man stadig tåbelig nok til at gøre hvad der står i ens magt for at sætte lidt fut i ham, indimellem. Det hjælper ikke. Frida har vel for så vidt fundet den rette, da det endelig blev. Aldrig har noget menneske suget til sig af hendes livsalige bekymringer som nu Svenning Olufsen.

Af og til nøjes de så trods alt med at sidde og sukke et stykke tid, begge to. Så man da lige imens kan liste sig til at fundere over hvordan de skulle tages. De to derovre med lårene. Den lyse og den mørke. Den ene og den anden. Hver på sin måde. Selvfølgelig kunne man allerede få en idé om det, da de satte sig. Men der er så mange andre ting der skal lægges mærke til endnu. Man skulle høre deres stemmer også, og de bliver hele tiden væk i det almindelige skvalder. Fridas forfærdelige råberi. Men hun var vel gået hen og var blevet for gammel før nogen begyndte at høre efter hende.

Og måske har hun nu alligevel fat i noget der kunne snakkes om. Og måske skulle du nu også lade være at spille så kæphøj, Thomas Poulsen. Han stikker højre hånd ned under bordet, knytter den, banker sig nogle gange på knæet. Sådan en vane har han fået, når han vil indskærpe en formaning.

Nu ikke så kæphøj. På deres måde kan både Frida og Svenning sgu være lige så gode som dig selv. Hvis bare de ikke havde sat sig lige overfor. Ville ellers aldrig have haft det ringeste imod dem. Og nu siger hun altså oven i købet noget. Der er vrøvl med hendes helbred. Hun er ved at vande høns over sig selv.

Hvad siger du, Frida? Hvad er der galt?

Vi skal ikke snakke mere om det, Thomas. Og hver har jo sit.

Ja, du har nu i alle fald ikke, Frida! Det kan enhver sgu da se, du er jo så frisk som en følhoppe der lige er blevet sluppet på græs!

Nej, det kan måske ikke ses udenpå endnu, det kan såmænd godt være. For det er indeni det gnaver, Thomas. Og snart alle vegne, vist også!

Vil du da nu ikke lige holde op, Frida! Du er sund som et nybagt hvedebrød, du strutter som en nyudsprungen rose!

Det er godt med dit pjat, Thomas Poulsen. Jeg klager heller ikke. Jeg takker såmænd kun for at jeg fik lov til at møde Svenning. Ingen kan forlange mere af livet end det jeg alligevel skulle få.

Nu skal du høre, Frida, nu skal jeg fortælle dig noget. For mange år siden var det så meget værre fat med min Hortense!

Ja, du har før fortalt om det.

Det kan heller ikke gøres for tit! For hører du nu, Frida, Hortense var dødsdømt! Hun var dødsdømt af doktoren selv!

Jeg véd det godt, Thomas, du har så tit fortalt det.

Det er muligt jeg har nævnt det, men jeg vil nu også have at Svenning skal vide det. Og forstår du hvad jeg siger, Svenning, min egen bitte pige blev dømt til døden! Og hvad skete der så? Og hvem er det der sidder her ved min side? Jamen, er det da ikke stadigvæk min Hortense? Og det er nu tredive år eller måske fyrre år siden, hun blev dødsdømt. Og så sidder hun her i aften og er stadig så levende som en hel sæk lopper!

Det må jeg sige, siger Svenning.

Ja, gu må du så, og det må du også, Frida! Hør aldrig efter de doktorer! Du fejler intet! Ikke det allerfjerneste! Det kan du tage Thomas Poulsens ord for!

Ja, ja da, Thomas.

Og en slags smil kunne han så trods alt klemme ud af hende. Får hende bare endnu mere til at ligne en gammel so. Hvis ikke det var fordi hun evig og altid skurede huden af sig nærmest, som var hun et bræddegulv, der skulle betrædes af kongen. Grisetrynen har hun ikke desto mindre, og de store himmelblå glugger, og en knokkel af bygning har hun jo alle dage været.

Kan da også snart se godt nok ud til Svenning Olufsen. Med hans spidse snude og gennemsigtige stritører. Og nu sidder de så begge to og sukker igen, og kigger indimellem over til Hortense, og nikker til hende med deres andægtigste miner. Som om hun var en hellig ko. De mener selvfølgelig at hun lever endnu fordi det pludselig blev bestemt sådan fra oven. Ingen tvivl om at de også tror på mirakler. Det gør den slags folk jo altid.

Selv kan man så desværre ikke tro på det mindste af den slags. Ville også være lige et nummer for uhæderligt. Som den man nu er. Og som den der også véd at han selv – og ingen anden end han selv – har fundet sin bestemmelse her i livet. Kællinger. Det kan ingen højere styrelse nogen sinde have blandet sig i. Og skulle der alligevel have eksisteret en Vorherre der faktisk blandede sig i sådan noget som Thomas Poulsen og hans gøren og laden, så måtte det vel egentlig bare være hans pligt at advare andre mennesker imod Ham.

Nej, man har selv afstukket sin kurs. Og gjort sin lykke og fundet frem til hvorfor man er her på Jorden. For kællingernes skyld, ja. Intet som helst andet. Og nu har man da igen et ledigt øjeblik til at pejle sig ind på de unge, skære balder skråt derovre til styrbords.

Den mørke og den lyse. Og den ene – er allerede så temmelig sikker på *hende*. Den lyse. En arm om hendes liv, en munter bemærkning, så rask i det som hun er. Ja, hun er til dans. Hun skal hvirvles omkring, vil hellere end gerne glemme sig selv sådan. Give sig stemningen i vold og blive vild. Men den anden.

Den mørke. Jo også på enhver anden måde helt anderledes. Thomas er langtfra sikker endnu. På *hende*, den anden dér, men bare den mærkelige ro over hende, når hun lægger det ene lår op over det andet. Så sagte, så sart. Han må høre hendes stemme.

Hvad var det tøserne der hed, spørger han Hortense. Anders' og Niels Jørgens piger derovre?

Majbrit, mener jeg, Niels Jørgens. Og så var det vist Winnie.

Den mørke af dem der, Winnie?

Sådan forstod jeg det.

De er ellers med på noderne, begge to.

Jamen selvfølgelig er de da det, de er jo unge og har figur til det, Thomas!

Der er sgu ikke gået meget stof til der. Der er sgu fri adgang!

Så pas du hellere på hvor du har dine hænder, Thomas! Hortense sender ham sit sidelæns smil. Ligesom ingen andre vil kunne se det. Og det er altid gået lige i ham, det smil.

Og hun har da også ret. Han burde jo snart lægge op. Hvis han ellers kunne, har aldrig været et spørgsmål om at ville. Han var født til det. Det var det han havde forstået allerede før han blev konfirmeret. Han var ikke mere end tolv-tretten år da en kone i byen, ret ung endnu, ville have ham. Og han vidste ikke hvorfor. Om han havde gjort noget eller sagt noget. Men hun fortalte ham at han var anderledes, og det havde han jo heller ikke tænkt over. Eller at konerne og pigerne selv blev anderledes over for ham, så meget anderledes end over for alle de andre knægte. Han kunne ikke få rede på hvorfor, eller hvordan, det har han aldrig fået, de har sagt så meget. Så mange har gennem alle de år sagt så utrolig meget. Og selvfølgelig har han også selv kunnet se at han havde udseendet med sig, og hver anden af dem har selvfølgelig ment at han skulle være gået til filmen.

Eller noget i den stil. Men det er slet ikke dét. Han har selv mødt ikke så få mænd der, så vidt han kunne se, var langt bedre skabt, og som tøserne var fuldkommen ligeglade med. Det er noget helt andet med ham, og véd jo stadig ikke hvad, har bare forstået det er der. Lige fra dengang, og så at han nok burde gøre noget ud af det. Og det havde han gjort. Jo også derfor han solgte deres ejendom, da han var nået halvt gennem livet, og havde slået sig på fiskeriet alene. Fik købt sin lille kutter.

Så han kunne komme mere omkring. Og siden var han flere gange hvert år gået vester op ad fjorden. Havde lagt sig et sted deroppe et par uger, så langt som i Struer. Og han var sejlet østerud for at fiske i Kattegat, havde somme tider ligget i Sæby det halve af sommeren. Og Hortense klagede aldrig. Når han var hjemme, var han hendes. Han var altid hendes, det vidste hun. Han kunne aldrig undvære hende. Og barnefader, det havde han også skånet hende for at blive. Havde altid købt det bedste gummi. Havde det altid på sig. For Hortenses skyld. Fordi han nu engang blev nødt til at give plads til alle de andre. Og han kunne så bare sejle fra dem igen, selv om det også godt et øjeblik kunne være lidt svært. Som gentleman, at få dem slæbt op på kajen.

Ellers ingen luksuskahyt han havde budt dem. Der kunne lige stå én op ad gangen, ved siden af hans køje, og stå i vand til anklerne måtte de for det meste også finde sig i. Et søle var der, og en stank.

Nej, han aner ikke hvad det er. Men måske ligesom andre kan være født til på stedet at kunne slå en tre-fire baglæns kraftspring i rap. Eller kunne spille harmonika, hvad for en melodi det skal være. De véd måske heller ikke så meget mere om det, end at de *kan* sådan noget. Så meget lettere end alle andre. Og derfor er *han* altså også altid kommet til at sige det rigtige. Hvad de her kvindfolk helst ville høre. Og når han første gang har lagt sin hånd på den ene og den anden, på deres arm, deres skulder, deres røv, hvor som helst det kunne falde, så var det dér de ville have hans hånd. Og lige på den måde han lagde den. Og det var så det *han* kunne.

Det han så vel *skulle*. Hvis han forstod det mindste af verden. Sæt ikke dit lys under en skæppe, var der sagt – nej, det var nu bare det han skulle.

Det han kunne med kællingerne. Og så måtte han se stort på om det af andre blev regnet for noget. Han måtte bide i sig at de gamle i byen helt sikkert så det som en ringe sag at øde sine bedste år på. For dem skulle alting jo gå op i smør og flæsk. Nok anderledes med de unge. Det har han tydeligt kunnet fornemme. De skønner mere på hans indsats. Meget mere. De kan godt ligesom lade ham forstå at han endda burde være stolt af den.

Nå ja. Han har gjort hvad han kunne. Og han er blevet gammel, han var næsten blevet gammel, inden det begyndte at more ham, næsten endnu mere, bare at *tænke* sig til hvad han kunne, i stedet for at gøre det. Bare tænke hvad han kunne sige, tænke hvordan han skulle røre. Ved den ene der eller den anden der. Og han har ikke engang hver gang, langtfra, behøvet at prøve det, for at blive sikker på at han vist ikke tænkte helt skævt.

Sådan set er han da faktisk ved at kunne lægge op. Hortense har fat i den lange ende der. Ja, pas nu bare på hvor du har dine hænder, Thomas Poulsen! Han stikker den højre ned under bordet, knytter den. Men nej. Alligevel for tidligt at banke på de ord.

For tidligt lige her i aften, med hende den mørke derovre. Winnie.

Han kan ikke greje hende. Ikke i hovedet alene, hun er så fin, han må i det mindste ud og danse med hende, når de er færdige med at spise. Så vil han straks kunne mærke det. Og høre det, mens hun fortæller ham, hvem hun er. Og muligvis skal han så, hvis de kommer til at stå rigtigt for det, så kan det være at han, uden videre, uden et ord mere, skal køre en hånd op i skridtet på hende.

Det hælder han lidt til, foreløbig. Måske vil hun skrige

op. Måske lange ham én på skrinet. Det kan sagtens ske. Som om han havde trådt hende over tæerne. Han regner nu ikke for alvor med dét. Hun vil tro det er løgn. Og skamme sig. Som han selv må gøre. De må begge to skamme sig, men i det samme vil hun fatte sandheden. Og hun vil gå fra ham. Hun vil være sig selv og ranke ryggen. Og en time efter vil hun stryge forbi ham og hviske noget. Om han kommer udenfor.

Så må han ud. Så er det hende der bestemmer resten. Hvis hun endelig vil, jamen, så skal han. Må selvfølgelig hellere lade hende være. Passe på hvor han har sine hænder. Slå næven i knæet.

Du er da også holdt op med at fiske, Thomas! Frida råber igen. Du gider da heller ikke makke med alt det der længere! Hvor hun så har fået sådan nogle ideer fra.

Du må jo være tovlig, Frida – lægge op! Jeg er en ung mand endnu, det kan du vel se!

Nå ja, men det kan da vist alligevel ikke vare længe inden du kan få din folkepension? Ligesom Svenning nu har fået, og du kan også lige tro, Thomas, at han er godt fornøjet med det!

Jamen, det tvivler jeg skam da slet ikke om, Frida. Så kan han jo gå og kissemisse med dig hele den udslagne dag! Passer det ikke, Svenning?

Jeg kan kun råde dig til at tage pensionen mens du har dit helbred, svarer Svenning. Det er det Frida så tit har sagt til mig, og hvor har hun da haft ret!

Jeg kan godt se det, siger Thomas, og blinker. Det er en klog hjerterdame du har rendt op, Svenning. Frida har sgu altid været den klogeste i hele den her ende af herredet!

Ja, det er godt med dit pjat, Thomas! Og hendes svære ansigtstræk er endelig ved at falde fra hinanden i latter.

Og Thomas griner selv så kraftigt og klangfuldt som han nu engang kan, og han flytter samtidig hånden fra sit

højre lår over på Hortenses venstre. Hendes lille klem
minder ham altid om hendes lille, skæve smil.

Jens Vilsted, Farsø, klirrer. Han anvender æggen af sin
kniv. Fører den to gange vandret ind mod siden af vin-
glasset – sagte, som for at tage sigte – og banker så igen-
nem – som skalperede han et æg.

Det gør sin virkning. En agtsom stilhed breder sig om-
kring ham. Han kan følge glassets højfrekvente udtoning,
mens han ser det bliver stående, det er endnu en gang lyk-
kedes. Selv med denne sure rødvin der opgivende dirrer i
grumset på bunden af dette forsamlingshusglas – han har
dog givet lyd af fest og forventning. Han kan allerede
stemme sig selv noget højere, og han rejser sig, og han nik-
ker adstadigt omkring sig, hundrede og firs grader, og han
løfter nu sine briller op af brystlommen og sætter dem på
næsen, og han står sådan et øjeblik. Inden han igen tager
disse briller af og lægger dem tilbage, hvor de kom fra. For
det er jo sandt: han taler uden manuskript.

Hvor var det – smukt! Kære svigerinde, kære svoger –
kære Emma og kære Orla – hvor var det smukt, og hvor
var det bevægende for os alle sammen at høre sølvbrudens
tale for sin gom! Måske havde I det, rundt omkring i sa-
len, nøjagtig som jeg selv havde det, måske sad I også og
tænkte at her oplever vi da vist noget nyt! Ja, her oplever
vi endelig noget nyt, for plejer bruden ikke at blive sid-
dende, nok så undselig, og lade manden føre ordet? Jo, jo
– og her hørte vi nu at hun kan *selv* – den yndige brud –
hun kan rejse sig og sige hvad der skal siges. Pludselig bry-
der hun – som det selvfølgeligste af verden – århundreders
tavshed, og hun taler for sin elskede ægtemand, hun taler
for ham og *til* ham og – læg vel mærke til dét – hun taler
som hans jævnbyrdige og som hans fuldt ud ligestillede,
og da var det vi alle sammen forstod det – de nye tider er

nu også kommet til Staun! Ja, også i den danske bondefa-
milie har kvinden nu hævdet sin værdighed og sin ligeret,
og vi kunne – hver eneste af os – ønske hinanden og os selv
tillykke med det, mens Emma stod der og talte. Vi kunne
alle sammen føle taknemmelighed over at være budt med
til en bryllupsfest, som også blev en fejring af nutidens
kvinde og hendes længe ventede og retfærdige sejr!

Noget nyt, sagde jeg – noget nyt skete her. Jo, jo – så-
dan måtte vi tænke. Men tænkte vi ikke også – i øjeblikket
efter – tænkte vi da ikke at det vist også var noget *gammelt*,
noget ældgammelt og fortroligt – vi nu igen fik lov at op-
leve? Noget inderligt fortroligt, og noget urokkeligt og no-
get bundsolidt. For stod Emma ikke der som et billede for
os på den stærke og kløgtige, den ukuelige og livfulde
bondekone, som siden tidernes morgen har båret dansk
landbrug? Ja, har skabt det nødvendige familiesammen-
hold, givet nyt mod, stadig fundet udveje og fået enderne
til at nå sammen, hvor karrigt hendes flid vel end iblandt
kunne blive belønnet. Sådan så *jeg* hende. Samtidig – i ét
med den moderne kvinde – og sådan hørte jeg hendes ord
til Orla. Til en mand der ikke har sat én eneste af bondens
gamle dyder til, mens han har udviklet sin bedrift til et
tidssvarende og effektivt led i vort lands betydeligste eks-
porterhverv.

Men lad mig nu betro jer, Emma og Orla, jeg tænker me-
get ofte på jer. Når jeg sidder på Borgen og hører dem tale
om hvem der så skal have hjælp til ditten og skal støttes
med datten, kort sagt, hvem der i ét og alt skal forsørges
af os andre. Ja – det kan være byrdefuldt at lægge øren til,
det *skal* jeg love jer for – men når jeg da sidder der og må
begynde at grunde over, hvem der mon så skal *betale*, så er
det jeg kommer til at tænke på jer to! – Ja – jeg er virkelig
ked af at måtte sige det! Men også når jeg dernæst må spe-
kulere mig halvt gal over det spørgsmål: hvem der mon så

kan betale – jamen, så er det igen dig, Orla, og dig, Emma, jeg hver gang ender med at tænke på. Hov! – tænker I nu – hvad var det dog manden sagde? Har Jens Vilsted, Farsø, nu helt og aldeles mistet sin smule forstand? Véd han da ikke at et par mennesker som Orla og Emma, der sidder på en stor og moderne gård, og som slider og slæber fra morgen til aften syv dage om ugen og ikke kan unde sig to feriedage om året, at de end ikke kan have så meget fortjeneste ud af det, som en arbejdsmand nu til dags skal have i løn – en arbejdsmand, der mere end det halve af landmandens arbejdstid kan nyde tilværelsen derhjemme på divaneseren? Jo, jo – vist véd jeg det. *Vist* véd jeg det – men jeg véd jo også at det er jer der skaber værdierne! Det er *jer* der skaber de værdier alle de andre nyder så rigelig godt af. Og det kan I med rette føle stolthed over. Men I *kan* også med rette forlange at der skal blive en større bid af kagen tilbage til jer selv! Sådan må det være, og sådan må det blive igen, hvis ikke enhver rimelighed og enhver anstændighed for evigt skal trædes under fode, ja, hvis ikke det Danmark, vi har elsket, skal ende med at kaldes en røverstat! Jeg har personlig sat mit liv og mine kræfter – hele mit politiske virke – ind på at det aldrig må ske. Det skal ingen, *ingen* af jer der sidder her i aften, være i tvivl om!

Men nu prikker Dagmar til mig. Jo, jeg kan mærke det, hvad hun tænker: skal han da nu stå her og ødelægge min søsters fest med al sin kedsommelige politik? Kan han nu ikke bare et øjeblik tænke på andet? Nå ja – det véd hun nok ellers godt at jeg kan, tror jeg. Og hun er også fuldkommen klar over at det heller slet ikke falder mig svært, når jeg tænker netop på jer to, Emma og Orla. For uanset hvad man står i af brok og kævl – ja, så bryder jeres menneskelige kvaliteter igennem, og lyser op, og kan med det samme gøre én så inderligt vel tilpas i jeres selskab. Hvor har vi ofte glædet os over jeres ubetingede gæstfrihed, Dagmar og mig. Og hvor har det mange gange været en fryd at sidde sammen med dig, Emma, over en kop kaffe og bare lytte til hvad du havde at sige til os. Så klarhjernet og forfriskende fordomsfrit du altid tænker. Så på én gang skarp og varm du er i dit syn på alt og alle. Og hvor kan man sidde sammen med dig, Orla, og føle en sjælden, dyb tryghed – en så vederkvægende tillidsfuldhed – for man kommer aldrig et sekund i tvivl om, at man sidder dér over for en gennemgribende hæderlig mand. En mand der ufravigeligt står ved sig selv, og hvad han tror på. En mand der helhjertet og med den største dygtighed forvalter alt det bedste i dansk landbrugs traditioner.

Ja – I er – begge to – en slags folk som jeg ikke bliver forvænt med i min dagligdag på Borgen – det *skal* jeg love jer for!

Orla Jensen vil ikke høre mere. Selv om han nu vist også er gået i gang med Fællesmarkedet, Jens Vilsted. Og Europa som de skal være medlemmer af, men så er det vel straks for Bisgaards skyld, og han skal nok også snart komme tilbage til ham selv igen, og Orla vil ikke mere.

Han kan ikke rumme ét eneste ord til. Han er ved helt at skilles ad. Ved at sprænges, og allerede Emmas tale havde knækket ham. Hans arrigskab over at hun holdt den, hans had til hende. Hun havde sønderbrudt ham med sine udtalelser. Og hun havde lidt efter lidt blødt ham fuldstændig op. Som om alle muskler og sener i ham blev ét hjælpeløst slaskeværk. For hun havde jo virkelig fortalt hele forsamlingen at hun i ham havde fundet den rette, og at han var den eneste, hun kunne tænke sig at leve med. At han havde givet hende en tilværelse, der var langt bedre, end hun nogen sinde kunne have drømt om.

Det havde de fået besked om. Hun havde langet dem alle sammen én de kunne mærke, for deres mistro og de-

286

res ondskabsfuldhed. Og de kan sidde og værge for sig, de kan kalde det store ord og fedt flæsk i dagens anledning, det er alligevel blevet sagt. Så alle kunne høre det, og det samme med Jens Vilsted.

De må bare finde sig i hvad han står og lukker ud. Hvad de end kan mene om ham, og han har da også selv – både det ene og det andet – men nu må man sågu da give sig! Man må da simpelt hen indrømme at han kan holde en tale, Jens Vilsted, Farsø. Man er nødt til at bøje sig for ham. De må alle sammen bøje sig for hvad han nu siger til én. Hvert eneste ord af det, om de så aldrig så lidt har forestillet sig, at sådan nogle ting kunne siges til sådan én som Orla Jensen. For de har selvfølgelig været helt fuldkommen sikre på, at det her kun kunne siges om sådan én som hans svigerfar. Fordi det jo er den slags de er så vant til, at der altid er blevet slesket for ham med, Søren Godiksen. Som nu sidder der foran og stirrer frem for sig, som om han ikke aner, hvor han er, og hvad der bliver sagt. Men også Søren Godiksen må høre nu. Han må høre det her. Han må omsider bide i sig at der sidder en ny mand på Bisgaard.

Men Orla skal ikke selv høre mere. Han har lukket ørene, for ikke at få mere vand i øjnene. For ikke at komme til at sidde her og klynke og vræle som en forstyrret gammel madamme. Han hører ikke mere, men hvad han allerede har sagt, Jens Vilsted, det kører stadig rundt i ham. Han kan ikke slippe løs af det. Det er et klister i hans hjerne og om alle hans indvolde. Han får flere og flere små kramper i mellemgulvet. Som om han skal brække sig og alligevel så anderledes, det er en kløe i ham der på skift spidser til og saligt tager af. Det er en bølgen af hede væsker op og ned gennem hele kadaveret, hvert andet øjeblik ved at skvulpe over. Og han strammer til i maven, han strammer til i struben, og så kommer det.

Uimodståeligt støder det op og vælter ud af hans ansigt. Et tungt brøl af en hulken. Og han har den ene hånd oppe for øjnene og den anden i bukserne, efter sit lommeklæde. Han hoster og nyser så alle kan begribe, at det er dét. Men han kan så ikke engang høre det selv.

De råber omkring ham. Han fatter det alt for lang tid efter, hele forsamlingen står op og råber hurra, for ham og Emma. Og hun tager nu i ham, de skal rejse sig og skåle, og han må tørre sig, foran dem alle sammen, det kan ikke skjules længere. Han tørrer sig og prøver at grine lidt rundt. De må jo undskylde. Han er vist kommet til at fælde en lille tåre, granvoksen mand. Det må de alligevel forstå.

Og Emma rækker ham også sin serviet, da de er blevet sat igen og kan føle sig nogenlunde ubemærkede.

Det var da en vældig tale, siger hun. Du skulle måske gå ned til Jens og sige tak?

Ja, det kan jeg da, svarer han. Og han rejser sig og krabber af sted.

Så ser han at Jack Thornby nu også er oppe at stå dernede. Og han kan vel *ikke* have i sinde at holde tale, Jack. Det må være noget andet. Der må være noget galt, og Orla kan med det samme se det. Jack er misfornøjet med et eller andet, det er helt tydeligt. Han må skynde sig ned til ham, og hjælpe ham måske.

Vi kan bare bytte plads, hører han så Mary. Jeg vil også gerne sidde lidt ved Dagmar!

Sidder du ikke godt, spørger Orla allerede. Hvad, Jack?

Jeg går hjem, Orla. Jeg har hørt på nok her.

Han vil ikke være sammen med os mere, siger Dagmar.

Jeg vil ikke være i nærheden af sådan én der, siger Jack og peger på Jens Vilsted. Jeg vil ikke have noget med dem at gøre.

Sæt dig nu her, Jack! Mary er oppe at stå og har fat om hans skuldre.

Vi vil skam ikke allerede undvære dig, Jack, vi skal nok finde ud af det!

Jeg kendte en kongresmand, Orla. Han fik det bedste land, alligevel ville han også bestemme over mig. Hvorfor kan de ikke nøjes med at passe deres egne sager?

Orla véd ikke hvad han skal sige. Jack Thornby kigger på ham. Tager måske så hans tavshed som et tegn på at han ikke bliver forstået. Selv ikke af Orla. Og tvært lader han sig så sætte ned af Mary, og der bliver byttet rundt på tallerkner og glas og bestik. Og Orla véd fortsat ikke hvad han skal sige.

Han skulle sige tak til Jens Vilsted, Farsø. Og han kan ikke få sig til det. Jo slet ikke lige her foran Jack.

Vagn Juhl og Karsten Svensson kender ikke rigtig nogen, ud over deres koner jo, og Emma. Hende har de alligevel truffet nogle gange, især mens de var unge, dengang de blev kærester eller var blevet forlovede med hendes veninder. De to labre søstre dér, som de nu allerede selv har fejret sølvbryllup med, og dejlige fester var det, men langtfra så store som nu her hos Emma og Orla. *De* var for eksempel ikke med.

Og det skulle de måske så have været. Har de siddet og snakket om, Inge-Merete og Else-Marie. Men man bruger altså ikke så store fester i de større byer. Ikke som herude på landet, og de er heller ikke sådan kommet sammen med dem. Ikke siden deres egne forældre døde, for mange år siden. De er aldrig rigtig siden kommet til Staun.

De kender heller ikke selv ret mange herude længere, men også nok de kan snakke med hinanden om. Det er alt for sjældent de får tid til at mødes, de fire, de har hver deres forretning at passe. Og de har været omkring børnene og børnebørnene, der har været så meget at fortælle, og de har tænkt tilbage, nu de sidder her, og undret sig over hvor anderledes der var, og alt hvad der siden er sket i verden, og de er nu kommet ind på deres sommerferie.

Det er de trods alt begyndt at holde, begge par, en uge. Her for en måneds tid siden, en uge lukkede de, slagterbutikken i Frederikshavn og værkstedet i Skalborg. Hyttetur i Norge og med campingvognen til Rhinen.

Tre hundrede og halvtreds norske kroner, siger Karsten. Det synes jeg faktisk ikke var så galt, med otte sengepladser. Selv om vi kun var os to. Men for en hel uge, og med den flotteste udsigt.

Så havde vi jo også selv maden med, siger Else-Marie.

Jeg røgede en god skinke og nogle pølser aftenen inden vi kørte, siger Karsten. De kunne have holdt sig hele sommeren. Og så et par gode rugbrød.

Vi havde nu også taget det meste med, siger Inge-Merete.

Vi købte så noget vin dernede, siger Vagn. Det kostede ingen penge.

Vi tog også selv et par flasker med derop, siger Karsten. Af dem vi alligevel sælger i butikken.

Rhinskvin er vist alligevel nummer ét, siger Vagn. Man skal bare passe på med det!

Jeg brød mig heller ikke om det vi havde med, siger Else-Marie. Selv om det er vores eget.

Der var en enkelt aften hvor jeg godt nok blev noget halvsnaldret, siger Vagn. Men det var jo ferie! Sagde du ikke også det, mor?

Du skulle have set alle de blomster de havde dernede, siger Inge-Merete til Else-Marie. Under alle deres vinduer, massevis af pelargonier. Jeg har aldrig set noget så flot.

Ja, der skulle I godt nok tage ned næste gang, siger Vagn. Det er enestående!

Jeg holder nu på Norge, siger Karsten. Det bliver ikke sidste gang vi kommer derop.

Vi havde det skønneste vejr, siger Vagn. Og alle vegne var folk så flinke I ikke ville tro det. De er såmænd lige så gode som alle andre mennesker, tyskerne.

Jeg tror ikke der findes flinkere mennesker end nordmændene, siger Karsten. Og de er så utrolig glade ved os danskere.

Det kunne vi da også prøve engang, siger Inge-Merete.

Ja, vi kunne måske tage derop sammen, siger Else-Marie. Vi kunne leje en hytte sammen, der er plads nok.

Ja, det kunne da være hyggeligt, siger Inge-Merete. Det må vi snakke om.

Nu har vi jo campingvognen, siger Vagn.

Nå ja, siger Karsten. Det er jo det.

Så vi må se, siger Vagn. Vi har også snakket om at køre til Østrig. Der kender vi nogen der var.

Ja, vi må se, siger Karsten. Om vi nu i det hele taget får tid næste år.

Det kan vi vel bare tage os, siger Else-Marie.

Ja – jo, jo, siger Karsten. Men vi kan vel godt fortælle det nu. Vi har visse planer.

Det er jo ikke sikkert, siger Else-Marie.

De er ved at bygge sådan et butikscenter, siger Karsten. I Frederikshavn. Og det har jeg da i al fald købt mig ind i.

Jeg gruer lidt for det, siger Else-Marie.

Du véd, Vagn, jeg har gået og købt nogle ejendomme her og der. Og så tænkte jeg sgu, da vi hørte om planerne dér, jeg afhænder sgu hele lortet og investerer i det! I butikscentret.

Jamen, vil I da til at flytte?

Vi laver supermarked, siger Karsten. Tager slagterbutikken med, men handler også med alt det andet. Kolonial. Og brød. Drikkevarer. Det hele.

Lad os nu vente og se, siger Else-Marie.

Det er helt sikkert det rigtige at gøre, siger Vagn.

Der er ikke andet at gøre, siger Karsten. Når de andre vil begynde at handle med kød.

Hvad siger *du*, spørger Inge-Merete.

Hvad skal jeg sige, svarer Else-Marie. Og jeg har da også allerede meldt mig til aftenskolen, i bogholderi. I det mindste kan det blive helt rart at komme i skole igen!

Ja, det var da den bedste tid vi havde, siger Inge-Merete. Men jeg hørte lige at Enoksen er død. Han må være blevet oppe omkring de halvfems.

Vi må tænke stort nu om dage, siger Karsten. Der er ikke andet for.

Det er mine ord om igen, siger Vagn.

Der er ingen der holder os oppe, hvis ikke vi selv sørger for det, siger Karsten.

Jamen, sådan er tiden, siger Vagn. Det må vi indrømme.

Heldigvis har vi da også fået lov at leve lidt i en anden tid, siger Inge-Merete.

Da var der i al fald altid andre der stod parat til at hjælpe, siger Else-Marie.

Gammelt sludder og vrøvl, siger Karsten.

Vel er det ej, siger Else-Marie. Vel, Inge-Merete? Vi har aldrig oplevet her i byen at nogen, der trængte til hjælp, blev overladt til sig selv.

Man glemmer altid det værste, siger Vagn.

Men sådan var det altså, siger Inge-Merete. Hvis nogen blev syge, følte alle andre de skulle gøre noget. Alle følte de havde et ansvar for alle andre!

Solen skinnede også hver eneste dag i min barndom, siger Vagn.

Nå ja, men i hvert fald ser jeg frem til at prøve kræfter med det her, siger Karsten. Kunne godt gå hen og blive en stor forretning.

Så skal vi måske også afsløre lidt om vores planer, siger Vagn.

Det ligger nu så langt ude i det uvisse, siger Inge-Merete.

Toyota vil gøre os til autoriserede forhandlere, siger Vagn. Og det bliver for hele Aalborg-området!

Det er jo indtil videre bare snak, siger Inge-Merete.

Vi har været til to møder, siger Vagn. Det hele er stillet op. Og vi har lovning på en byggegrund.

Der er fremtid i alt fra Japan, siger Karsten. Tillykke med det!

Vent du nu, siger Inge-Merete.

Alt skal jo bygges op efter tegninger de kommer med, siger Vagn. Alt skal være nøjagtig som det er ved Toyota alle andre steder i verden. Vi bestemmer ingenting.

Det er trods alt os selv der får lov at betale, siger Inge-Merete.

De inviterer os gratis en tur til Japan, siger Vagn. Allerede inden vi kommer i gang. Så vi kan se fabrikken. Og høre om deres principper. Det er de samme overalt.

Det må jeg indrømme jeg godt kunne tænke mig, siger Inge-Merete til Else-Marie. At se Japan.

Det kan jeg godt forstå, siger Else-Marie.

De ser på hinanden. Og de lader nu deres mænd snakke lidt videre for sig selv. De må så selv se at komme til det senere hen. Ser de på hinanden. Når de er færdige ved bordet, de må så finde et sted hvor de kan snakke.

Også om de undersøgelser Inge-Merete lige har været indlagt til. Og om Else-Maries yngste barnebarn, for hun er ved at blive bange for, der er noget i vejen. Det må de have snakket om, og hverken Karsten Svensson eller Vagn Juhl gider høre på den slags. De må vente til de bliver alene sammen, så de kan få ordentlig snakket. Og om hvad de i grunden mener om alle de der forretningsplaner.

Musikken er arriveret, og der er ·trønge i den lille sal. For ud over de tre, der skal spille, og Henrik og Anne-Marie, der styrer serveringen, og en flok gymnasiepiger, med et par drenge også, der hjælper dem, er der kommet – i bil fra Nibe – et par langhårede drønnerter, der vil have nogle af tøserne med til en fest dernede.

I døren til køkkenet står Else Andersen og vånder sig over det her gedemarked. Alt imens hun alligevel holder sig klar til at give igen på enhver bemærkning fra Alfred Zachariassens side.

Det er stadig Alfred der står for musikken her i forsamlingshuset, og det har han gjort lige så længe som Else har kogt. På den måde har de fulgtes ad og gennem alle årene med fynd og klem tirret hinanden. Og Alfred har endnu også Poul Poulsen med sig, men Knud Vegger, desværre, hans gamle andenviolin, han lukkede futteralet sidste gang der i marts, og det er en ung fyr med guitar han i aften må nøjes med. Oppe i Brøndum har han fundet ham. Men hvad han hedder, det har Alfred allerede svedt ud, da Else vil vide det, og guitaristen selv åbner ikke munden, om han så er genert af sig eller bare sur.

Vel nok begge dele og sikkert også idiot, mumler hun for sig selv. Og fra Poul Poulsen kommer der heller ikke et ord, men sådan har *han* lov til at være, efter hendes mening. Han kan slå på tromme så det kan høres, men har ellers altid været en stille mand, og det er da i hvert fald én ting hun aldrig har kunnet sige om Alfred Zachariassen. Selv når han står i salen og gnider løs på violinen, fyger det fra ham med halv- eller helsjofle brokker, alt efter hvor langt ud på natten, det er blevet. Men selvfølgelig jo også afstemt efter hvem der betaler gildet, og hvad vedkommende vil lade sine gæster høre på.

Henrik har benyttet sig af den almindelige uorden til at rode i Anne-Maries taske. Stille og roligt har han kunnet stå der ved vinduet og fiske hendes pung op og åbne den og finde det billede, hun ikke alene har nægtet at fremvise, men også at være i besiddelse af. Og nu står han der med det og giver sig god tid til at kigge på kæresten og hans uniform, inden han råber over mod bordet. Ham behøvede hun vel ikke at holde så skjult. Han ser da ikke meget værre ud end de andre hun har haft.

Og hun er så rasende kommet på benene, men længere end den bevægelse når heller ikke raseriet. Hendes fornuftige hoved har allerede igen hele hendes person i sit greb, og hun smiler til Henrik, beder ham komme med billedet. Han har uafhjælpeligt set det, nu vil hun fortælle ham hvem det forestiller.

Han hedder Jørn, siger hun. Han er fra Thisted, men jeg har mødt ham i Aalborg. Du véd, til ballet, i Aalborghallen. Venstres Ungdom. Jørn Karlsen.

Jørn Karlsen, siger Henrik. Og han er så soldat derude?

Ja. Han mangler et par måneder. Han ligger ved Flyvevåbnet.

Er han flyver? Ham der? Flyver han?

Anne-Marie, men også Alfred og Poul og Else forstår med det samme gliddet i Henriks stemme. Ingen af de andre har nok nogen sinde hørt om Peder Godiksen.

Nej, siger Anne-Marie. Men han arbejder på deres værksted.

Nå. Jaja. Så er han måske heller ikke landmand?

Jørn, siger hun. Jørn er smed.

Du skal være smedekone!

Ja, hvorfor ikke?

Så kan du altid hjælpe ham med at holde jernet varmt, indskyder Alfred.

Det kender du nok nogen der har meget svært ved, svarer Else.

Aldrig når jeg ser på dig, min søde. Så gløder den sgu!

295

Ja, det lyder gevaldig, siger hun og nikker rundt. Alfred Zachariassen har bare altid haft det mest i munden.

Hvis nogen skulle vide bedre end dét, så er det fandenedme dig, Else Andersen!

Mig? Jeg har ved Gud i himlen aldrig været ude for noget mindeværdigt i så henseende!

Så *kan* det vel nås endnu, Else? Hvad siger du, min sukkerklump – kunne du ikke lige skaffe dig et ledigt øjeblik?

Ha! Det ville nok blive hen ad midnat inden du i det hele taget kom så vidt!

Ja, måskesens – hvis du er i sytten par bukser ligesom sidst!

Du er en beskidt karl, siger hun og slår til ham med sit viskestykke. Men det véd vi jo.

To af gymnasiepigerne har taget opstilling omkring Else Andersen ved køkkendøren. De har fulgt hendes udvekslinger med Alfred. Tilsyneladende uden at det er faldet dem ind, at det kunne opfattes som en art morskab, det der dog her og der i lokalet har klemt et par forlegne prust ud af den øvrige ungdom. Men de to her har lige så udtryksløst iagttaget Elses angreb med viskestykket, og de venter endnu nogle sekunder, efter at hun er tilbage i sin dørkarm. Venter endnu og ser om hun omsider skulle have overstået, hvad det end måtte være, der har beskæftiget hende.

Må vi snart gå, spørger den ene så.

Else kigger på hende, og hun kigger på den anden. Som om hun nu vil overtrumfe dem i mangel på forståelse af hvad som helst.

De andre siger de godt kan klare resten, siger pigen.

Du bliver til vi er færdige, råber Else. Kunne nu alligevel ikke nære sig et sekund længere.

Jeg har da aldrig hørt magen! Godt man snart kan holde op, sgu ikke længere værd at have det mindste med at gøre. Stikke af midt i det hele! Og så kræver de endda timeløn! Forkælede tøser, hjælpe lidt til, det er der ingen der kender til mere, nej, de skal skam have penge!

Det passer da vel ikke, siger Alfred. Skal man nu virkelig betale dem for det? Det har jeg alligevel aldrig før haft nødig.

Er der nogen mening i at vi alle sammen skal hænge her hele aftenen, siger pigen.

Nu holder du din bøtte, siger Else.

Vi har jo nu engang sagt ja til det, støtter Anne-Marie.

Jeg ville sgu da også hellere have siddet på mejetærskeren i det her vejr, siger Henrik. Jeg kunne have kørt hele aftenen, og i hvert fald fået høstet de fire tønder land oppe i Trenne Lynge. Og i morgen melder de regn.

Så I har også fået mejetærsker på Kristiansminde, siger Alfred. Man hører snart ikke om andet end de mejetærskere. Jeg kender også et par folk der spekulerer på at anskaffe sig sådan et monstrum, og så her den anden aften, da de var i marken og se til kornet, så kommer manden til at sige til konen: Du har sågu en røv som en tolv fods mejetærsker! Nå ja, men da de så ligger i sengen, så begynder han jo at gøre fagter til at ville i med hende, og så vender hun sig fra ham og siger: Det er vel ingen nytte til at starte en tolv fods mejetærsker for at høste et enkelt strå!

Det er nu kun en ti en halv fods vi har købt, siger Henrik. Fra Dronningborg. Med en Chrysler-motor.

Hvad er det i grunden for noget I spiller? Det er en anden af pigerne der spørger. Hun står midt på gulvet og ser stridslystent på Alfred Zachariassen.

Og han ser på hende. Hun har opgivet at komme nogen andre steder i aften. Hun har bestemt sig for at få det bedste ud af det, og hun har tænkt at det bedste bud på lidt sjov nok alligevel er den gamle tosse her. Det ser han med det samme. Og han kan lide hende for det, og han kan lide den spas der ligger på spring i hendes blanke blå og selvbevidste blik. Han kan lide hendes bløde bondepige-træk, hendes tøsekloge mine. Hun ser lige nøjagtig ud som en pige skal se ud i hans øjne. Lige nøjagtig for køn til at skulle kaldes en skønhed.

Kom her og sæt dig, siger han til hende. Vi to skal lige snakke sammen. Og så skal jeg bagefter spille for dig.

Og hun sætter sig på bænken ved siden af ham. Og han giver hende af sin snak. Og han véd nok at hun bedst kunne tænke sig at komme til at danse twist og alt det der, jo, jo, men han skal snart lære hende noget meget bedre. For nu skal hun bare blive her, og så skal hun høre ham, når han spiller sin Rheinlænderpolka og sin Spillemands-hopsa, og så kan hun godt regne med at få sat sving i røv-balderne, og det skal han i alle fald være mand for, og hun kan bare spørge Else Andersen. Og pigen har lagt en hånd over hans skulder, og hun giver ham et kys på kinden.

Poul Poulsen siger ingenting. Han sidder der op ad væggen og holder øje med Alfred. Han véd nu at det bli-ver en god aften. Der bliver musik. For Alfred har fået det som han skal have det, og det endda med en pige som ikke et øjeblik vil forestille sig, at der skal være mere end det. Mere har Alfred nemlig ikke brug for, har han aldrig haft. Og selv har Poul da egentlig heller aldrig været interesse-ret i andre end den ene han har, det er ikke noget de rig-tig har begivet sig ud i, hverken Alfred eller han selv. På den måde er de begge to så helt anderledes end hans egen bror, Thomas. For ham er det jo alvor. Selv om han også kan lade, som om han tager det let og kan lave pjat og bavle løs, så har det altid været alvor for Thomas. Hver eneste gang han står over for et kvindfolk. Som om det var livet om at gøre.

Men Alfred, nej, nej. Alfred går kun i lag med alle de søde piger for at komme i stødet. Og når han indimellem har fået nogle af dem gejlet op til virkelig at ville noget med ham, så er han så godt som altid kommet af sted med alligevel at smutte fra dem. Han stikker halen mellem benene og løber, han klynger sig til sin violin. Og så går han op og spiller som ind i helvede.

Meget har ændret sig for en mand som Knud Terkelsen: han er blevet stiv i lemmerne, småtrippende knirker han sig op over sine agre, møjsommeligt når han hjem i sin lo og lægger sig. Han er opbrugt og udslidt, han har nu også opgivet at døje med sit gebis, hans snaksomhed er samtidig smuldret væk, og selv hans kvindefantasier, der i mange år var så levende, er fuldstændig løbet tør; men to ting er som de altid har været: han æder endnu som en tøndetærsker, og han er stadig kun skind og ben.

Også i aften er det lykkedes ham, efter sine tre tallerkener suppe, at skaffe sig en ekstra tartelet. Også i aften har han kunnet overtale Ingeborg til at toppe sin tallerken op da hovedretten anden gang kom rundt, så han nu selv kan sidde med sin tredje skudefuld. Omkring ham har de været færdige med deres steg i op mod en halv times tid. For selv om man kun kan beundre hans evne til at få kødet mast og sønderdelt med de bare gummer, så er de trods alt længere om det, end selv et ringe sæt forlorne tænder ville være.

Som sædvanlig er da også hans appetit og hans magerhed blevet omtalt ved bordet. Det var Kresten Jæger, han sidder lidt længere nede, det var nu ham der råbte op om det til Knud, hvor dælen gør du da af det, mand, og hvis vi andre tog sådan for os, og så videre. De ville alle sammen blive så trimmeltykke og så laskefede at de ikke kunne røre sig ud af flækken.

Det er et emne Knud Terkelsen altid er blevet opfordret til at mene noget om, og han har altid bare rystet på hovedet. Han vil ikke fornærme nogen. Og det har han somme tider været lige ved. Ikke mindst når Ingeborg, der aldrig har spist det halve og er blevet dobbelt så tung, har klaget sig på den måde. Så har han været lige ved at laste hende personligt for det, ja, han har virkelig gjort det. For uanset hvor glad han er for hende og hendes kogekunst, og hvor taknemmelig han hver eneste dag har været for hendes rigelige og nærende kost, så sidder der i ham en uudryddelig idé om, at hun på en eller anden måde selv må være skyldig i sin overstørrelse, og at det – på en eller anden måde – må være hans egen fortjeneste, at fedtet ikke hænger ved ham. Og skønt han åbent vil indrømme at han kan lange flittigere til fadet end nogen, så kunne det dog aldrig blive *ham*, hvis nogen skulle kaldes frådser. Det måtte vel blive en af dem som flæsket flommer så hæsligt om livet på – han ville selv lægge skjorten når som helst, så kunne de værsgo tælle hans ribben.

Nej, han vil nødig sige det til nogen, og da slet ikke til andre end Ingeborg. Men altså, han *kan* ikke se rettere end at hans skrumpenhed må tages som et tegn på, at han er et bedre menneske.

En helt rar tanke, i al fald, nu mens han må sidde og slide sig til ende med det her oksekød. Gris ville have været ikke så lidt nemmere. Hvad angår smagen på det ene og det andet, og det spørgsmål er også blevet drøftet her, så gør det til gengæld ingen forskel for ham. Han lider ikke af kræsenhed. Det har han alligevel også lov at sige om sig selv. Han skønner på al slags mad. Han sætter alle retter lige højt, og han har alle sine dage haft en mistanke om at det ikke er andet end skaberi, når folk sådan lægger hovedet på skrå og påstår, at det ene smager så meget bedre end det andet. Ja, når de i det hele taget bilder sig ind, at de kan smage forskel på både kartofler og sovs.

Noget helt andet er selvfølgelig hvor nemt eller hvor

svært det kan være at tygge de forskellige ting. Og han må nu virkelig til at bruge kæberne. For han skal også nå at have noget sagt.

Noget helt bestemt. Når han har været så heldig at komme til at sidde over for Axel Lundbæk. Så må tiden være kommet. Så skal det siges, og han skal nå at have det sagt, inden de kommer med den næste ret.

Vi bliver gamle, siger han derfor i det samme han lægger gaflen fra sig. Ja, jeg mener nu mig selv. Og Ingeborg selvfølgelig. Vi bliver gamle, Axel. Vi må til at se og skille os af med ejendommen.

I tænker vel ikke på at rejse herfra, spørger Axel.

Måske ikke lige dét. Hvis vi kunne blive boende i stuehuset, siger Knud. Ligesom nu Karl Hannings enke gør.

Nå ja, siger Axel. Ja, det har jeg tilfældigvis endda haft lidt med at gøre. Men det var nu Maren selv der foreslog det, mens vi handlede. At vi skilte husene fra. Så hun kunne blive, hvor hun altid har syntes, hun har hørt til.

Ja, det er sådan jeg mener, siger Knud. Hvis du nu også kunne tænke dig at købe *mit* jord, Axel?

Du kunne også sælge dit jord til Orla, siger Jack Thornby.

Ja, siger Axel. Der kunne da aldrig ske noget ved at spørge ham.

Jeg har sagt det til Orla, siger Jack. Han skal have mere jord. Han skal have nogle større maskiner. Han forstår det godt, Orla. Han er en dygtig mand. Ham ville jeg sælge til.

Jo, men jeg har da også spurgt Søren Godiksen, siger Knud.

Du har spurgt – far, spørger Mary.

Nå nej – ikke sådan. Men jeg ville jo gerne have et råd af ham selv!

Det var klogt gjort af dig, siger Axel.

Ja, jeg véd jo nok det er Orla, der har gården – men jeg

syntes alligevel det var underligt ikke at høre, hvad Søren Godiksen selv mener.

Jeg mindes da snart ikke hvornår han sidst har haft en mening om noget, siger Mary.

Han sagde jeg skulle snakke med Axel Lundbæk, siger Knud.

Så står verden vist ikke længere! Mary ler og vender sig igen over mod Dagmar.

Jeg kan ikke mere, siger Knud. Jeg bliver så træt, Axel.

Du har også bestilt mere end de fleste, siger Axel. Men hvis det er høsten der nu bekymrer dig, Knud, så tænk ikke mere på det. Jeg får Henrik til at køre over til dig med mejetærskeren. En af dagene. Så skal du snart få dit korn i hus.

Jeg vil af med det, siger Knud.

Vil du det, siger Axel. Det kommer bag på mig. Men hvis det virkelig er sådan, du ser på det, ja – så vil vi tænke over det.

Det ligger jo også bedst for Kristiansmindes marker, gør det ikke?

Noget af det, jo – det kan du have ret i.

Skal jeg så regne med dét, Axel? Du vil godt have det?

Nu må vi nok også lige høre hvad de mener nede i Sparekassen!

Nåh – det bliver nok ikke nødvendig.

Du skal have en god pris for dit jord, Knud. Ellers vil jeg slet ikke være med til det!

Jeg vil bare af med det, siger Knud. Jeg kan ikke mere.

Og Axel bliver stille. Han kigger ned for sig, ligesom rørt over noget. For rørt til videre snak, og han rækker hånden over mod Knud Terkelsen og nikker til ham, mens han mumler noget. De må snakkes ved, og han trykker hans hånd og nikker igen.

Nu må jeg gå, siger Jack Thornby. Og han rejser sig, og

han ranker sig meget mere uimodsigeligt end da han for-
søgte sig for nogle minutter siden.

Du er ikke let at holde på, siger Mary.

Jeg skal have pakket min ransel, siger Jack. Det er der-
for. Jeg må hjem nu. Til Jerico.

Du bryder dig måske slet ikke om nogen af os længere,
siger Dagmar.

Det kan du tro jeg gør, siger Jack. Og jeg skylder jer alle
sammen tak. Jeg kan love jer jeg vil sige til vores præst der-
hjemme, at han også skal bede for jer.

Det er der ikke nogen der lige véd, hvad de skal svare
til. Det er vel sådan noget han har lært at sige derovre. Det
forstår de for så vidt godt. Her lyder det alligevel lidt sært.
Som om der skulle være noget galt med dem.

Efterhånden kommer de alligevel i gang med at ønske
ham god rejse. Og alt godt i fremtiden, for ham og hans,
og de beder ham hilse, og de håber snart at se ham igen.
Jack Thornby står og nikker til de har fået det hele sagt.

Godnat, alle sammen, siger han så. Og går sin vej.

Og Mary snakker straks igen videre med Dagmar. Hun
nyder hvert sekund af det. Som at snakke med én hun ikke
har noget med at gøre, og samtidig med én hun har alt at
snakke med om. De har bundløse væld af familiesnak at
øse af. De kan snakke og snakke, og jo mere de får op at
vende, jo mere strømmer der stadig til, og de kender begge
to det hele, og der er intet af det som nogen af dem især
vil ind på, og intet som helst de tager op af nogen særlig
grund.

Så anderledes end når hun i det daglige løber på Emma
i brugsen, eller når de har aftalt lige at mødes over en kop
kaffe. Med Emma bliver det altid *for* noget, hvis man kom-
mer til at nævne en eller anden. De kan sludre løs om vej-
ret og deres haver, eller om det der sidst i fjernsynet har slået
Emma som det tåbeligste, hun nogen sinde har set. Eller de

kan sidde uden at sige et ord, og det gør de for det meste.
Tavst bliver de enige om at de nok alligevel véd det samme.
Fra hver sin side kan de fuldt ud forenes i en holdning som
de hver for sig ikke helt ville kunne nøjes med: Det er som
det er. Vi får se. Håbe det bedste, og godt vi i det mindste
kan grine ad det meste. Sammen er de næsten sikre på at de
aldrig tænker anderledes, og der er ingen grund til at
snakke så meget mere om noget. Ikke for Mary med Emma.
Hvis man alligevel gør det, må man ryste op med en hidtil
uhørt grund til det. Kan ikke bare sidde og sige hvad som
helst om alt muligt. Man får straks Emmas øjne på sig, og
hendes spørgsmål over sig: Hvad er det du siger? Hvorfor
dét, og hvad skal jeg med det? Hvor vil du hen?

Men så fjerlet det nu går med Dagmar. De kan begge
fortælle hinanden alt hvad de véd, og ikke véd, uden over-
hovedet at have, endsige *savne* nogen idé om, hvad det
skal til for. Sådan kan de to automatisk indstille hinanden,
og sådan har de allerede snakket om deres far. Og de er,
hvad ham angår, endt i enighed om, at selvfølgelig skal
han have lov til at blive boende i sit hus, indtil Emma hel-
ler ikke synes, det går længere, så må de alle tre få ham på
alderdomshjem. Og de har snakket om deres mor, og de
har undret sig over hvordan hun klarede det dengang med
fire små børn, og masser af folk på gården, og ingen støv-
suger, ingen fryser, og nej, ikke bare ingenting af alt det,
men ingen strøm i det hele taget, ikke engang rindende
vand. Hun måtte hele tiden have en pige sendt ud midt på
gårdspladsen og pumpe af brønden, og de har spurgt hin-
anden om de mindes nogen sinde at have set hende – jo
før hun blev syg – men da at have set hende træt og i dår-
ligt humør eller bare den mindste smule uoplagt. Og de
har snakket om deres bror og hans krigerliv, som altid har
været svært at forestille sig, om hans styrt der aldrig er
kommet nogen virkelig forklaring på, om hvor god en

dreng han altid var. Og Dagmar har fortalt at hendes Jens engang i London, han var sammen med nogle andre på besøg derovre i Underhuset, at han da havde nævnt, at hans svoger havde været i Royal Air Force, og han kunne mærke det dagen efter, de havde undersøgt det, og der blev resten af tiden gjort mere end almindelig stads af ham. Og de har snakket om Axels søster, deres kusine Ellen, selvfølgelig også om hendes mirakel, og de har sagt det, sådan som det for længst er blevet rutine at sige det: at det alligevel ikke kunne nytte at ville forstå det, og begge har de et øjeblik vidst at den anden nu også sad og følte sig dum, og så skyndt sig videre til hendes skole i Afrika. Og til hvor kedeligt det er, at hun ikke har kunnet slippe væk fra det møde, i Stockholm vist nok, og være med her i aften, men Mary har desuden kunnet fortælle, for det har hun læst i et blad, at en afrikaner i FN havde kaldt hende den hårdeste negl han nogen sinde havde været ude for. Og det var sikkert ment som en ros og alligevel skægt at høre, når man nu huskede, hvor mild og føjelig og selvopofrende hun i virkeligheden er.

De har endnu så ufattelig meget at snakke om, for de har ikke så meget som været inde på deres egne børn, og deres eventuelle kærester. Eller på byens folk i almindelighed, hvem der er døde, hvem der er med her, og hvordan det gik og nu står til med hver enkelt.

Der er ingen Mary hellere vil snakke med om byens folk end med Dagmar. For Dagmar husker dem så nøje, dem der levede, mens hun selv var barn her, hun husker deres manerer og deres løjerligheder, men også hvad de egentlig havde i sig, var i stand til, måtte døje med. Hun husker det alt sammen i detaljer, og hun fortæller så livagtigt om det. Det lyder bare altid som om det aldrig er foregået i nogen virkelig virkelighed. For så langt har Dagmar lagt sin tid i Staun bag sig. Og hver gang føler Mary et øjebliks vemod over det, en forladthed i sig, et øjeblik – for i næste øjeblik vender den stemning brat om og løfter hende, højt op.

Hun føler da et fællesskab imellem dem fornyet. For også hun selv har jo for længst lagt livet i Staun bag sig. Også for hende er den her by blevet et helt tilfældigt sted i verden. Selv om hun aldrig har været andre steder.

De har sneget sig ud af salen, først Niels Jørgen, så Søren, så Anders, ud i indgangen, de er alle tre, brødrene og fætteren, flokkedes omkring deres flaske under trappen, og så snart de har fået det første bløp, har stemningen lagt an til endnu ét, lige om lidt.

De er da listet helt ud, har stillet sig derude i gruset og sundet sig, og de har drukket igen, og så er de begyndt at daske hen ad vejen. De er kommet hen forbi brugsen, de er drejet østerud dér, de er endelig drevet ned ad fjordvejen. Og indimellem er flasken svinglet hid og did mellem deres hænder og deres munde, og de har udstødt deres gisp og ræb, en serie af frydelyde over sprutten. Men også bare over at være sluppet ud i det fri og være sammen, de tre.

De synes de har fortjent det. De har allerede siddet inde ved hovedbordet i flere timer, de har opført sig som voksne der ikke vidste noget bedre. De har opsparet al ret til at være sig selv igen. Til at være en slags drenge igen, til at lege sammen og blive væk et stykke tid, til at tylle i sig og skide på det hele. De har ærlig fortjent det, og hvis ikke vil de også skide på det.

For de vokser jo stadig i det lune mørke. Deres hoveder bovner af snapsen, de kan snart ikke forestille sig at nogen i verden skulle kunne nægte dem retten til noget som helst. End ikke Anders og Niels Jørgen til at lade deres kærester sidde tilbage og glo derinde i salen, hvor de ikke kender andre end sig selv.

Jo, gu må de finde sig i det, og gu har de her karle lov til lige at glemme de kællinger et øjeblik.

Hvor har de også mange andre gange gået sammen her og glemt alt andet. De snakker om det. Om altid at have fulgtes ad ud at bade, om hvem der ellers kunne være med, dengang, og hvad der er blevet af dem. Og én har Niels Jørgen virkelig mulet hernede ved fjorden, en dag han alligevel blev et nummer for næsvis, og han sidder nu på kontoret nede på slagteriet, og en anden er Søren og Anders kommet til at opføre sig for vildt sammen med, hernede i en kåg, og har gynget og vippet den til den stod halvt fuld af vand, og de havde forlist en åre og fået så mange skældud af fiskeren, at de flere år efter var bange for ham, Niels Jæger, og pilede af sted i modsat retning, når som helst de fik øje på ham. Og ham der også var med, han er nu i hæren, tænker vist på at blive teknisk tegner, og det var også én de alle tre særlig tit badede sammen med, og som også kom meget hjem til dem, både på Kristiansminde og på Bisgaard, og hjalp til i høsten og sådan, og han sidder nu i spjældet for en hel stribe indbrud, i butikker, Ejvind. Og han var ellers altid så sjov, og hurtig, som et egern når de klatrede i elmene. Og hvor har de i det hele taget haft det skønt. Og hvor er det godt at gå her igen. Og indimellem få sig en lille spids og komme stadig længere på afstand af forsamlingshuset.

Til helvede med alle deres røvkedelige ædegilder, råber Niels Jørgen. Til helvede med alle deres åndssvage taler! Jo ikke andet end løgn og pis!

Ja, til helvede med dem alle sammen og deres forbandede sølvbryllupper, fortsætter Anders.

Op i røven med det hele, følger Søren op. Op i røven med al familie!

Op – i – røven, går Niels Jørgen så lidt og mumler. Tager lidt forsigtigt de ord i sin mund, som en syerske der har fået et nyt stykke stof mellem fingrene og føler på det og mærker grundigere efter, og så opfyldes, tilfredsstilles. Det er sådan han nu gentager ordene, af fuld hals, inderlig glad.

Op i røven!

Deres stemmer er vældige i aftenstilheden. Lyden forstærkes endda af mørket, der er så lidt at se, her og der oppe i byen et oplyst vindue, konturerne af tagrygge og husgavle der bag dem, kan lige anes, ligesom nu fiskerskurene og kystlinjen foran dem, og så jo ellers bare deres egne skyggeagtige skikkelser, buldrende og bragende ud i det sorte rum.

August har endelig givet det plads igen, det evigt uindskrænkede mørke, efter alle de blege sommernætter. Universets samlede masser af mørke styrter ned over dem, og stjernerne multiplicerer sig hæmningsløst lysende i deres glanende små hoveder.

Mælkevejen er af mælk, det kan de dog se. Og den har allerede stået længe og er fyldt med klumper og ·janker, flødenister og skindklatter, og den hælder sig skvulpende langt ud over fjorden, så harsk den er, og lander vel et sted ovre i Han Herred med et astronomisk stinkende plask.

Op i røven med alle deres bonderøvsfester, ·hvæller Anders. Op i røven med alle bonderøve af enhver slags!

Og op i røven med Bisgaard og Kristiansminde, hyler Niels Jørgen. Op i røven med Staun!

Fuck det hele, siger Søren. Nej, jeg glæder mig alligevel til at høre Alfred Zachariassen spille.

Op i røven med alt hans hopsasa, svarer Niels Jørgen. Fuck det!

Alfred, sagde du Alfred? Så vil du måske også til at danse foxtrot og wienervals og hvad fanden de kalder det, spørger Anders.

Jo ikke det der borgerlige lort, siger Søren. Folkemusik!

Men hverken Anders eller Niels Jørgen gider høre på andet end pigtrådsmusik.

Det er jo det samme, råber så Søren. Det kommer fra folket! Sgu da også det Alfred spiller!

Lad os få et lille skvæt, siger Anders. Hvem har flasken?

Hvor var det, det med Ejvind, spørger Søren. Hvor blev han taget?

Vist nok nede i Støvring, siger Niels Jørgen. Men han havde været mange andre steder før det.

Han er måske ellers arbejdsløs?

Det véd vi sgu ikke, siger Anders. Ikke altid. Og han gik kun efter smøger. Havde også tjent en helvedes bunke penge indimellem. Siger de. At han sejlede med en trawler på Grønland. Så det var måske bare for sportens skyld. Og hvis han altså lige stod og manglede smøger. Andet har han aldrig taget, siger de. Eller måske også lige en enkelt flaske. Og kom så med den!

Her, din lille sut, siger Niels Jørgen. Nej, han passede ikke på. Ejvind. Han baldrede bare de der butiksruder og vadede ind og fyldte lommerne, og så gik han stille og rolig sin vej igen. Du véd hvordan han var. Det går sgu nok!

Sådan tænker man vel altid, siger Anders.

Mig får de fandeme aldrig, har Ejvind tænkt! Jeg *er* smuttet! Så kan de tage alle de andre der er for dumme og for tunge i røven!

Sådan noget siger man jo altid, siger Anders.

Søren tænder en cigaret. Lidt efter gør Niels Jørgen også. De svirrende gløder tætner, nu med husene langt bagude, mørket omkring dem. Tobakken skærer sig igennem den tunge duft af korn der har hængt oppe over byen. Smøgerne åbner for fjorddybet og saltluften foran dem. Og samtidig begynder fiskernes skure og ruserne på strandengene, med deres tjærelugt, også netop at kunne bekræfte enhver formodning om deres eksistens. Bræmmen af tang i vandkanten lader slet ingen tvivl tilbage om sit indhold af halv- og helrådne kujer og skrubber.

De står på den gamle pikstensbelægning ved landgangsstedet. Strandsandet reflekterer antydningsvist en lille håndfuld kosmiske lux. Fjorden er sort, og ikke alene sort, men også lydløs. Den er lysløs og stum som en klippe, og i vindstillet må det da være en strøm der hvert femte sekund kan frembringe et spagfærdigt kluk ved bådenes bove.

Hvad så, Søren, siger Anders. Har du nogen sinde prøvet at ryge hash?

Ja. Det har jeg. Lige et par gange i hvert fald.

Har du noget med dig?

Nej. I må komme til Aarhus og besøge mig. Så skal jeg sørge for at have en ordentlig klump. Så kan vi kokse ud sammen.

Vi kommer, siger Niels Jørgen.

Har vi mere at drikke, siger Søren.

Anders stikker ham flasken, og han sætter den til munden og lægger nakken tilbage. Længere og længere tilbage, til flasken står lodret ud i rummet. Så tager han den om halsen, trækker den bagover og slænger den ud over fjorden. De hører klasket. Lader det lige blive helt stille igen.

Var den tom, spørger Niels Jørgen så.

Jeps.

Det kan fandeme da ikke passe, siger Anders.

Du kan sgu da så selv se efter, siger Søren. Eller skal jeg? Han knapper sin skjorte op.

Er I med? Hvem kommer så først? Han holder lige vejret. Som *skal* de nu være med.

Og de tager så skoene af. Alle tre, de smider resten af tøjet.

Luften er nu alligevel så kølig at de med det samme giver sig til at løbe. De sjasker udad i det lave vand mellem bådene, gennem ålegræsset hvor de sammen engang, hele lange sommersøndagseftermiddage, kunne vade med ·glib og ·krøje efter rejer.

Og de når ud på sandbunden, de fortsætter så længe de nogenlunde kan holde farten, indtil fjorden trods alt når dem til op over knæene. De lader sig plumpe i den.

Og fjorden er varmere end luften. Og de krabber ihærdigt videre udad, til de kan svømme, og til de så, og så nogenlunde på én gang, bliver trætte nok, og de vender sig og lader sig flyde. Vandet er så lunkent som var det gjort klar til et spædbarnsbad. Og de ligger der side om side, de tre, med ansigterne op i himlen, og der er vådt og stille og sort og lysende.

Søren Lundbæk og det moderne

Det er blevet sagt om Søren Lundbæk at hans bondske baggrund hindrede ham i helt at følge med tiden, da den endegyldigt gjorde det af med de sidste rester af den bondekultur, som man nu begyndte at kalde det førmoderne. Det er heller ikke helt løgn. Snarere en halv sandhed. Men hverken hans personlige udvikling eller hans rejse ind i nutidens virkelighed kan ridses op med nogen enkelt, om så nok så bugtet eller krøllet linje. Den må falde fra hinanden i stumper og stykker af prikker og streger, som et kompliceret nodebillede i flere lag af samtidige bevægelser og kontraløb, frie eller manisk varierede gentagelser og snart vilkårlige, snart mekanisk skiftende tonearter, alt sammen ledsaget af absurde disharmonier.

Både hans karakter og hans forhold til omverdenen ytrede sig alt for ofte lige så ligefremt som bizart, lige så logisk og forklarligt som gådefuldt og paradoksalt. Og dog – der tegnede sig i det hele et mønster som efterhånden og i nogen grad kunne ophæve indtrykket af ukontrollabel irrationalitet, ja, som kunne lette – også Søren Lundbæk selv – for en mistanke om, at han havde en alvorlig psykisk skavank, en brist.

For han var måske bare som et dyr der var blevet flyttet et andet sted hen i verden end der, hvor dets anlæg og evner, blandt andet også til at tilpasse sig, var formet. Men Søren *ville* så kunne leve på det her ny sted.

Han higede voldsomt efter at tage det til sig. Han blev

mere kongelig end dette nutidsriges konge, og han faldt så tilbage, gang på gang. Måtte alligevel tilbage, måske efter noget mere af sig selv, som han havde været, og han sank, ned og tilbage til noget der alligevel ikke længere var der, og han kastede sig da igen, og så meget desto mere ildfuldt, på liv og død blev det, opad og fremad.

Pigen som en sommerdag i 1967 havde været villig til at tage med Søren til Orlas og Emmas sølvbryllup i Staun Forsamlingshus, og som en anden dag, et par uger efter, bestemte sig for at det ikke kunne være noget for hende, hun hed Ruth.

Og hun ville gerne med Søren på besøg hos hvem og hvor det skulle være. Det var hendes spontane forgodtbefindende. Derpå indså hun at det ville være uværdigt af hende ikke alene at komme til festen som hans blotte påhæng, men også således at lade sig indlemme i en familie, der med henblik på sin videreførelse betragtede hende som et tilfældigt hunkønsvæsen til lejlighedsvis avlsbrug. En antagelse hun støttede i den kendsgerning at hun ikke var anført med navns nævnelse på den trykte invitation og først i *anden* ombæring kom på tale i kraft af en håndskrevet tilføjelse: „evt. med ledsager!!!". Ved nærmere eftertanke virkede alle de der udråbstegn da også i sig selv ret krænkende. For så vidt som de kunne tolkes som en diffus iver efter at møde 'hende', understregede det netop familiens totale ligegyldighed over for hendes individualitet.

Det måtte jo have været overkommeligt for dem at undersøge om hun overhovedet eksisterede, og i givet fald gøre sig klart, hvem hun var. Selv om hun selvfølgelig også godt vidste at Søren ikke var nem at få noget klart svar ud af, hvad den slags angik, og at han sandsynligvis blankt ville have afvist enhver snagen i sin privatsfære.

Også hvis det var hans egen mor der havde haft næsen fremme.

Det blev da Sørens person som sådan der endelig og uigenkaldeligt overbeviste hende om, at hun skulle lade ham tage derop alene med sig selv. Han argumenterede så nidkært for det modsatte, han *ville* så emsigt have hende med, og han tilbageviste hendes nøgterne opfattelse af hans familie så hidsigt at hun ikke kunne undgå at tænke, at han inderst inde netop helst ville af sted *uden* hende. Og derfor – som hver gang han følte noget 'forbudt' – ville bevise, og til vanviddets rand blev ved med at ville bevise, at han var selve det rette tilladeliges inkarnation.

Ruth var kommet med i den ny kvindebevægelse der et par år senere tog navn efter den gamle blå og borgerlige, så den altså nu med socialismens farve kunne blive til Rødstrømperne. Og Ruth og Rødstrømperne ville endegyldigt ophæve ethvert traditionelt skel mellem mænds og kvinders uddannelser, fag, arbejdsområder, lønninger, avancementsmuligheder. De krævede ganske ubetinget at kvinderne med det samme kom til at sætte sig på det halve – eller – som kompensation for en langvarig forfordeling – *mere* end det halve – af al politisk og samfunds- og erhvervsøkonomisk magt, mens de til gengæld var rede til straks at afstå det halve – *mere* end det halve – af deres arbejde i privatsfæren: rengøring, tøj- og opvask, indkøb, madlavning og servering, børnepasning, syning, strygning, sengeredning med videre. Og de ville mere end dét. De ville omstøbe mænds og kvinders hjerner og hjerter så tanken om et tilbagefald til patriarkalske livsformer meget snart ikke alene ville forekomme afskyelig, men egentlig også – og det jo både for kvinder og mænd – være umulig at tænke.

Det ville Rødstrømperne, og det ville Ruth. Og Søren ville helt bestemt også. Han var hundrede procent enig i alt det der. Måske mere end hundrede. For eksempel lagde han ekstraordinær vægt på at heller ikke værnepligten burde forbeholdes mænd længere, og han gik mere end almindelig varmt ind for at skoledrenge skulle tvinges til at lære at strikke.

Samtidig arbejdede han sammenbidt på at aflægge enhver vane der kunne defineres som maskulin. Han trænede sig i at se indforstået ud når Ruth og hendes veninder talte om kvindesager. Han satte sig ned og pissede. Dette kønsligt-revolutionære arbejde fandt han dog også på at føre over i en kritik af de feminine sider hos Ruth. Han påstod da at hun benyttede sin muskelsvage kvindekrop som undskyldning for dovenskab. Eller at hun af og til forfaldt til forsøg på at tryne ham med tårer. Eller at hun slet ikke altid undlod at gøre sig til og at spille koket og være sukret når visse andre mænd smigrede hende med deres liderlige opmærksomhed.

Ruth forsvarede sig naturligvis. Blandt andet også med nye beskyldninger mod *ham*. Hun erindrede, på sene aftener hvor det var kommet så vidt, flere andre tilfælde af mandschauvinistiske atavismer fra hans side. Ud på natten havde hun – en gang i kvartalet eller hvert halve år – samlet et gruopvækkende arsenal af totalt afslørende eksempler på at han – trods alle sine opportunistiske talemåder – inderst inde var og blev en gennembøvlet knoldesparker, en syg og forkvaklet knudemand af en kvindehader.

Og Søren gav igen. Og Ruth gav igen. Og de ribbede hinanden for al mandlig og al kvindelig selvfølelse og værdighed, indtil de hen på en grå morgenstund måske omsider kunne få lukket kæften på hinanden. For så at sidde tilbage i hver sin uhjælpelige forstemthed. Sidde der halvdøde i hvert sit kolde og dystre hjørne og stirre ud af de hoveder og kroppe, som de hver for sig væmmedes ved at være fanget i, og som de skammede sig over gensidigt at have mishandlet.

Det skete så at en af dem fattede mod til en gestus, et ord eller et kærtegn, som den anden begærligt tog imod og besvarede. De forsonede sig, og deres forhold kunne fortsætte, og bedre end før. For det blev nu dybere, syntes de, og de var blevet klogere, syntes de.

Med tiden kom de i stand til at elske hinanden som dem de nu engang var. Kunne de sige. Men de kunne alligevel ikke fuldstændig opgive deres bestræbelser på at blive nogle helt andre. De måtte stadig anstrenge sig, de overanstrengte sig igen, og der kom andre aftener og nætter hvor den ene og den andens skuffelse, over sig selv og dem begge, atter kunne piske dem igennem en repetition af de samme onde klicheer. Og endnu en gang efterlod dem i samme stumme foragt og fortvivlelse.

Og der kom en morgen hvor ingen af dem igen begyndte at kunne fornemme det mindste spor af liv i hjertet, og hvor ingen af dem magtede nogen forsonlig gestus. De havde da været kærester i mere end otte år og boet sammen i fem og et halvt. Søren flyttede snart efter til København.

Politisk hørte Søren Lundbæks opvækst til i noget der vel allerede i 1950'erne måtte kaldes reaktionært. Men det var stadig så præget af agrare traditioner for fællesskab at ingen småborgerlighed for alvor havde mærket hans hjem. Her var fortsat ingen forståelse for at noget hensyn til privatpersoners behag eller ubehag, eller den enkeltes adgang til nydelse i det hele taget, kunne være et samfundsanliggende; heller ikke for at den blotte henvisning til egeninteresser skulle kunne gælde for et politisk argument. Her trivedes fortsat en ringeagt for hver den der ikke, i det mindste, gjorde et ærligt forsøg på at tænke lige et bitte nøk længere end til egen fordel.

Det var positioner der nu meget snart, selv så langt ude

på landet som i Staun, tog til at vakle. Men som dog endnu også havde så meget hold i det øvrige land at partiet Venstre kunne se det formålstjenlige i – til en vis, stadig aftagende grad – at repræsentere dem. Sørens forældre og hele hans familie og de allerfleste i byen stemte da troligt på Venstre. De gjorde det uden overhovedet at overveje andre muligheder, i en ikke så lidt naiv tillid til at partiet også når som helst vil tage *deres* parti: at det nøjagtig som altid førhen ville være rodfæstet i dansk landbrugskultur og stå der som den urokkelige garant for dens grundpiller, selvejet og andelsbevægelsen. Og at venstremænd endda – uanset hvem der i øjeblikket måske kunne se ud til at være rendt med magten – med sikkerhed ville være dem, der til syvende og sidst kom til at bestemme i Danmark.

Derfor så man også med ret nænsomme øjne på afvigerne. Man regnede dem alle for så ufarlige at man heller ikke rigtig orkede at skelne imellem dem. Var de måske socialdemokrater, var de retsstatsfolk eller kommunister, radikale eller højremænd, det var frem for alt deres eget problem og dernæst at regne for udslag af nykker og vildfarelser – om de så kom sig af ringe evner, en svag karakter eller ganske koldsindige bagtanker om bedst muligt at mele sin egen kage. Særlig kløgtige eller godlidende venstrefolk kunne det oven i købet falde ind at tage alle de der mennesker i forsvar og hævde at deres ideer godt kunne give mening og være til at forstå, hvis man tog forhold som deres medfødte anlæg og hele forkvaklede baggrund i betragtning.

Der var for så vidt altså ikke nogen knaldhård ideologisk intolerance for Søren Lundbæk at reagere imod. Som den han var, forekom den ham alligevel så helt utålelig selvherlig, så sønderknusende indskrænket og brutal, at han, allerede inden han kom i gymnasiet, havde lagt absolut afstand og var i fuld gang med at opspore, og derpå hurtigt tilslutte sig, en række så vidt muligt diametralt modsatte anskuelser.

Dermed indledte han så også allerede et holdningsmæssigt dobbeltspil, der til tider kunne blive både tre- og firdobbelt. Proportionalt med de politiske emners og anliggenders kompleksitet naturligvis, men især med hans periodisk højere eller lavere brændende lidenskab for i det hele at finde en person, han med nogen sandfærdighed turde kalde sig selv.

Visse abstrakte sammenhænge i hans personlige udvikling kunne villigt nok vise sig. Da han var blevet en uforbeholden beundrer af det maoistiske Kina, hørte han ikke alene en hjemlig tone i de revolutionære parolers grovkornede poesi, men forbandt så let som ingenting kommunismens utopi med sit eget romantiske savn af et landligt, just forgangent fællesskab.

Da han lidt sent fik nærmere besked om virkeligheden bag den blændende iscenesættelse af hele det kinesiske folk som henrykte, fanesvingende jubelsangere, måtte derfor også hans desillusionering vende både bag- og forud: den grandiose omformning af den menneskelige natur, som maoisterne fejrede på deres tribuner, indebar i praksis altså indespærring og nedslagtning af ethvert menneske, der endnu havde noget af denne natur i behold; mens de skiftende former for danske bondefællesskaber – som nu en tid havde glimret i det kinesiske lys – jo nok alligevel bare skyldte deres fordringsløse succes, at den aldrig var betinget af, at folk på nogen måde blev mindre selviske, end de altid havde været.

Sørens efterfølgende tilslutning til den grønne revolution indbragte ham af mange gode grunde mindre dramatiske opgør med hans personlige fantasteri. Nødvendigheden af en ny økologisk balance blev med tiden – og dens furiøst accelererende ressourceforbrug – kun så meget

mere indlysende at den når som helst også kunne over-
trumfe enhver aldrende svækkelse af hans idealistiske
kampberedskab.

Alligevel blev hans langvarige, ja, endnu uafsluttede
engagement i sagen ledsaget af jævnlige kvababbelser.
Endog af alvorlige anfald af væmmelse over hans me-
ningsfæller. Af timelange og ugelange forkastelser af hele
bevægelsen. Han foragtede dens damede teknologiforagt,
han kunne ikke døje dens fordrømte puritanisme, han ra-
sede over dens naturidyllisering og endnu mere patetiske
selvglorificering, og han hadede den iskolde kælenhed
hvormed den nu og da nedlod sig til at veksle et par ord
med de bil- og parcelhusejende, forbrugsglade, charterrej-
sende lønarbejdere, eller med andre ord: folk som flest.

Og hvor hundrede procent berettiget kritikken af land-
brugets overforbrug af gødnings- og giftstoffer end måtte
siges at være, så ærgrede han sig også mange gange gan-
ske grundigt over sine ejegode venners afstumpede uføl-
somhed over for landmændenes situation. Den tanke
pinte ham trods alt dybest at han i sin renhedsiver kunne
blive medvirkende til, at hans bror blev nødt til at opgive
deres fødegård.

Af antikapitalistiske årsager blev han først modstander
af De Europæiske Fællesskaber. Formedelst de samme, så-
dan cirka, blev han senere tilhænger af Den Europæiske
Union.

Han måtte således også forholde sig skeptisk til den
stærkt tiltagende globalisering, for så vidt som den blev
styret af multinationale mastodontselskaber, og samtidig
og forventningsfuldt acceptere den, for så vidt som den
førte verden ind i den multikulturelle og økonomisk
multicentrerede fremtid, der var klodens eneste mulige.
Fordi en ny og nødvendig ansvarlighed nu først i den *hele*
verden ville kunne finde sit sted igen og folde sig ud – ef-

ter at det borgerlige samfunds engagement i det nationale var udtømt, ligesom jo tidligere bondekulturens indgroede skyldighed over for den lokale almenhed.

Disse historiske ophør af samhørigheder var mere end teoretisk forsvarlige påstande – ville Søren Lundbæk når som helst påstå – om end de endnu så langtfra havde manifesteret sig i hans personlige virkelighed.

Han var stadig, ti og tyve og tredive år efter at han var rejst ud i verden, varmt forbundet med sin barndoms Staun. Han fulgte nøje byens udvikling, og det skar ham i alle indvolde hver en gang der indtraf en forandring. For uanset hvor forvisset de tilbageværende kunne se den som et fremskridt, så var og blev den for ham en alvorlig forringelse, en ødelæggelse eller i bedste fald en vulgarisering og en beskæmmelse af det, der havde været.

Heller ikke sine mærkelige nationalfølelser kom han af med, skønt han egentlig anså dem for uddøde. Han nærede den største mistro til andre der kunstigt, af sentimentale eller kyniske grunde, forsøgte at holde denne borgerlige efterbyrd i live, men i hans eget indre kunne så lidt som en fodboldlandskamp på et øjeblik give den styrke til totalt at eliminere, hvad han rummede af fornuft. Og forbavsende tit stødte han sådan på så meget andet nationalt bras – aldeles stilfærdige landskaber, en nok så forkommen bronzealderhøj, en lille sekvens af modersmålets milde toner – der alt sammen viste sig at have konserveret en evne til at sætte fart i hans blod og få hans hjerte til at banke.

Selvfølgelig måtte han ikke så sjældent lide af sine modsigelser. Så meget desto mere som han gebærdede sig i resterne af det tyvende århundredes politiske krigskultur, hvor en nuancering af den korrekte holdning hurtigt blev betragtet som faneflugt, og en vis forståelse for modstandere allerede udgjorde et bevis på forræderi. Han skældte da også ud på sig selv. Han kaldte sig et skvat. En vendekåbe, en vejrhane, en charlatan, et svin.

Men når han fortsatte sådan længe nok – og fik opsamlet alle de sammenhængsløse eksempler på sig selv han overhovedet kunne erindre – så kunne det ske, at han med ét mærkede en ny, voldsom energi komme op i sig, og at han blev gennemstrømmet af en fuldkommen uafviselig glæde over i det hele taget at eksistere.

Ved en af de lejligheder indså han da endelig at han kun i den klare bevidsthed om, at hans tanker og instinkter og længsler strittede i hundredeogsytten forskellige retninger, kunne føle sig som et helt menneske.

Ikke alt i Søren Lundbæks tilværelse forudsatte en modsætningsfylde. Hans forhold til det moderne i betydningen *moden* kunne således være et eksempel på den glattest tænkelige harmoni mellem et individ og hans tid.

Søren fulgte simpelt hen moden – nærmere bestemt: den i progressive kredse anerkendte herremode. Hvilket lod sig gøre med en så meget desto højere grad af perfektion som denne mode udviklede sig yderst adstadigt og forudsigeligt: i slutningen at 1920'erne havde den forkastet slipset, uden at det på mindste måde fik følger for tilknapningen af skjorten; der skulle gå et par årtier før den øverste knap krævedes opknappet; endnu et par årtier før det af alle ansås for passende også at knappe den næstøverste op; hvorpå tendensen dog accelererede, allerede efter nok en halv snes år kunne man ikke længere høre til de chikke uden at medtage tredje knap i opknapningen, for dernæst at måtte lade skjorten stå halvt åben, og det blot for endelig, i løbet af 1990'erne, helt at måtte smide den. Men heller ikke dette sidste skridt stejlede Søren over for. Skønt han anså det for uhygiejnisk med den skjorteubeskyttede, altid fedtede jakkekrave, og skønt han nu oppe i halvtredserne næppe tog sig bedre ud med bar hals. Måske havde han også haft brug for et lille puf fra konens side. Han havde giftet sig med Ulla Bang i midten af 70'erne, og hun var præst og lagde vægt på at de begge var med på noderne i deres fremtræden. Desuden muntre og uhøjtidelige, lige ud ad landevejen, eksemplarisk usnerpede, støvfri. For ellers risikerede alle hendes øvrige anstrengelser for at holde gang i sognelivet nok alligevel at være forgæves.

Kristeligt set var Sørens radikale tvivl mere end tilstrækkelig til at Ulla kunne opfatte dem som et par, der var fælles om det væsentlige. Samtidig blev han fritaget for at tage mere notits af den forladte barnetro der jo ellers allerede længe – ja, sådan som han nu engang var indrettet – havde truet med igen at måtte gøre sig gældende. Og yderligere: han blev i en længere periode tilmed fritaget for fast arbejde.

Siden sin skoleembedseksamen, med fagene dansk og historie, havde han først levet af noget skriveri her og der, men især af et par lange vikariater, på et gymnasium og en højskole, og han var så – blot nogle måneder før han, ved en konference om „Kunsten – til ære for hvem?", mødte Ulla – blevet programmedarbejder ved Danmarks Radio. Denne stilling kunne han altså tillade sig at opsige igen så snart han var fast installeret i hendes præstegård, for dog i princippet at fortsætte som freelancer. Men jo først og fremmest for omsider for at få tid og ro til at skrive det, der i hans tanker snart i mange år havde heddet 'min bog'.

Ulla og han fik nu også hurtigst muligt to sønner, Peder og Axel. De skulle naturligvis også passes, og Søren gik med barnevognen, skiftede bleer, lavede grøntsagsmos, legede med klodser, kørte i vuggestue og børnestue, kælkede og spillede fodbold. Og skrev så, skrev og skrev.

„Spillerum" blev da titlen på 'hans bog'. Denne hidtil

eneste mere omfattende publikation af Søren Lundbæk. Dens hen ved fem hundrede sider havde da også taget ham det bedste af seks år, plus rub og stub af Ullas villighed til fortsat at være eneforsørger.

Med udgangspunkt i sit eget liv havde han skildret tre kulturelle ordener: det ældgamle bondesamfund; borgerligheden – inklusive den heraf afledte proletariske organisation – som i nyere tid udgjorde parallelkulturer til bondesamfundet; og endelig den småborgerlige forbrugerisme eller postmodernitet hvori begge disse nyere værdikomplekser stort set samtidig – men samtidig vel at mærke også med det sidste af bondekulturen – gik i opløsning og forsvandt.

Hans hovedtanke var at de forskellige økonomier i og med deres civilisationsformer i første omgang affinder sig med, formulerer og fastholder det sæt værdinormer, som er nødvendigt for opretholdelsen af deres indre sammenhæng, og – og! – at de herunder og i takt med deres magtkonsolidering åbner sig – og som skaldyr under visse omstændigheder åbner sig med katastrofale konsekvenser – for at finde fornyet overlevelseskraft ved at tillade udfoldelsen af individuelle tilbøjeligheder af en hvilken som helst art.

Hvis de blot kunne antages ikke i det væsentlige at skade det bestående grundlag. Heri jo titlens 'spillerum' – de åbne legestuer hvor den enkeltes fri vilje får lov at tumle sig, og den menneskelige individualitet, betragtet som biologisk vilkår, kan ventileres. Men også – også! – altid stedet hvor en anderledes fremtid indøves, hvor en eller flere virtuelle samfundsformers normer og deres mål af nødvendighed testes på altid yderst villige forsøgspersoner, som i dette laboratorium nemlig kan se sig selv som historiske subjekter og som skaberne af det nye.

Hvor meget han end havde forsøgt, jo endda med sin

titel, at få mennesket i centrum, var han altså nær ved alligevel at havne helt på bunden af en determinisme, som han afskyede. Han blev derfor også hurtigt efter færdiggørelsen træt af bogen. Han havde inden udgivelsen fortrudt den – ejede den nogen som helst originalitet, hvad han for hver dag fandt mere og mere tvivlsomt, bestod den jo i denne stadige indfletning af hans personlige historie, som han nu så klart kunne se var blevet gennemforløjet, også bare af hensyn til en pæn og ordentlig sammenhæng i det hele. Han læste da de meget grundige og meget anerkendende anmeldelser under en slags hysterisk opstemt ubehag ved pressen, meningsdannelsen, de intellektuelle og kulturlivet i det hele taget.

Til gengæld skaffede bogen ham et jobtilbud som han glad tog imod, og som omsider – efter både hans egen og mange andres opfattelse – fik ham anbragt på den rette hylde: han blev højskoleforstander.

Det er blevet sagt om Søren Lundbæk at han som ordstyrer på smukkeste vis fandt anvendelse for de bedste af sine evner. Efter mange af de talløse møder og seminarer han kom til at arrangere på sin skole kunne for det meste også de, der var blevet uenige i alt andet, til sidst dog samles om den vurdering af arrangøren selv.

Deltagerne i en debat blev for Søren som instrumenter i et orkester der så – med stadig tiltagende entusiasme – lod sig dirigere af ham. For idet han straks havde grebet essensen og indefra havde fået en følelse for klangen i hver især, og forstod deres følgerigtige placering, og nøje kunne præcisere deres indsats, ja, derfor måtte det bagefter også forekomme dem alle, at de var kommet til orde på det optimale tidspunkt og havde fået udtrykt lige netop, hvad de ville.

Og selv følte Søren det som oftest helt på samme måde.

Henrik og Anne Marie

I november 1989, mortensaftensdag var det, sad Henrik Lundbæk i sin bil, på vej op over Bygholm Vejle. Han havde radioen tændt og skruede op da jinglen klokken elleve annoncerede de seneste nyheder.

Endnu en gang fik han det bekræftet. At det virkelig var sket i virkeligheden, hvad der aftenen før blev vist i fjernsynet. Der var slået hul på Muren. Der var nu fri passage, mellem øst og vest. Det var ikke drømmebilleder, ikke bare. Det var sket, i Berlin, aftenen før, han hørte det her for syttende gang, og han slukkede radioen. Ligesom det nu kunne være nok, som forlangte hans hoved igen at have det lidt for sig selv.

Eller at glemme det igen, og han kiggede op over Vejlerne, i den klare blå efterårshimmel, og han kiggede ud over fjorden. Og han så på sit ur, og vidste selvfølgelig godt at klokken ikke var mere.

Han ville ikke komme en halv time for tidligt til Thisted. Anne Marie ventede ham til frokost, men inden da havde hun sikkert andet at se til. Han måtte standse et sted, holde en pause, kom i tanker om tanken oppe ved Øsløs, de havde et lille cafeteria, hvis det var åbent, måtte se. Ville være der om nogle få minutter.

Men han ville nok ikke have ladet dem slå hul på den mur lige nu. Hvis det var ham der bestemte.

Nej, det var lige tidligt nok. Efter hans mening. Om et par år ville han helt sikkert have løst sine likviditetsproblemer. Og selvfølgelig blev det hårdt, et par hårde år, men så var det klaret. Han fortrød i al fald ikke. Ikke det fjerneste, hvad han havde gjort, det var det rigtige. Helt rigtigt af ham at gå i gang med at bygge de sidste to haller nu. Det var nu de skulle bygges. Med de priser der var, det var nu. Og det var nu han skulle placere sig. Det var nu at fremtiden i dansk svineavl begyndte, og han ville få plads til mere end seks hundrede søer. Femten tusind årligt. Mindst femten tusind, smågrise og fedesvin, årligt.

Og han gad ikke høre mere på Johnny Bruuns formaninger. Han ville ikke én gang til sidde der i Johnnys fede læderstole og lade sig belære af den lille lort. Han kunne stikke sin forsigtighed skråt op. Som om han anede en skid om noget.

Nej, hvis det var ham selv der bestemte, så skulle man ikke sådan lige med ét have slået hul på den mur. Det skulle have været bedre forberedt. Man skulle have haft en økonomistyring på plads. Nogle modeller.

Det kunne Johnny for den sags skyld nok heller ikke være uenig i. Han var jo god nok, Johnny. Dygtig fyr, det var klart. Den chef banken havde brug for, det havde han tænkt med det samme, og de var også hurtigt kommet godt ud af det med hinanden. De var blevet personlige venner.

Jo, de var blevet gode venner, men på et eller andet tidspunkt, meget snart nu, må han for helvede også få gluggerne op og se, hvor hans grænser ligger, den lille Johnny.

Det er ikke ham der driver Kristiansminde. Det er ikke ham der har skabt den succes. Slet ikke ham der har nogen som helst idé om hvordan. Og så at skulle se ham sidde der og pille ved sine små, klamme fingre over det sidste par millioner. Fandeme om han orker det igen. Og hvad har man for resten en søster til?

Sådan vil han selvfølgelig aldrig tænke på det. Bare for

den her ene gangs skyld i deres liv spørge hende, hvad hun vil sige til det. Et beløb deromkring. Og sgu da lige meget hvad, det skal aldrig nogen sinde komme til at skille dem.

Nej, de skulle have udarbejdet et scenario dernede. De skulle have delt udviklingen op i nogle faser. Over en femårsperiode måske. Nu de altid havde skreget op om deres femårsplaner. Og nu det gjaldt, kunne de selvfølgelig ingenting i virkeligheden, aldrig en skid, vidste man jo godt. Men Vesten, de skulle være trådt i karakter. Havde de ret til. De skulle have taget kontrollen og sagt, det er også vores interesser. Det er vores ret, for ikke at sige vores forbandede pligt at få hånd i hanke med situationen. Kan ikke bare lade alle grænser oversvømme med billige landbrugsprodukter. Må have tid til selv at komme på plads, tage konkurrencen op. Måske selv begynde at investere derovre østpå, få vores rimelige del af kagen. Skulle de selvfølgelig have gjort klart, Vesten.

Skulle også selv. Skulle nu også til at have tænkt det hele ordentlig igennem. Hvad han skal lægge frem for hende. Hvor meget, og hvordan han skal få det hele sagt, eller det allerværste sagt. Eller allerførst måske forklaret hele sammenhængen, så hun kan sige nej. Så hun uden videre vil kunne sige ja, men så hun også kan komme til at sige nej. Så det bliver noget rent professionelt. Så det ikke er fordi de er i familie, og hun skal blive ked af måske ikke at kunne sige, hvad hun selvfølgelig helst vil sige. For selvfølgelig er de da i familie. Ellers ville han jo heller aldrig spørge, og hvordan skal de komme uden om dét, bare lige i det øjeblik hun skal svare, hvordan skal han få sagen lagt sådan op.

Er gået i stå hver gang han forsøgte. Kom aldrig helt igennem. Heller ikke nu. Kan stadig ikke tænke så langt som halvanden forkølet sætning.

Jamen sådan og sådan. Du véd, Anne Marie.

Han var standset der ved tanken i Øsløs, og han havde tanket op, og deres cafeteria var åbent, og han gik derind. Og de har allerede lagt lidt sandwicher frem til frokost, nogle enkelte stykker, ellers er der pølser og bøfsandwich, en halv kylling, hele den kvalmende friture, han vil jo bare have en kop kaffe.

Så synes han alligevel han trænger til en bid et eller andet, da han ser bakken med wienerbrød, og har også fået en lille tallerken i hånden, og kagetangen i den anden, og han tøver et sekund, napper så et stykke wienerbrød. Og han har bakken med sig ud til et bord ved vinduet, og sådan set en fantastisk udsigt, han sætter sig og genkender Løgstør. Og det må så være Fur derovre, og Mors, og Livø lige dernede. Og fjorden ligger med vimrende flager af krusninger mellem store blanke himmelspejle. Men kaffen, den har han nu nok været lidt uheldig med.

Den har nok stået lidt længe i sin kande derovre på disken. Den er bitter. Ingen duft eller smag, ud over den bitterhed, og han har ikke taget mere end en enkelt bid af wienerbrødet før det dæmrer, ikke mere end to små bidder før han er fuldstændig på det rene med, at det var en fejl. Han kan allerede mærke brækfornemmelserne. Og ærgrelsen ikke mindst, at han sidder her og ødelægger sin appetit, og sit helbred, og sit humør, en halv time før Anne Maries frokost. Vil komme der møgsur og forædt. Men det kan selvfølgelig også være det bare er et tegn på, at han er ved at få sukkersyge, ligesom sin far.

Eller bare og bare. Men ligesom Axel havde fået det, gammelmands. Selv om det vel først kom senere, oppe i hans tressere. Så det er nok mere gigten. I al fald har han helt uden tvivl arvet dén fra sin farmor. De der underlige trækninger hun evig og altid jamrede over, Rigmor, mens Søren og han selv kunne blive ved med at fnise i krogene.

Det er nu slut med dét, for hans eget vedkommende i det mindste. De er knap så underlige længere, de der trækninger, når man selv har fornemmet dem i kødet, og de har været ved at vride hele ens kadaver fra hinanden. Og blind bliver han vel også. Vel også arveligt sådan som hans mor nu døjer med synet, det skal nok også snart ramme ham, hvis da ikke kræften kommer først. Ejnar Lundbæks kræft. Han må tvinge en slurk af den her kaffe i sig.

Men kræften. Morfars galdesten, som de havde kaldt den. Han *har* jo allerede mærket den i sin egen mave, kræften. Flere gange. Den sidder der. Den har kloen i ham, og den bider også i ham nu. Niver i hans tarme. Selv om han ikke er mere end seksogfyrre år gammel. Men altså allerede uden helbred til at tåle et enkelt stykke wienerbrød. Eller bare til at sluge resten af kaffen i sin kop. Så skidt er det blevet med ham. Hvor forkogt den kaffe end må siges at være. Til hans undskyldning. Hvor sort og besk en dødemandsdrik. For slet ikke at tale om hele den der helvedes stank. Fritureolien, ketchuppen, og han kan ikke tåle noget af det et sekund længere, ikke et sekund.

Ude ved bilen stikker han nøglen tilbage i lommen. Han har stadig lidt for god tid, og han går ud over A11. Stiller sig rastløs der ved strandengen, skuer tilbage over Vejlerne, uden appetit på hverken land eller vand.

Noget fra en hjernecelle flimrer så atter hen over det hele, som allerede da han kørte op gennem landskabet. Det samme tynde skyggebillede af ham selv som soldat i mudderet, og med det samme jag af skam gennem kroppen, han lader det alligevel sætte sig nu. Eller orker ikke straks igen at ryste det af sig, ikke værge sig mere for billedet, og det er på ingen tid blevet superskarpt, som da han virkelig lå der og fik lyset fra en projektør knaldet ind i ansigtet og først da også selv blev fuldstændig klar over, at han lå der i mosen og græd. Han lå der og sank og kunne knap holde sit tudefjæs oppe over slammet, da han sådan blev set af sin premierløjtnant. Selv om det vel også bare var en lille feltlygte, hans tårer blev under alle omstændigheder flashet op for snesevis af øjne derude i mørket, og han havde altså ikke kunnet klare det. Ikke kunnet slæbe sig videre gennem pløret, han var sunket endnu dybere ned i det, endnu dybere i sin slaphed og selvmedlidenhed, og fik det jo at vide, og at mor bestemt da også burde have været med og trøste ham, og at han for helvede nu bare skulle se at komme op af hullet, og videre, videre.

Og selvfølgelig havde al den hån hjulpet ham op og videre. Og han havde fået fat i de sidste kræfter, og han havde, igen og igen, lovet sig selv at ingen mennesker nogen sinde mere skulle kunne ydmyge ham på den måde, og igen og igen havde han lovet sig at intet menneske nogen sinde mere skulle se ham med vand i øjnene, aldrig, aldrig. Og det er snart femogtyve år siden, og det er stadig så skrigende og sønderknusende pinligt alt sammen, ja, at han havde givet op dér og så den der nedværdigelse, og værre endnu at den havde sat skub i ham, og det allerværste og grimmeste nu igen at få mast op i hovedet, alt det forbandede vrøvl han så havde svoret for sig selv, mens hans møvede sig op og ud gennem den mose.

Skuttende, som havde han frosset, skyndte han sig ind i sin bil, og der var måske også skidekoldt under den skarpe blå novemberhimmel, i al fald syntes han bag rattet snart også at få styr på sin hud. Og så nogenlunde på sine tanker, mens han stille og roligt trillede videre mod Thisted. Og det var jo dengang. Han havde skullet lære at slå alle de røde sataner ihjel, østtyskerne og russerne, tjekkerne, bulgarerne, dem alle sammen.

Det var dengang. Og hvad fanden om han så havde klemt en enkelt tåre under den der sjaskvåde efterårsmanøvre. Måske havde de heller ikke, på nogen side af Muren, været i stand til at kontrollere forløbet. Selv om de havde villet det og gjort alt hvad de kunne, der fandtes situationer der løb af med alt og alle. Det her var så nok endt som en kæmpemæssig byld der nu måtte briste. Der skulle rammes hul igennem. Alt skulle strømme frit. Som det altid havde skullet og til sidst bare gør. Og så brager igennem. Og det ville han også.

For han kunne ikke komme nogen vegne med sin strategi. Han kunne ikke fastlægge hvad og hvor meget der skulle siges hvornår og hvordan. Det måtte simpelt hen brase ud af ham. Og det par millioner, eller tre, det velsagtens sneg sig op på, de kunne ikke blive et alvorligt problem for Anne Marie. Med løbende afdrag over en femårs periode. En omkostning for hende, og for Jørn, for deres virksomhed, det var klart. En tjeneste af de større at gøre ham, som hendes bror. Som hans søster, det sagde sig selv, det skulle med. Hvis han skulle få det sagt på den rigtige måde.

Den var ikke alt for mange minutter i tolv da han parkerede i indkørslen til deres villa.

Eller hvad man skulle kalde sådan et bygningsværk. Kunne sagtens have været domicil for et eller andet smart firma. Med sine tre forskudte etager der åbnede sig ud mod fjorden. Og bare klinkerne her op mod trappen. Og kobberlamperne langs kanten, enhver ville kunne se at der var gods i det hele. At det var enormt flot selvfølgelig, men måske mere end enormt. For det så ud som det skulle. Når det nu skulle se sådan ud. Det måtte man lade hende. Hun havde forstand på andet end penge, storesøster. Hun havde stil. Havde hun jo altid haft.

Og hun var glad for at han kom. Det kunne der ikke være den mindste tvivl om, hun blev ved med at snakke

331

om det, og slet ikke om sit hus. Selv om det var første gang, han var i det og flere gange spurgte til et og andet, han fik øje på. Anne Marie havde bare glædet sig lige siden han ringede. Og hvor var det godt han havde taget sig sammen, når hun åbenbart ikke selv kunne, men nu havde hun så taget fri resten af dagen, og hun skulle hilse fra Jørn, hvis han ikke nåede hjem. De havde besøg på fabrikken af nogle italienere der nok ville købe nogle værktøjsmaskiner.

Men uanset hvor ihærdigt hun benægtede det, så var det jo dermed klart nok, at hun også selv skulle have været til stede. Hun skulle have forhandlet med de der italienere, og hun havde altså allerede ved at være hjemme i helt urimeligt omfang ofret sig for ham. Så havde han dét at tænke på. Og hun fortsatte med at kalde det sludder og vrøvl og påstå, at det sikkert gik allerbedst med Jørn og deres salgsdirektør alene, for så var de lutter mandfolk sammen. Alt imens hun fik ham halet ind i spisestuen og sat ned, så han kunne kigge ud over vandet.

Han kiggede. Og hun kom tilbage fra køkkenet med æg og tomater og nogle sildebidder og sagde at det jo blev helt enkelt og som til hverdag, og han syntes også det var helt fint. Og hun kom næste gang ind med spegepølse og rullepølse og nogle løgringe og noget sennep og sagde at det jo overhovedet ikke blev det helt store, og han svarede at sådan passede det ham også allerbedst. Og hun kom endelig ind med ost og brød og smør og spurgte om han ville have en danskvand til, nu han skulle køre. Men så ville han alligevel gerne bede om en enkelt øl.

De smurte deres mellemmadder, og det var jo ikke til at komme ind på hans svinestalde før de havde været omkring Berlin. Hun var mindst lige så godt tilfreds med hullet i Muren og den ny verdensfred som hun var med ham. Ingen nok så uvis betænkelighed lod til at have strejfet hende. Som havde hun selv været en af de underkuede og forfulgte østeuropæere der nu med ét havde reddet sig over i friheden og kapitalismen og stod foran det første af den vestlige verdens vidunderlige supermarkeder.

Sådan snakkede hun, og det var ikke det rette tidspunkt for ham at sige hende imod. I værste fald ville hun studse over det, blive bange for om han måske var så kold over for andre menneskers lykke, og han forsøgte at følge med i hendes jubel så godt han kunne. Og vist var han da virkelig ikke specielt kold, men hun var på den anden side jo heller ikke just dum, og han skulle kende hende dårligt hvis hendes festhumør ikke også blev stimuleret en hel del af tanken om nye kunder derovre.

I det mindste kunne han sidde og gøre sig helt klar til at gøre rede for sine investeringer. Men det faldt så mest naturligt for Anne Marie at de efter Muren også gav sig god tid til at udveksle familienyt. Og at det mest var ham, der måtte holde for. Hun kunne snart selv blive færdig med Jørn der som altid trivedes så kolossalt, og som altid var fuld af nye ideer og fabrikerede planer, så de begge skulle blive to hundrede for at nå de halve. Så han måtte finde på noget om Marie, og hun skulle da næste år konfirmeres, og om Morten, og han var faktisk allerede fyldt ti. Og selvfølgelig kunne han også lige komme i tanker om at Pia stadig havde det ganske udmærket. Og bekræfte at hun stadig var glad for sit arbejde som lægesekretær. Og at det stadig var nede i Nibe. Men at han selv – og den bemærkning kom nu helt af sig selv til ham – han prøvede i tide og utide at overtale hende til at sige op, så han hver dag kunne beholde hende hjemme. Jo også, kunne man godt sige, som sin kontordame.

Og her ville han hellere end gerne have bredt sig og forklaret hvorfor han efterhånden kunne have god brug for en kontordame, for så ville der ikke have været langt til

Kristiansmindes vækst i almindelighed og det aktuelle staldbyggeri i særdeleshed. Men det var klart, mor og far, deres skrantende forældre, det var dem Anne Marie især ville høre om, det havde hun set frem til, det kunne han godt mærke. Også at han ville miste langt flere point end han havde råd til, hvis han nu forsøgte at gøre det lige så kort af med de gamle, som det trods alt var lykkedes ham med de andre.

Han fortalte da om Mary at hun lige her for nylig havde fået en slags apparat med en mægtig lup på et stativ, til sine bøger, og at det vistnok fungerede så nogenlunde. Lige med det der. Men jo alligevel gik ned ad bakke med det hele. Det vil sige hendes læsning, for humøret var da, så vidt han kunne fornemme, helt i orden, i al fald beklagede hun sig ikke. Aldrig direkte, men indimellem var hun nok noget trist til mode. Det måtte han indrømme. Hun var sikkert dybt deprimeret. Og det var Axel desværre også. Troede han i grunden. Han havde ligesom tabt lysten, deres far. Tog ikke mere med på nogen jagter. Havde solgt de sidste af sine veteranbiler. Selv om de sagtens kunne være blevet stående i laden oppe hos ham.

Og han var nu allerede kommet til at tegne billedet alt for sort, kunne han se på Anne Marie, og han fortalte videre at Axel til gengæld gik så vældig op i at passe deres have, og at holde huset dernede i det hele taget, og Mary morede sig også over det, når hun nu prøvede at lære ham at lave lidt mad. For hun kunne jo snart ikke længere klare sig med at han skrællede kartoflerne og tog opvasken, og Axel havde da også pralet så umanerligt med nogle frikadeller, eller hvad det var, han havde fået bikset sammen. Jo, de hyggede sig nok meget godt. Når alt kom til alt. Det ville han mene.

Hvorfor tager han da ikke og læser højt for mor, spørger hun.

Jeg véd ikke om far overhovedet kan læse, svarer han. Og synes han kunne have fortjent et lille smil.

Jeg ringer hjem i aften! Han kunne prøve. Og mor om hun kan holde ud at høre på ham. Ja, jeg fortæller dem at det har vi siddet og er blevet enige om, Henrik. De må se om ikke det fungerer. Et ufravigeligt krav fra os begge to her!

Han ville foretrække at hun lod være. Han er bange for at Axel ikke lige for øjeblikket er i den rette stemning til at få flere byrder lagt på sine skuldre. De risikerer at han kommer til at føle sig endnu mere ubrugelig og magtesløs. Og såret, for kan det ikke virke nærmest ondskabsfuldt at forlange lige præcis det af en mand, som ligger ham allerfjernest.

Men han kan ikke begynde at diskutere med Anne Marie. Hun kan i dag, også på hans vegne, bestemme stort set hvad det skal være. Sådan ligger kortene. Og så kan hun vel også få det sagt så Axel forstår den gode mening. Og for ham selv – kommer han nu så sagte i tanker om – vil hendes opringning til de gamle trods alt være noget at fortælle Pia. At det var for at snakke med Anne Marie om deres forældre. I al fald også derfor han var kørt til Thisted.

Havde ellers kun sagt at han ville op og bede om et godt råd. Om noget foderautomatik, for sådan noget havde Jørn Karlsen sikkert også forstand på. Ikke et ord om penge. Pia ville have mukket endeløst. Hun ville have forbudt ham det. Præket hvor dumt og forkert det var at blande sin søster ind i en smule svinestald. Hun ville være blevet ved til han ikke selv orkede at tænke på det længere. Og det havde været svært nok for ham at sætte sig ud over sine *egne* indvendinger. Han havde været nødt til at stramme temmelig hårdt op på sine tanker for at kunne gennemføre det.

Jeg er så lykkelig over at Pia og dig er så tæt på mor og

far, som I er. Hører han fra Anne Marie. Jeg er så taknemmelig for at I er omkring dem og hjælper dem, som I gør, siger hun. Det håber jeg du véd, Henrik. Jeg vil aldrig kunne takke jer nok for det!

Det har såmænd ikke været nødvendigt at gøre ret meget, siger han. Ikke endnu da. Og skulle det komme, så gør vi det selvfølgelig gerne. Det siger sig selv. Enhver vil da hjælpe sin allernærmeste familie. Så godt som man nu er i stand til. Og der kan være mange forskellige måder at gøre det på.

Ja, jeg véd snart ikke, siger hun. Om jeg nogen sinde har fundet ud af nogen af dem, eller hvordan det skulle gå til. Jeg er jo så langt væk fra dem. Og jeg har heller ikke engang selv fået børn!

Nå nej, må han til at mumle. For hun bliver ved med at se lige på ham, og han aner ikke hvad han skal gøre af hverken hendes eller sit eget blik.

Men sådan skulle det altså bare være, siger hun nu med vanlig ro og læner sig langt tilbage. Det har vi jo vidst i mange år, og vi har så spurgt hinanden hvad vi måske ellers kunne gøre for verden! Og hun ler.

Og det er sandelig da ikke meget! Men Jørn er da stolt over vores produkter, som du véd, og de er jo også både gode og nyttige. Og jeg har så bare arbejdet på at gøre maskinværkstedet til et sted hvor alle vores ansatte hver eneste morgen kan se frem til at komme. Det manglede selvfølgelig også bare. Og det er jo ingenting. Men så længe det varer, fryder vi os da over det!

I bilen – mens han styrede østover og hjemad med den tidlige solnedgang i bagruden – var Henrik Lundbæk ikke længe om at beslutte sig.

Han ville dagen efter ringe til Johnny Bruun og kræve et nyt byggesagsmøde. Han ville med det samme sige til ham hvilke bankgarantier han havde brug for, og at han forventede, de blev stillet uden yderligere opsættelser. Og ellers kan du rende og hoppe, lille Johnny.

Det sidste ville han sige til ham på en lidt anderledes måde. Bare så han kunne begribe at dér lå den anden risiko, ved siden af den han selv ville fiksere på. Så måtte de se hvad han foretrak. Pengene eller livet. Det blev valget. Selv om de to ting måske var ét og det samme for den mand. Men så måtte han forstå at de nu begge kunne glide ham af hænde. Hvis han virkelig skulle vise manglende samarbejdsvilje. For i så fald ville en hel del af Kristiansmindes venner måske dårligt kunne blive ved med at tro på, at Johnny Bruun var den rigtige mand på posten.

Andet var der ikke at sige om det. Men godt at bolden var havnet i den ende af banen igen, hvor var det godt.

Det var virkelig en stor fornøjelse, og den lagde snart meget mere beslag på Henriks tanker end noget som helst problem. For hvor var det godt gjort af Anne Marie. Sådan som hun fuldstændig havde fået lukket af for enhver chance til ham. Totalt afværget at han kunne komme ind på de penge. Hun havde simpelt hen ikke villet have det. Og det var selvfølgelig fordi et lån trods alt ikke kunne blive helt gratis for hende og Jørn, og i værste fald kunne blive helvedes dyrt. Men det var også fordi hun vidste, det var dumt og forkert af ham overhovedet at tænke på det. Nøjagtig som Pia ville have ment.

De skulle ikke rode deres familierelationer og deres professionelle liv sammen. De tider var forbi. Hvis der overhovedet skulle blive noget med familie tilbage for dem. Det havde pigerne indset, og han selv havde været for dum. Nogle dage her, og inderst inde selv været klar over det, i grunden også at hans dumme idé mest af alt lagde op til endnu en livslang flovhed i ham. Som det jo var blevet, hvis altså ikke Anne Marie med så sikker hånd havde hindret ham i at kvaje sig. At kvaje sig helt åbenlyst, for selvfølgelig vidste hun udmærket, at han lurede på det. Det havde hun selvfølgelig allerede regnet ud da han ringede. Uden at nævne nogen som helst grund til for første gang nogen sinde at komme sådan bare af sig selv.

Hvor tåbeligt. Og hvor sødt hun havde taget det. Og hvor fermt, virkelig hjulpet ham, og jo slet ikke uden egne omkostninger. Det med hendes barnløshed, det havde ikke været nemt. Selv det der minimale kremt af en klage, det måtte have holdt fandens hårdt for hende. Det var ikke hendes stil. Men det var så hendes offer. Så meget havde hun været villig til at give for endegyldigt at gøre det umuligt for ham at komme ind på sine åndssvage pengesager. Eller bare få begyndt på at underholde hende med sine forbandede svinestalde.

Nej, Anne Marie ville aldrig nogen sinde komme til at skylde ham det mindste. Uanset hvad hun selv ville synes, i forbindelse med de gamle. Aldrig en skid skulle hun skylde ham. Hun havde gjort regningen op i dag.

Over Bygholm Vejle nåede dagens sidste solstråler op til møllernes langsomt drejende vinger. De snusfornuftige indretninger lyste i violet og pink og orange, som vimpler ved et fatamorgana af en forlystelsespark.

Henrik skruede op for at høre de seneste nyheder. Allerede med en meget stærk fornemmelse af at verden stod endnu.

Is

Per Jensen smiler til sine tjenere. Han står ved døren ud til anretterværelset og smiler også til enhver gæst der passerer ham. Han smiler indimellem bare ud i luften, han tager sådan hele salen til sig med ét stort uafviseligt smil. Det er blevet hans aften.

Vi tager det stille og roligt nu, siger han til Christina.

Lad dem bare sidde med det sidste af desserten så længe de vil, siger han til Cæcilie.

Skidegodt, siger han til Kim og lægger en hånd på hans skulder. Bare et par enkelte kander ind lige foreløbig.

Er du ved at være mør, spørger han så Susie. Sæt dig dog ud og tag en slapper!

Og Helle, råber han. Helle, et øjeblik! Jeg vil bare lige sige at jeg fandeme virkelig nyder din måde at omgås vores gæster på. Du er hamrende god, er du klar over det!

Han har fået snakket ud med chefen. De er nået til forståelse med hinanden, her under isen. Og han har så været rundt i køkkenet og give dem hånden, helt nede i opvasken også. Han har undskyldt og takket. Han havde mistet grebet på et tidspunkt, opført sig utilgiveligt, som et rigtigt svin, og de har hele aftenen igennem ydet en fuldkommen utrolig indsats. Hele aftenen, hver eneste en af dem, de har været fantastiske.

Selv gæsterne så glade ud da han kom ind til dem igen. De kunne lide hvad de fik, det hele har åbenbart været i orden, det har måske endda været stort, for mange af dem.

Og de letter sig nu så småt. De dasker velfodrede og vel-tilfredse rundt med en større eller mindre kæp i øret. De finder så sagte ned i de bløde stole i pejsestuen.

Han har kaffen og cognacen parat til dem. Han er ved at have ryddet op ved flere af bordene herinde, får lige så stille salen ommøbleret til dans. Lidt senere dækket op til drinks også. Men selvfølgelig, de skal bare have lov at sidde over desserten så længe de vil. Det par borde der sta-dig hænger. Han vil gå over og tage en snak med Rinco der går der og pusler med kablerne til sit musikanlæg. Rinco er en ven. Det skal han slet ikke gå der og være i tvivl om.

Og han kommer lige forbi Henrik Lundbæk ved den anden kant af fløjdøren. Henrik står der med to andre vel-trimmede herrer og griner.

Avec'erne er linet op, meddeler Per Jensen. Ellers alt som det skal være?

Og Henrik griner lidt videre og nikker så, og han får da med ét Pers hånd frem for sig. Skal åbenbart trykke den.

Må jeg nu ikke personligt ønske dig tillykke med da-gen? Per antyder med en mindre stram artikulation at han nu et øjeblik ikke taler som inspektør.

Ja, for du er vel næsten min fætter, eller noget i den stil! Rigtig hjertelig tillykke, Henrik! Jeg håber du har fået en fødselsdag, lige præcis som du havde ønsket dig den!

De tre står nogle sekunder tilbage med inspektør-fætte-rens smil over sig. De følger hans hastige trin et stykke væk. Det er Johnny Bruun og Klaus Kirkegaard der som et par temmelig indladende bodyguards har stillet sig ved Henriks flanker, advokaten til venstre, bankdirektøren til højre.

Ja, han er jo da sådan set også lidt af en Godiksen, siger Henrik. Fyren der, på mødrene side, ligesom mig. Ja, han kunne måske have siddet på Bisgaard i dag. Hvis I ellers kan huske der var noget, der hed sådan. Det var engang en større gård end min. Tja, og nu går han så her!

Henrik ser fra den ene til den anden af sine drabanter, og ham til venstre nikker, og ham til højre ryster på hovedet. De forstår selvfølgelig ingenting.

Men hvor går man snart selv, siger han så. Jeg har jo heller ingen der vil overtage. Hverken kan eller vil. Jeg kunne også – lige så godt først som sidst – tage og sige at det er slut med mit!

Og Henrik nyder lidt at lade sig fugte af det vemod som sådan nogle ord med det samme giver fra sig. Indtil nu har aftenen nok alligevel været et nummer for munter. Alt taget i betragtning: et totaludsalg lige om hjørnet; det endelige mørke der jo for længst ligger på lur. Han ville sætte pris på om bare de her to gæster bare en kort stund ville lade sig synke ned i hans tragedie.

Hans lidt ærgerlige situation i det mindste. En gammel slægtsgårds forsvinden, for ikke at tale om hans eget livsværk, det er for fanden vel ikke bare fuldkommen ligegyldigt. Det må for fanden da være værd at bedrøve sig over et par sekunder. End ikke dét ser de her skiderikker ud til at være med på.

Tiderne skifter, siger Klaus Kirkegaard. Som om han trods alt har fattet en lille smule.

Du kan i hvert fald roligt være stolt over din egen indsats, siger Johnny Bruun. Som om han ligefrem vil give det udseende af at han har forståelse for noget med slægtsgårde. Eller at man nu skulle have brug for hans medlidenhed. Henrik gider ikke mere.

Jeg har sgu ikke tænkt mig lige straks at slippe grebet, siger han. Jeg har visse planer! De skal fandeme ikke stå der og tro at deres forretninger med ham fra nu af bare kommer til at hedde afvikling.

Jeg har visse planer som jeg inden så længe godt lige vil snakke med begge de herrer om!

Du fylder tres, siger Johnny Bruun. Slap nu af, Henrik!

Det er vel heller ikke lige fordi du behøver at arbejde mere, siger Klaus Kirkegaard. Sådan finansielt set! Og han blinker over til Johnny Bruun.

Hvis Henrik solgte i morgen, svarer Johnny Bruun ham tværs over. Solgte sine svin og sin jord. Så kunne han sidde de næste tres år på sin terrasse og kigge ud over Middelhavet. Med dagens jordpriser. Jeg ville ikke tøve et sekund!

Hov, hov – jeg har overhovedet ikke i sinde at sælge noget som helst, siger Henrik. Jeg køber! Han er kommet i tanker om noget han indimellem har overvejet. Men ikke så kraftigt som lige nu.

Jord, spørger Johnny Bruun. Du mener vel ikke jord?

Jeg troede i grunden også du havde rigeligt, siger Klaus Kirkegaard.

Måske lige her, siger Henrik. Vi lægger jo for fanden brak så det står efter. Allerede alt det de fik drænet i min bedstefars tid. Med stort besvær og store omkostninger! Og han overvejer lige at lade vemodet tage sig igen. Alligevel ikke over for sådan nogle størrelser her, og han ler.

Det kunne de sgu have sparet sig! Al deres dræning! – Nå ja, de kunne selvfølgelig heller ikke vide hvor meget EU nu om dage vil sætte ind på ens konto, så længe man bare ikke rører en finger! Bare man ikke går hen og får jord under neglene!

Jamen, så læg brak, siger Johnny Bruun. Få solgt de grise og forpagt resten af jorden væk! Hvis du da stadig så gerne vil eje jord selv?

Det kan jeg love dig for, siger Henrik.

Grisene er du måske mindre knyttet til, forsøger Klaus Kirkegaard.

Jeg er svineavler, siger Henrik.

Du nægter at nyde livet, siger Johnny Bruun. Jeg kender typen. Men du skulle nu alligevel prøve, Henrik. Alt for mange af os ligger der jo pludselig – inden vi når det. Ansæt i det mindste en mand eller to til med det samme!

Jeg har svært nok ved at holde på dem jeg har, siger Henrik. Nej, jeg skal sgu ikke have flere folk her. Det går ikke længere i Danmark.

I Danmark, siger Johnny Bruun. Og Henrik ser på hans stivnende blik at han er på sporet og allerede i gang med at regne.

Jeg tænker på Polen eller Litauen, kan han da lige så godt afsløre. Og jeg tror der skal købes nu, Johnny. Der skal købes jord, og der skal bygges. Og folk, dem kan man så bare vinke til sig dernede. Bedre folk end her. Og fire eller fem af dem vil være glade for at dele én dansk løn.

Mod på tilværelsen, må jeg sgu nok sige, siger Klaus Kirkegaard.

På mange måder sikkert også en meget god idé, siger Johnny Bruun. På alle måder måske, undtagen lige én. Skal jeg sige det, Henrik?

Det *er* gået op for mig, og du har allerede sagt det, jeg fylder tres! Men indvendig er jeg knap fyldt tredive.

Litauen virker ret stabilt, siger Klaus Kirkegaard.

Det ville måske også interessere de herrer at komme med på en jagt i ny og næ, siger Henrik. Jo stadig masser af skov derovre til ingen penge.

Jeg henter nogle nærmere oplysninger til dig, siger Johnny Bruun.

Jeg véd nu heller ikke meget om hvad de har for regler og sådan, siger Klaus Kirkegaard. Kunne da godt prøve at finde et eller andet frem.

Jeg rejser snart over og kigger på forholdene, siger Henrik.

Og det er længere end han nogen sinde før er nået, i sit stille sind, det er meget længere. Det er aldrig blevet bare lidt sandsynligt, at planen skulle nå så vidt som ud over hans egne læber. Og nu bliver den til noget *i virkeligheden*. Det er lige her i virkeligheden blevet højst sandsynligt endda.

I det mindste må han snart ud i praktiske undersøgelser. Han må gå ind i reelle forhandlinger. Hvis det ikke i deres hoveder skal lande som noget med løs snak, småfjoget blær. Og han vil så straks ryge et par trin eller tre nedad, i deres respekt.

Gider han ikke. Nej, alt tyder nu på at der venter ham en helt anden fremtid, end han måske i grunden havde forestillet sig.

Hun er aldrig rigtig kommet til at kende Dagmar. Hun var så lille en pige, da hun selv rejste hjemmefra. Og Dagmar var så på sin side også rejst sin vej, da hun selv kom tilbage til Bisgaard, og til Orla. De har ikke fået lagt den bund af fortrolighed som hun altid har fornemmet under Marys snak med Dagmar, hvor luftig og ligegyldig den snak måske ellers kan være. Men de har alligevel *fået* noget sammen, de to, allerede som børn, og det ligger der stadig når de nu mødes, hvor lang tid der end er gået.

Emma må hver gang begynde helt forfra med Dagmar. Hver gang tage de første skridt i den bestræbelse på at komme hende nær, som hun endnu aldrig er nået halvvejs med. Og hun vil nu tage dem igen. Endnu en gang se om der dog ikke skulle rejse sig noget inde i hende selv i det mindste, en eller anden slags følelse af, at de faktisk er søstre.

Derfor har hun indhentet Dagmar herovre ved indgangen til det lokale hvor de åbenbart skal have deres kaffe. Og de har nu stillet sig inden for døren, står der ligesom også for eventuelt at give andre mulighed for at bestemme, hvor de skal sætte sig. Og Emma har spurgt til Dagmars bord, om hun har moret sig noget under maden. Og Dagmar har da været rigtig heldig, har hun svaret. For hun har jo siddet sammen med Emmas egne sønner og svigerdøtre, og sammen med en ung mand der passer Henriks grise, og det havde været utrolig interessant. Men især selvfølgelig dejligt at høre at det gik så godt med både Anders og Winnie og Niels Jørgen og Majbrit og deres børn og børnebørn.

Ja, at Emma var blevet oldemor, det havde Dagmar vist knap nok været klar over før her i aften. Og Emma har taget fat på nogle forklaringer om det selskab *hun* var havnet i. Lutter fremmede mennesker, skønt hjemme fra Staun hver eneste af dem. Tilflyttere altså, og folk der beskæftigede sig med alverdens ting, rundt omkring i byerne, endda i zoologisk have, og selv om hun aldrig helt fandt ud af hvem de var, så var snakken gået lige godt for det. De ville alle sammen så gerne fortælle, og det eneste mærkelige, det var at de her til allersidst kunne få hvad som helst drejet hen i retning af sex. Velsagtens for at sige noget der kunne lyde lidt sjovt. Men det havde alligevel undret hende. De var jo alle sammen fuldvoksne mennesker.

Sådan er det jo nu om dage, siger Dagmar. Der skal tales åbent om det hele.

Det undrede mig alligevel, siger Emma. For hun aner at hun med det her sex kan være slumpet ind på noget, der er bid i, over for Dagmar. Så der skal ikke lige med det samme gives slip igen, og hun nævner nu at det før i tiden, så vidt hun da husker, kun var de allermest fordrukne mandfolk, der i tide og utide kom ind på noget med underlivet. Mens man sad ved bordet.

Der er måske mange andre ting der heller ikke var så ringe førhen, siger Dagmar.

Jeg kunne bedre forstå det hvis de stadigvæk havde været rigtige byfolk, siger Emma. De har jo ikke andet at gå op i, der sker jo aldrig noget, det er de samme og de samme mursten og de samme og de samme biler dag efter dag, jo slet ikke som ude ved os hvor alting – hver eneste dag hele året rundt – er forandret. Ja, så kunne jeg da forstå det, Dagmar, hvis de her altså ikke allerede var flyttet ud til os på landet, hvor de nu har hele naturen for sig. Og ikke som de andre nok må nøjes med det de selv har mellem benene. Hvis det endda kan siges at være natur?

Jeg véd det sandelig ikke, siger Dagmar.

Måske tænker de ikke engang over det, siger Emma. Det er måske bare blevet sådan en vane. Men jeg tror nu også det er det, de kalder seksuel frigørelse.

Hvad, spørger Dagmar. Deres sjofelheder?

De vil måske ligesom sige at de er kommet af med deres hæmninger, siger Emma. Det har vi andre jo heller aldrig tænkt på. Og vi er selvfølgelig dumme, det véd jeg da godt, men selv har jeg i al fald aldrig kendt til alle de problemer, de skriver om i bladene. Om lige det der. Og I syntes jo ikke der var så meget ved Orla, dig og Jens, men jeg kan betro dig –

Sikke noget sludder, Emma! Vi har bestemt altid betragtet Orla som en god mand, og en meget dygtig mand!

Hvad det der angår, så tror jeg i al fald ikke, han stod tilbage for ret mange, Dagmar. Det vil jeg nu sige dig.

Vi har altid sat stor pris både på dig og på ham, og virkelig holdt af jer! Og det gælder også Jens, og det véd du også, Emma!

I lige måde da. Og din mand har vi selvfølgelig da også altid set op til alle sammen. Men han har måske så heller ikke været så meget hjemme ved dig, med alle hans møder?

Nej! Nej – jeg skrev engang op, der gik næsten tre måneder, hvor jeg sammenlagt så ham i halvanden time, i vågen tilstand!

Så det kunne ikke blive så tit igen, med det der? Jamen, det kan da også være lige meget, det er jo ikke det. Hvis du ellers har været tilfreds, Dagmar?

Selvfølgelig har jeg været tilfreds – ellers skulle jeg vel næsten skamme mig!

Du har aldrig savnet noget sådan i sengen?

Dagmar bryder i latter. Det kommer ikke fuldstændig som lyn fra en klar himmel. Hun har stået lidt og skåret ansigter, og vendt og drejet på sig. Men nu ler hun, og hun rækker ud efter Emma og omfavner hende, til hun er færdig med at le.

Hvor holder jeg meget af dig, siger hun. Men jeg véd virkelig ikke hvad jeg skal sige! Jeg har måske aldrig gået nær så meget op i det. I det der, som du siger. Sådan i sengen. Som du har, Emma! Og nu er vi begge to over firs!

Og Dagmar slipper hende, og hun vender sig så igen, længere over mod døren nu, og hun læner sig frem mod karmen, står sådan nogle sekunder og lytter.

Jeg syntes det var Jens, siger hun.

Emma kender det godt. Man kan mærke sine nærmeste, inden for nogle meter. Men også gennem vægge og døre, som havde man en radar til mand og børn et sted i sig. Og lige som de begge står og tror at Dagmar nu alligevel har taget fejl, så hører de hans røst.

Dagmars radar har altså bare rakt så meget længere, og han er nu omsider arriveret og stiller sig foran dem, Jens Vilsted, Farsø.

Jeg skulle jo for fanden finde ham professoren, siger han. Får så først rigtig øje på dem. At Dagmar ikke står der alene, og han smiler længe til Emma.

Du véd jo nok, Emma, professor, ja, hvad fanden han

347

nu hedder, siger han. Men jeg tror han trænger til et lille kursus i den nyere Danmarkshistorie!

Det kan være, siger Emma.

Hold kæft hvor du holder dig godt, Emma! Af en pige på din alder, nå ja – jeg er jo også snart selv. Jeg er også snart, men der er sgu endnu ikke nogen der har klaget over noget!

Er du lidt ældre end Dagmar, Jens?

Jeg er femogfirs, Emma! Og der er sgu endnu ikke nogen der har drukket mig under bordet!

Der er vel heller ikke så mange der prøver, siger Dagmar.

De kan bare komme an! Og det vil jeg sige dig, Emma, jeg er mand endnu! Nu trænger jeg bare lige til en gibbernakker.

Jeg synes allerede du har drukket meget vin i aften, siger Dagmar.

Sågu har jeg da så! Hun har ret, Emma, din søster har fuldkommen ret, men hvor fanden blev han af? Nej, nu skal jeg bare lige have en enkelt cognac. Så det hele falder på plads. Har I da ikke set ham heller? Herinde? Jeg skulle have en snak med ham, Emma. Jeg skal lige fortælle ham et par ting.

Sæt dig nu allerførst her sammen med Emma og mig, siger Dagmar og piller ved hans ærme.

Han skal fandeme få besked! Det *kan* jeg love jer!

Og Dagmars fingereren har fået ham til at rykke sig, han er vaklet et par skridt baglæns og drejer sig der, indtil han igen bliver helt klar over, hvor han har døren. Og de ser ham så meget resolut styre ud ad den.

De hører ham råbe et par gange derinde. Først efter professoren. Så efter et glas med noget stærkt. Derpå hører de et rabalder og et skrig, og de er da allerede selv fremme i døren.

348

De har uvilkårligt taget hinanden i hånden, som var de børn, og de standser med det samme igen, der i døråbningen, de to gamle søstre, hånd i hånd. De er standset ved synet af Jens Vilsted, som ligger derinde på gulvet med en servitrice under sig.

De kan så forstå at han har villet gribe et af de glas, hun åbenbart er kommet med. En sølvbakke ligger mellem deres hoveder, og rundt omkring dem både hele og knuste glas plus en flaske, som tæppet allerede er ved at have drukket.

Nogle andre fra personalet kommer til, og der bliver snakket igen. Der er blevet snakket lige fra det øjeblik både Jens Vilsted og servitricen startede med at ville rejse sig.

De lever tydeligt nok begge to, de vil op at stå igen. Jens Vilsted kan dog ligesom ikke finde sine ben eller få dem ordentlig anbragt under resten af sig selv. Og hun kan selvfølgelig heller ikke rigtig komme nogen vegne før han er blevet hjulpet. Men da er snakken også straks blandet med latter over hele salen. Hele balladen var jo ganske åbenbart ingenting overhovedet. Jens Vilsted smiler vist endda selv.

Jo, man kan se han smiler, den godt forslåede ronkedor. Man kan se hvor galant han også vil undskylde sig. Man kan snart se at servitricen faktisk næsten er ved at synes, at det alt sammen var helt okay.

Jeg må vel hellere lægge mig i seng med ham, siger Dagmar. Og hun trykker Emmas hånd, så hårdt hun måske kan, inden hun slipper den. Og hun sender hende en slags overstadigt fnis, inden hun går frem og gør sin mand begribeligt, at hans kone er til stede.

Morten Lundbæk og hans ægteviede mand Jacob Jørgensen har netop rejst sig fra bord to, kun nogle få øjeblikke efter at et par fra Norddanmarks EU-kontor i Aalborg har takket af for det behagelige selskab og den interessante samtale. Og de var naturligvis blevet anbragt mellem netop de her familiemedlemmer på grund af deres sikre engelsk, og måske frem for alt fordi de selv har arbejdet flere år i udlandet, engang endda som ulandsfrivillige, senere især med landbrugsanliggender i Bruxelles.

Tilbage omkring Ellen er da ud over Ayisha Mashaba nu kun Henrik og Pias ældste barn, Marie, og hendes schweiziske kæreste, Cédric Buyssens.

Marie Lundbæk har lyttet meget opmærksomt til EU-parret. Hun har forsøgt at opfange nuancer i deres udtrykkelige tilfredshed med ethvert sted de har opholdt sig. Hun har villet spore om de, her blandt fremmede, blot har fundet det passende eller velopdragent at finde alle verdens byer og lande umådeligt interessante. Om de eventuelt var så begejstrede for sig selv at ingen plet på Jorden undgik at blive ganske henrivende alene i kraft af deres personlige tilstedeværelse. Om Aalborg Kommune nu i deres hoveder og hjerter virkelig var så spændende at den kunne måle sig med en hvilken som helst administrativ enhed i universet. Om det at vende tilbage til Danmark i deres inderste alligevel berørte et blødt punkt, som de ikke selv vidste, om de skulle gøre et særligt nummer ud af eller totalt negligere. Eller om dette punkt måske slet ikke fandtes, eller for længst var hærdet, indkapslet, pakket væk. Og så har hun da også tænkt at det selvfølgelig kunne være fuldkommen ligegyldigt for hende, hvordan de havde det med alt det. At hun jo helt alene med sig selv måtte finde ud af, hvad hun selv ville gøre af sig.

Har du i grunden befundet dig lige godt alle de steder du har boet, spørger hun sin fars faster.

Ellen har aldrig før haft lejlighed til at kigge så meget på Henriks datter. Vel aldrig før rigtig talt med hende, og hun har frydet sig over hendes skønhed og begavelse, også hendes lidt reserverede form for hjertelighed. Men hun er kommet mere og mere i tvivl om hun på nogen måde kunne hjælpe hende, efterhånden som hun har sanset en tiltagende rådvildhed bag hendes meget præcise og humoristiske bemærkninger om tilværelsen i Genève. Marie har nok været lige ved åbent at betro sig da stemningen ved bordet havde løftet sig, og tilsyneladende kunne blive liggende i et solidt leje der. Hun blev dog ved lige ved. Og det kun gennem et par knæk i stemmeføringen, og Ellen har på sin side været lige ved at være lettet over det, for nej, hun ville overhovedet ikke være i stand til at vejlede hende. I de der sager er hun nu engang uden enhver kompetence. Hun ville givetvis vildlede langt ud i det katastrofale, for hun har ikke nogen sinde selv været i stand til at forestille sig, at nogen anden mand end Peder Godiksen kunne få indflydelse på, hvor hun helst ville være. Hun har ingen steder mødt nogen der har ændret hendes opfattelse af, at han var den eneste af sin slags, og hun har heller aldrig et øjeblik af nogen som helst andre grunde mærket den mindste lyst til ikke at være, hvor hun nu netop var. For hun var vel bare dér hvor den opgave var, som hun både skulle og kunne løse. Og hvis der skulle være noget med hjemvé der spiller ind, så duer hun heller ikke til dét. Og der har hun helt sikkert også noget overfladisk og ufølsomt i sig. Hun har slet ikke kunnet lege med når andre danskere rundt om i verden saligt savlede over Danmarks lyse bøgelunde, bakke, dal, fjorde og vige, tilmed modersmålets søde klang. Jo, hun har da syntes det kunne være hyggeligt nok at høre på deres snak. Hvis de ikke trak den for længe. Det er endnu en af hendes fejl. Har aldrig kunnet tage sig sammen til at være lidt tålmodig med folk der går så højt op i alt muligt andet end deres arbejde. Hun trækker på skuldrene og nikker.

Jeg kunne tænke mig at dit forskningsprojekt ikke nødvendigvis er knyttet specielt til universitetet i Genève, siger hun til Cédric.

Det må han vel sige det er. Men han vil helst ikke, ikke lige nu. Og det er det måske heller ikke i virkeligheden. Kun for så vidt han selv er nyansat og ikke har publiceret noget større. Masser af samfundsvidenskabelige institutter interesserer sig selvfølgelig for sociale bindinger eller solidaritet i den postindustrielle verden. Bare ikke udsigt til at de sender bud efter ham lige foreløbig. Det kunne han jo godt have brugt her, at kunne lufte den mulighed, havde gjort det en lille smule lettere. Det er blevet så svært som han frygtede. Den her rejse til Danmark, det ville komme op i Marie, alle hendes små betænkeligheder, ved hendes ECE-job og ved Schweiz og først og sidst jo *ham*. Om han er den rigtige, og det har rumlet under ethvert samtaleemne lige siden hummeren. Naturligvis ikke direkte ham og hvad han måtte takseres til, men udelukkende alligevel ham og hendes eventuelle fejltagelse. Og han har tænkt at han måske bedst kunne fremme sagen ved at fortælle dem om sig selv og sine egne hele, halve og kvarte tilhørsforhold i verden, som en belgisk schweizer, hvis bedsteforældre og oldeforældre tilsammen havde rod i fem forskellige lande. Og han har derefter tænkt at han kunne underholde dem med en kollegas undersøgelser af forskellige emigrantgruppers tilpasning, bekæmpelse, fastholdelse og videreudvikling af gamle og nye nationale og religiøse skikke og normer. Men han har allerførst anet at Maries fars faster kunne blive ham en allieret. Muligvis en meget stærk allieret, så stærk at han også straks er blevet temmelig bange for hende. Og han har ikke kunnet finde ud af på hvilken måde han skulle få hende i tale uden at løbe en alt for stor risiko for, at hun med det samme ville anse det for spild af tid at beskæftige sig videre med ham. Han har derfor siddet og ikke sagt ret meget under hele måltidet. Men rømmer sig nu på en diffust affirmativ måde.

Har du som afrikaner – sådan som vi måske i nogen udstrækning er på vej til at gøre det i Europa – kunnet oplevet hele eller store dele af det afrikanske kontinent som en art udvidet hjemland, spørger han Ayisha.

Hun har indimellem syntes det var synd for ham. Fordi han er så voldsomt forelsket i Marie, og fordi hun mere end én gang har ladet dem alle underforstå, at hendes fremtid kunne tænkes at blive ham ganske uvedkommende. Men derfor behøvede han selvfølgelig ikke hele aftenen opføre sig som en stud der bare gufler i sig og ikke længere kan komme i tanker om noget som helst andet at foretage sig. Hvor hårdt det end er, for det er det jo, alene det at få sin by omtalt som en mondæn uvirkelighed for snobber og affældige millionærer. Man føler sig da personligt ramt, selv om man ellers kan være fuldkommen enig i sådan en karakteristik, og selv om man er havnet i den by helt tilfældigt og hellere end gerne vil derfra igen. Ligesom en kritisk bemærkning om ens hus, fra et menneske man holder af, hvor berettiget den end måtte være, hvor meget fejlen end har plaget én selv – alligevel kan den gøre så forbandet ondt i ens sjæl, som blev man udstødt fra alle de rigtiges og retfærdiges verden. Sådan har Ellen af og til såret hende selv. Og hendes forhold til Ellen er langtfra så hed og målløs en kærlighed som Cédrics, men hun har dog altid elsket hende, og det har også pint hende hver gang Ellen er rejst videre, og i så højt humør. Også da hun havde sin mand og sine børn, det pinte hende når Ellen rejste fra dem uden at sanse noget andet end sin egen entusiasme for alt det nye, hun skulle ud i. Men netop sådan har han siddet og set ud, Cédric, som kunne han når som helst blive forvandlet til en støvsky bag den bortdragende

Marie. Og hun har altså nogle øjeblikke syntes det var synd. Men sådan er livet naturligvis. Sådan må det gå ham hvis han hverken kan følge med hende eller holde hende tilbage, og en rask gris bør vel stadig kunne skubbe de andre fra truget, og han burde vel også være mand for at tynde kraftigt ud i de tanker hun skænker andet og andre end ham. Eller bide smerten i sig som man altid har gjort. Hun prøver at smile meget opmuntrende til ham.

Ellen har aldrig villet indrømme det, men jeg er sikker på hun stadig føler, at jeres Staun er den smukkeste og bedste afkrog på hele Jorden, siger hun til Marie.

Både Marie og Cédric kigger op over hende. Ellen drejer sig i sædet, kigger også deropad.

Må vi nu ikke hilse ordentligt på jer, siger en mand, og Ayisha forbereder sig med det samme på at komme op at stå.

Flemming Beck, siger han. Og det er min hustru, Lone!

De står der med et par til. En mand, om hvem Emma tidligere på aftenen har formodet, at han bestrider en stor stilling i zoologisk have, og en kone som hun slet ikke kunne blive klar over, hvad laver.

Allan Stisager, siger manden og giver hånd. Og det er min Pusser!

Ayisha Mashaba, siger hun. Det er en stor fornøjelse!

Ellen Lundbæk, siger hun.

Ja, det véd vi da, siger Flemming. Og Marie kender vi jo også!

Det er min kæreste, Cédric Buyssens, siger hun.

Emma har vist os en stor artikel om dig, siger Lone.

Ja, jeg er jo søster til Axel der, siger Ellen.

Et spændende liv, siger Allan.

Vi tillader os alle sammen at være lidt stolte af dig, siger Flemming.

I det hele taget en fantastisk fest, siger Pusser.

Far så vist selv ud til at være tilfreds, siger Marie.

En fremragende middag, siger Cédric.

Vi skal ikke forstyrre jer mere, siger Flemming.

Det var dejligt at møde jer, siger Ayisha.

De bliver alle fire stående mens de to par fjerner sig. De venter derpå nogle flere sekunder, som om de vil give hinanden en fair chance for at sætte sig igen. Så vender de sig ud mod salen. Bliver stående endnu en tid og danner sig et overblik over trafikken. Trisser endelig med over mod pejsestuen.

Advokat Klaus Kirkegaard træder ud fra herretoilettet og når et par trin hen ad gangen inden døren til damernes går op, og en mørkeblå silkekjole med hoftepartiet forrest svinger ud mod ham.

Det er fruen selv, og allerede inden hun er helt ude gennem karmen, har hun åbenbart i ryggen fornemmet hans tilstedeværelse. Eller om ikke lige *hans* så dog mærket *nogen*, og en mandsperson sandsynligvis, hun smiler under alle omstændigheder straks over skulderen.

Fruen fra Kristiansminde, og han må spørge sig hvad helvede det er, hun hedder.

Alt vel, spørger hun.

Alt er bare helt fint, svarer han.

Og han gentager og gentager Henriks navn i sit hoved. Navnet plus et og: Henrik og – , Henrik og – , for hun *må* jo ligge der, i en eller anden mindre befærdet hjernefold. Henrik og – Lundbæk, Henrik og Birgit, nej.

Vi er glade for du kunne være med, siger hun. For hun er kommet i tanker om, allerførst, at der har været noget med at han ikke kunne. Og så at det var på grund af rod med skilsmisse og hus og hjemmeboende børn. Og så at han ville rejse nogle uger fra det hele, og endelig at han alligevel ville komme.

355

Jeg er meget glad for at være her, siger han. Ikke mindst lige nu!

Ja, lige nu, Hanne, tænker han. Eller lige nu, Kirsten?

Jeg tror også der er kaffe, siger hun.

Jeg var lige oppe og se på mit værelse, siger han. Ja, jeg besluttede mig til at blive, nu I alligevel har reserveret til os alle sammen. Og jeg bor for tiden i mit sommerhus, oppe i Blokhus.

Det lyder koldt, i det her vejr?

Utrolig smuk kjole, siger han og kigger nærmere på den, fra halsudskæringen og ned mod knæene. Og han tænker på navne som Lene og Bente. Henrik og Lene Lundbæk? Kunne man godt forestille sig.

Pia mumler en taksigelse for komplimenten. Men hun sætter sig samtidig i bevægelse indad gennem korridoren, som om de nu allerede har konverseret længe nok. Og han følger hende et lille stykke, standser så op, vil åbenbart hale hende i stå igen hurtigst muligt. Og hun føjer ham.

Der er noget jeg aldrig før har haft lejlighed til at sige til dig, siger han og træder tæt ind på hende. Du er en af de dejligste kvinder jeg har mødt!

Hun griner lidt. Véd ellers ikke hvad hun skal svare. Men han er jo altså blevet skilt for nylig og føler måske trang til at genoptræne en gammel og halvt forglemt teknik som kvindebedårer. Og det synes hun da sagtens hun kan stå model til. Et øjeblik endnu. Så meget desto mere som hun altid godt har kunnet lide manden. Hvor lidt hun ellers har været sammen med ham, over en kop kaffe når han en sjælden gang har været på Kristiansminde, men Henrik har mange gange rost ham. Henrik sætter ham højt. Og han har vundet en vigtig sag for dem. De havde kørt for meget gylle ud på deres marker. Var der nogen der mente. Det kunne have kostet dem mange penge.

Og han har lagt en hånd på hendes albue. Han står og gnider hende op over det nøgne stykke af overarmen.

Kunne have kostet dem mange penge, gentager hun for sig selv. Den gyllesag. Hvis ikke det var for ham her Kirkegaard.

Jeg har tit ønsket at møde dig alene, siger han, og hans øjne slikker hende op over halsen.

Gud Fader i himlen, tænker hun. Han lægger an på mig. Som om det var for alvor. Gud fri mig vel. Hvornår kan det sidst være sket? Sådan noget. Hun mindes ikke sådan noget. Og i toogtredive år har hun været gift med Henrik. Det har eventuelle bejlere vel ligesom også indregnet i deres eventuelle planer. Inden de har iværksat dem, og hun er femoghalvtreds nu, og det vil aldrig mere i hendes liv forekomme. Ville hun have sagt, hvis hun overhovedet havde overvejet muligheden. Aldrig, og hun er femoghalvtreds, det er for fanden da sådan det forholder sig i virkeligheden, selv om her i aften, for lidt siden ude foran spejlet, nogle sekunder der, kunne hun godt have forestillet at være ti år yngre.

Kan hun åbenbart stadig. I hvert fald i hans øjne her der har fået nok at drikke. Og han har nu begge arme i gang med hende. Maser sig enormt ihærdigt ind mod hende.

Jeg har fået værelse nummer fire hundrede og ni, hvisker han i hendes øre. Fire hundrede og ni.

Hun giver sig til at gøre sig fri af ham. Det tager nogen tid, og hun tænker på om hun – når det engang er lykkedes – skulle stikke ham en på kassen.

En lussing så det synger. Sådan som de gjorde det på film, da hun var ung. Det så rigtig godt ud, hun havde drømt om en situation, hvor hun passende kunne gøre det helt på samme måde. Og glemt det hver eneste gang sådan en situation indtraf i virkeligheden. Nu ville det måske også bare få hende til at virke endnu ældre end hun faktisk er. Hun ville skære ud i pap at hun hører fortiden til. Nej, hvis hun ville optræde i en moderne film, så skulle hun nok lade ham fortsætte, i hvert fald til han havde hænderne oppe under hendes kjole. Og så hastigt og lattermildt rive sig løs og stryge ind i salen og med høj stemme fortælle Henrik at hans gode ven absolut vil i bukserne på hende. Her til din fødselsdagsfest! Hvis ikke også allerede dét ville virke gammeldags?

Undskyld, siger hun, i det samme han opgiver kampen. Jeg må ind til mine andre gæster!

I løbet af få skridt væk fra ham får hun på fornemmelsen, at hun nu trods alt har været alt for kort for hovedet. For hun var selvfølgelig ikke ude på at såre ham, selvfølgelig var hun ikke det. Og han er jo ellers et udmærket menneske.

Ellers en dygtig mand. Og nok slet ikke i nogen dårlig mening, sådan set, hans gramseri. Det var det nok slet ikke, og egentlig kunne hun have følt sig ikke så lidt smigret over det. Måske heller ikke så langt fra at hun kunne gøre det, på en måde. Hvis sandheden skulle frem. Og hun sætter farten ned så han med det samme kan nå op på siden af hende igen.

Lad mig i det mindste få en dans med dig, siger han, lige en anelse forpustet. Men hun synes det på en sød måde lyder ægte fortabt, og hun rækker ud og tager hans hånd, giver den et hurtigt, men godt klem.

Lige inden de er helt inde i salen. Og Klaus Kirkegaard véd at han ikke kan blive ved sådan, ikke når han kommer til at danse med hende. Inden dette næste og afgørende attak er han simpelt hen nødt til at finde ud af, hvad hun hedder. Og han må kunne få Henrik til at hoste op med det, på en eller anden måde. Og han spotter ham straks, ude midt på gulvet, og han styrer derudad. Men sønnen står der med ham. Må bøje af.

Pia har lige så øjeblikkeligt observeret Henriks ryg, som den svajer derude i hans snak med Morten og Jacob. Og hvor ser de ud til at hygge sig sammen. Og hun vinker til de to over Henriks skulder. Fjerner sig fra advokaten.

Morten er kommet så tæt på sin far. Eller omvendt, han kan i hvert fald ikke vænne sig til det. Det er sket efter brylluppet. Da hans mor havde sagt at han hellere selv måtte fortælle far om det, før han kom hjem med Jacob. At det var med ham.

Måske havde Pia så alligevel advaret Henrik. For han havde næsten for hurtigt reageret på meddelelsen med al den faderglæde, man med nogen rimelighed kunne forlange. Han havde på stedet og uden et knyst ønsket udførligt tillykke. Og det kunne selvfølgelig også tænkes at han længe havde anet, hvad vej det gik. Eller det kunne tænkes at det – selv hvis det kom et chok – slet ikke rigtig kunne chokere ham, og langt mindre skuffe ham. Det kunne alt sammen tænkes. Især hvis han ikke også havde været så stolt over sin velkomst til Jacob. Hvis han ikke lige siden havde glinset så selvfedt af sin fordomsfrihed, at han virkelig må have pint sig til det yderste for at vinde den.

Jacob nærer overhovedet ingen mistanke om at den der åbenhed stadig og hvert øjeblik kan klappe sammen som en rottefælde. For Jacob er Henrik bare det dejligste menneske og simpelt hen en fantastisk far. Han er vild med hvad som helst han siger og gør, og med hans marker og hans svin, hans traktorer og hans computerstyrede blandinger af makro- og mikronæringsstoffer, plus al den øvrige medicin. Og han står lige nu og kan ikke vente til dagen i morgen, hvor han vil med ud i staldene og hjælpe med at passe de skønne små grise. Og Henrik er permanent henrykt. Han mangler netop noget så forbandet en rask mand. Det kunne overhovedet ikke passe bedre.

Morten er nødt til at sige at det er noget rædsomt vrøvl at høre på. For det første vil Jacob bare forhindre Henrik selv i at få noget som helst lavet. For det andet vil han også gå alle andre i vejen. Men de er fuldstændig enige om det modsatte, Jacob og Henrik. Og det skal de sgu nok finde ud af. Og Morten kan bare passe sig selv.

Så mener Henrik i øvrigt at de nu sammen skal sætte sig ind ved siden af. For nu skal de tre have sig en cognac, og den skal være stor.

I pejsestuen er de mørklødede borde omringet af læderstole, og Anders og Winnie og Niels Jørgen og Majbrit har hver fat i en af dem, de er ved at sætte sig. Vil have sig sat så de alle fire kan sidde og kigge på den sagte ild fra de nydeligt flækkede kævler.

Så sidder vi igen, siger Winnie. Streng omgang derinde, var det ikke?

Nu er der trods alt håb om at vi slipper for onkel Jens, siger Niels Jørgen.

Ja, han gik da mildest talt ned med et brag, siger Anders. Mage til gammel nar.

Men høre på ham i fire timer! Jens Vilsted mig her og Jens Vilsted mig der. Hvordan fanden moster Dagmar holder til det?

Den her slags fester i det hele taget! Bare sidde der på sin røv. At nogen orker det.

Jo alligevel en flot fest, siger Majbrit. Og Per klarer det jo helt utroligt. De må være glade for ham, Hvide Hus.

Han bliver her sgu da ikke, siger Anders. Ville også være dumt. Ikke her fremtiden ligger. Det har han allerede lugtet. Han skal til udlandet, de store hotelkæder. Skal ikke spilde sin tid på den her slags ligegyldige selskaber.

Alligevel en rigtig flot fest, siger Majbrit. Det må vi da sige.

Det er vel også det Henrik gerne vil kunne sige til sig selv! Rigtig, rigtig flot fest. Så vi alle sammen rigtig kan se hvor stor en mand, han er. Det *er* jo bare lidt komisk! Og det koster ham garanteret, ja, vel ikke under hundrede tusind.

Hundrede! To hundrede passer nok bedre. Det kan *jeg* da regne ud, med alt det her. Og efter hvad jeg hører fra Per. Jamen, det er vel nærmest synd. Sandheden er jo at ingen mennesker gider. Vi ville alle sammen hellere have siddet derhjemme.

Eller hellere have været med til en helt anden slags fest! Et almindeligt *party*. Sådan som jeg så tit kommer til når jeg rejser for firmaet i USA. Og et par gange jo også haft dig med, Majbrit.

De er meget længere fremme end os derovre, siger hun. På alle tænkelige områder. Og sådan et party, du kan komme i dine shorts og bare slappe af, og så går vi ellers rundt ved de forskellige buffeter og nupper lidt her og der. Ikke noget med at sidde. Det var godt nok dejligt.

Ja, man lister jo bare hele tiden rundt og snakker med dem man har lyst til, siger Niels Jørgen. Møder sine forretningsforbindelser. Eller man smider sig i pølen. No sweat.

Det kommer også herhjemme, siger Majbrit.

Nå ja, for lidt på den måde holdt vores Mikkel faktisk også sin trediveårsdag, siger Winnie. For alle sine venner. Selv om Per er *her*. I sådan et *resort*, ovre ved Skive, vistnok. Med vandland og ponyer.

Det bliver det samme når vores den yngste skal giftes nu til sommer, siger Anders.

Nicoline? Det har vi da slet ikke hørt noget om!

Vi regner med det, siger Majbrit. Skal også snart bestemme os. En der hedder Magnus. Noget med mobiltelefoner.

Vi holder det sgu i golfklubben, siger Anders. Så kan dem, der vil, altid gå nogle huller.

Men de bliver nu afbrudt. En ældgammel kone banker med sin krykke på ryglænet af en ledig stol.

Vil I have selskab her, spørger hun.

Ja, selvfølgelig, værsgo, sid ned, siger Majbrit og rejser sig selv halvt.

Her, nu skal du se, værsgo, siger Winnie og griber fat i den gamle arm.

Er det ikke Else, spørger Niels Jørgen. Jamen, det er det sgu da, det er jo Else Andersen!

Ja, vist er det mig, siger Else Andersen, så snart hun er nået ned i sædet.

Det er vores gamle kogekone, Winnie. Jeg havde slet ikke set du var her, Else!

Jo, jo, siger hun. Jeg har været med lige fra det begyndte.

Bryder du dig så om den mad de serverer sådan et sted som her, spørger Niels Jørgen.

Nu må vi først se hvad det er, siger Else. Og smage på det. Så skal jeg nok give dig besked. Hvis ellers – hvad skal jeg sige – ja, hvis jeg lige kunne komme i tanker om, hvem du er.

Det er Niels Jørgen Jensen, siger han. Fra Bisgaard. Og det er min bror Anders. Ja, vi er jo sønner af Orla Jensen, ham kan du da godt huske, Else. Og Emma. Vores mor.

Nej, ham har jeg nu aldrig haft det mindste imod, siger Else. Nej ikke Orla Jensen, hvordan skulle nogen snart også kunne have dét. Og Emma er også, nej, andet har jeg da ikke hørt. Emma er skam rask endnu. For det er det jeg siger, vi bliver alt for gamle nu om stunder. Jeg sad endda lige og kunne næsten ikke huske hvis begravelse det er, vi er til i dag. Vi bliver alt for gamle.

Vi er til fødselsdag, siger Anders. Vi er til Henrik Lundbæks fødselsdag her i aften.

Det véd jeg godt, siger hun. Og Axel har købt en ny cykel til ham, så han er svært tilpas med det hele. Men jeg synes alligevel ikke rigtig I ligner dem deroppe. Kristiansminde-slagsen. I ligner dem ikke. Ejnar Lundbæk har jo altid været den flotteste mand i byen. Ja, Axel er da heller ikke så værst. Men Ejnar. Han har nu engang det hår.

Vi kan godt huske ham, siger Niels Jørgen. Men han er jo død for mange år siden

Nej, nej, siger Else. Det kan du stole på han ikke er. Men selvfølgelig er Rigmor da allerede rendt med ham. Og der er nok ingen af os andre der ikke også har prøvet, det kan jeg godt sige nu, og Ejnar er heller ikke den der siger nej tak. Han æder hvad der bliver sat for ham. Jeg har alligevel vidst det hele tiden. Selv om jeg måske også af og til har ladet ham ligge ved mig, og han har jo det hår. Nå ja, han er måske også vel gammel til mig. Ærlig talt. Jeg var nok ikke mere end lige konfirmeret første gang han kom. Og jeg vidste godt at hun ville ende med at trække det længste strå. Hvis det er noget Rigmor vil have, så tager hun det. Det er for at sige det som det er.

Ja, det skal nok passe, siger Niels Jørgen. Men vi er altså ikke sådan direkte af den familie.

Nej, for hun kan trods alt ikke ordentlig få børn, siger Else. Det er ikke alt vi selv bestemmer. Heller ikke selv om vi hedder Rigmor. Nej, hun har jo ikke fået andet end den her stakkels pige med de rådne ben. Og vi andre bliver bare for gamle.

Men vi to her stammer fra Bisgaard, siger Anders. Min bror og mig. Vores bedstefar var jo Søren Godiksen.

Ham har jeg heller aldrig været bange for, siger Else. Mig har han nu også altid været god ved.

Det manglede vel også bare, siger Niels Jørgen. Men han er jo nu også død for mange år siden.

Det kan jeg ikke tro, siger hun. Nej, der er du nu galt på den, ikke så lidt endda. Jeg snakkede selv med ham den anden dag. Stinne derimod, hun har ikke lang tid igen. Ja, det siger han jo ikke selv, Søren Godiksen, ikke sådan ligeud. Men vi får se.

Det må være halvtreds år siden, siger Anders. Siden vores mormor døde. Jeg tror jeg var ti.

De har også kun den ene dreng, siger Else. Det rimer heller ikke alt for godt med hvad du nu sidder og vil fortælle mig. De har da kun den samme dreng. Og så alle de her tovlige tøser. Det må vel være noget Stinne har haft med sig. Ja, gæv kone ellers, jeg siger ikke andet. Men der er dem der mener, det er derfor, han altid går og fløjter så sært. Og Stinne, hun griner jo bare, og stå for hende, det kunne selvfølgelig ikke engang Søren, nej, ikke for de øjne. Og det hår hun kom her til byen med. Vi havde aldrig set noget så prægtigt.

Det havde I vel ikke, siger Niels Jørgen. Men bortset fra alt det, så savner vi nu alligevel sådan en gang suppe, som du kunne koge den, Else.

Så skulle du have sagt til i tide, siger hun. Jeg kan ikke være alle steder på én gang, og folk står hele tiden og rykker i mig fra alle kanter. Jeg må bare sige til dem, et halvt år, det må I altså regne med, ja, mindst et halvt år, så længe før må I ringe, hvis I vil have mig. Mindre kan ikke gøre det. Og nu må det også være slut for i dag. Nu vil jeg til og hjem og lægge mig.

Både Winnie og Majbrit kommer med det samme helt op af deres stole for at hjælpe Else Andersen på benene igen. Niels Jørgen overvejer mumlende hvordan de mon nemmest kan finde et værelse til hende. Anders vil lede efter Pia og lade hende finde ud af det. Eller måske få Per til at tage affære.

Per Jensen strammer sig an. Han laver noget skuldergymnastik og tager fem dybe åndedrag. Han er en vinder. Andet vil han ikke finde sig i. Selv om der nu også har været det her forpulede rod med den her skidefulde, gamle fjollerik der møvede ind i Christina og væltede hende omkuld. Med glas og flasker og sin egen fede vom oppe over hende.

Var lige ved at banke ham selv i brædderne igen. Måtte jo næsten tage det som et tegn. Som om han ikke *skulle* have lov til at komme ovenpå. Men det skal fandenpikme blive løgn.

Sådan hørte han sig selv så snart larmen havde lagt sig. Mens han fuldstændig koldt og roligt gik rundt og beklagede over for gæsterne og sørgede for, at der blev ryddet op i en allerhelvedes fart.

De får mig fandenpikme ikke, fucking skiderikker. Sådan lød det hele tiden inden i ham. Det var hans sande jeg der talte. Det var hans sejrsvilje, og han havde sat sig ud og trøstet Christina. Hun havde slået sig og skåret sig, hun blødte på det ene ben, og han havde tilbudt hende at tage fri og få hende på skadestuen.

Indtil han havde set det lille smil på hendes ansigt. Da forsvandt den sidste tvivl. Han var kommet op at stå for at blive stående. Han havde været nede og fingerere ved bunden her i aften, og så havde han rejst sig. Så var han røget op et sted hvor ingen kunne røre ham.

Det skete lige idet de alle sammen regnede med, at nu var han endelig helt, helt færdig. Da chefen selv kom op i køkkenet. Da han havde vist karakter og trukket det så længe med at gå ned til chefen, at han selv måtte komme op. Selvfølgelig troede de så han var færdig. Og de troede selvfølgelig ikke deres egne ører da chefen så gav sig til at undskylde. Nu er der ikke længere det de ikke vil tro.

De hørte chefen overbringe ham sin undskyldning. De så ham stå der og forklare sig, og han havde bestemt ikke villet forstyrre, bare gerne lige villet snakke et øjeblik, og han forstod så glimrende at Per endnu ikke havde kunnet afse tid til ham. Men nu skulle han altså hjemad, så derfor, og de så ham lægge en kollegial arm om hans skulder og trække ham lidt væk.

Så de ikke kunne høre at han havde det princip at sige fra, når han mente, det var nødvendigt. Og han havde altså været ked af et par svipsere, og det skulle de nu ikke komme mere ind på, for han havde også det princip at rose og anerkende, når det var på sin plads, og at gøre det straks. Og derfor stod han her, for dette her i aften, det var bare fremragende arbejde fra Pers side. Og de fik oven i købet de fleste værelser belagt, og han grinede, for han havde forstået at aftenens gæster skulle være noget af Pers egen familie, og så havde Per jo ligesom selv rettet op på det hele. Men det skulle de nu overhovedet ikke komme mere ind på, og han blev ved med at grine og klappede ham på skulderen, inden han gik.

Det havde de set. En grinende og skulderklappende chef. Og Per havde så set på *dem*, på dem alle sammen, og han havde set på køkkenchefen. Havde fanget hans blik, holdt det fast, og han havde set at køkkenchefen havde forstået. Han havde fattet hvem der var hvem.

Køkkenchefen der ellers hele aftenen havde blandet sig helt uden om alt og holdt sig længst muligt væk fra ham eller med det samme vendt ryggen til ham og rystet på hovedet. Som om man var noget så totalt uappetitlig, at han ikke et sekund kunne klare at se på det. Han så nu på ham, og i hans blik kunne man noget så klart og tydeligt se, at han netop havde lært noget nyt. At han ikke sådan lige med det første kom af med Per Jensen. Det vidste han nu, og han anede måske også allerede at den der usle inspektør inden så længe kunne blive den, der bestemte, hvem køkkenchefen er. Anede at han måske lige pludselig selv kunne risikere at få sparket. Og måske ville han få ret.

Per basker med sine sammenbøjede arme. Han roterer

hovedet over skuldrene til han kan høre, det knaser i nakkehvirvlerne. Han mangler nu kun den snak med Rinco, og Rinco har allerede sat sig til rette bag sit keyboard.

Også han gymnasticerer ihærdigt. Ansigtsmuskler, håndled og fingre. Som vil han lige om et øjeblik, med et inciterende smil og et par perfekte hug i tangenterne, lade hele det nu så stille rumlende og gnistrende musikmaskineri tordne løs. Per skynder sig deroverad, vinker afblæsende.

Har du lige to sekunder, råber han. Og Rinco hører ham og standser beredvilligt nedtællingen.

Jeg ville have snakket med dig tidligere på aftenen, siger Per. Men der har været, du véd, en helvedes masse brok i den. Rinco nikker.

Men det var de penge jeg skylder dig, siger Per. Det er mange penge, Rinco, det véd vi begge to. Jeg vil bare sige at du ikke skal være det mindste urolig for dem.

Det er jeg skam heller ikke, siger Rinco.

Og Per mærker det. Rinco har øjeblikkelig og heltigennem forstået situationen. Har ellers aldrig regnet ham for særlig skarp. Og måske mest på grund af det der tumpede kunstnernavn. Eller det der vamle lallefjæs han altid sidder og vender ud mod dansegulvet. Og nu har han altså straks læst signalet, Rinco.

Selvfølgelig også klart. Rinco er en mand der lynhurtigt opfanger den slags signaler. På lang afstand kan lugte, hvem der er oppe og hvem der er nede. Havde ikke overlevet tyve år i den branche uden sådan en næse.

Du skal bare vide jeg betragter dig som min ven, Rinco. Og jeg har de penge til dig meget snart.

Det er jeg slet ikke i tvivl om. Hvorfor tror du jeg nogen sinde –

Jeg har de penge til dig meget, meget snart, Rinco. Det var bare det jeg ville sige.

Jamen, det haster overhovedet ikke, Per. Tag den tid du har brug for.

Per føler sig pludselig meget varmere indeni. Pludselig som om han virkelig kan lide Rinco. Nu omsider har opdaget hvor fin en fyr han er, hvor skidegod en kammerat han er, Rinco. Jo, han holder sgu af ham. Respekterer ham, nej, han elsker ham sgu.

Faktisk lige ved. For Rinco skal selvfølgelig bare behandles med lidt venlighed. Så er han der med det samme fra sin allerbedste side, og sådan er man for helvede jo også selv. Kan man lige så godt se i øjnene. Skal sgu ikke gøre sig nogen illusioner. Man blomstrer bare så snart der falder en smule lys på én. Man skal faktisk være ovenpå for at være den man i grunden er. Og omvendt. Per gør sig ingen illusioner, ikke om sig selv heller. Han er ret sikker på, hvis han blev presset hårdt nok, ja, så kunne han også selv risikere at komme til at opføre sig rigtig grimt. Og han tager Rincos hånd og trykker den meget kammeratligt.

Vi tales ved, Rinco.

Og Per slår ud i salen. Kun et enkelt bord står uryddet. Seks personer sidder der. Kan åbenbart hverken se eller høre at alle andre har rejst sig.

Men det er da helt i orden. Selvfølgelig, de skal have lov at hygge sig. Selv om desserten nu ligger i smadder ud over deres tallerkner. Har ikke engang kunnet sanse at få deres is ned. Deres is er smeltet og løbet sammen med chokoladen og den røde og grønne marcipan, og det ser da virkelig dybt ulækkert ud. Men selvfølgelig skal de have lov at blive siddende. Gæsterne har altid ret, så meget desto mere som de her sidder ved hovedbordet. Fødselarens forældre, hans søster og bror, deres ægtefæller, det er klart, de har ret til at blive siddende med deres is- og chokoladesmat, til de rådner op.

Per nærmer sig velvilligt.

Er der mere vi her kan gøre for de damer og herrer, spørger han. Og han kan mærke, idet han udtaler sine venlige ord, at det faktisk heller ikke ville være helt umuligt for ham at holde af de her dessertsvin.

Han er måske lige ved at gøre det. Lige til det helt og fuldt er gået op for ham at de ikke på nogen måde gider svare. De ofrer ikke så meget som et blik på ham. De snakker fuldkommen uanfægtet videre, og det er lige stærkt nok, og han snupper et par af deres oversølede tallerkner. For hvis de havde tænkt sig engang at vende tilbage til desserten, så er det i hvert fald for sent nu. Og de ignorerer ham stadig totalt. Som er han ikke til i verden og står her ikke i kød og blod.

Det er virkelig ved at blive for klamt. Per Jensen skynder sig væk. Må bare væk fra de her mennesker der er væk i en anden verden.

De snakker om litteratur. Axel og Mary, Søren og Ulla, Anne Marie og Jørn.

Og det er forældrene der nu omsider fører an, og Axel kan nogle gange godt lide bøger bare fordi de er svære. „Krig og fred" af Lev Tolstoj, for eksempel, med de der knudrede russernavne, og værre endnu alt det franske han også måtte prøve at få sagt, uden at ane hvad det betød, det blev jo først bagefter forklaret. Men sådan er de altså nu i det hele taget kommet i med alle de gamle forfattere i bogbussen, og „Pickwick Klubben" af Charles Dickens, de lange sætninger, han havde haft et mas med at få det hele ordentlig frem. Somme tider havde de begge to snart moret sig mest over dét.

Jo, men „Krig og fred" var Mary trods alt især glad for på grund af en bestemt person, Pierre Bezúkhov. For han var lige så god en mand som Axel selv, og „Den unge Werthers lidelser", af Johann Wolfgang von Goethe, Axel læste sådan op af den at hun snart ikke havde vidst, hvad hun skulle gøre af sig selv.

Søren vil så vide om der overhovedet ikke findes nogen bøger, der har betydet andet og mere for dem end at minde om Axel, og hvor god han i alle henseender er.

Det kunne vel ellers også være tilstrækkeligt, vil Ulla have med.

Men de har jo fået meget mere ud af dem alle sammen, ifølge Axel. Måske også at forstå lidt mere af jer unge mennesker, siger Mary. Hvor gamle de her bøger end er, og „Rødt og sort", siger Axel, det var alligevel hans favorit. „Rødt og sort", af Stendhal, i den stod vist det hele. Men selvfølgelig er det indimellem også sjovt med sådan nogle helt anderledes familier, siger Mary, som i „Huset Buddenbrook" af Thomas Mann. Selv om man vel altid kunne ønske, at det gik nogle flere af dem noget bedre.

Du må skrive dem alle sammen op til mig, mor, siger Anne Marie. Eller få far til det, nu inden vi flytter til Spanien. I må skrive en lang liste til mig, så vi kan få dem købt og have dem med os. Nu vi omsider får så god tid til at læse. Ikke også, Jørn?

Jo, jo, siger han. Vi må da have fat i en helvedes masse bøger at begrave os i, det siger vel sig selv. Vi bliver jo helt sikkert enormt hurtigt trætte af at leve livet. Om det så nok så meget er det vi har regnet med, der endelig skulle blive tid til!

Få i al fald far til at skrive dem op til mig, mor. Ikke også, far?

Vi er kede af at I rejser, siger Mary. Vi ser jer aldrig igen.

Hold op, siger Jørn. Vist gør I så. Vi vil komme hjem i tide og utide, og I to har helt sikkert mange år for jer endnu.

Jeg tror aldrig vi ser jer mere, siger Mary. Vi må trøste os med at I så måske har det godt dernede.

Jamen, mor, siger Anne Marie. Vi skal jo nok ses igen. Jeg vil rigtig tit komme hjem og besøge jer!

Hvis ikke I skulle få det så godt, så må I skynde jer at komme tilbage, siger Mary. Det må I love mig.

Ethvert tænkeligt løfte bliver i det samme blæst langt ud i vinternatten. Rinco har trykket på knapperne.

Det lyder til at vi skal danse, råber Axel. Kom så, Mary!

Haster det så meget, spørger hun med hænderne som tragt omkring munden.

Har vi ikke før været de første på gulvet!

Axel haler hende op og trækker af sted med hende. Deres børn og svigerbørn rejser sig da også. De bevæger sig langsomt hen mod døren til pejsestuen. De standser der og kigger på dansen.

Det er en moderne dans. Rytmen er så heftig at Axel og Mary må forsøge med halvt tempo. Han vil dog også gerne vise at han véd hvad det drejer sig om, og han stepper baglæns på afstand og prøver at slynge hende rundt i den ene arm. Men så er han selv lige ved at falde, og hun bliver tungt og fornuftigt stående. Til gengæld lader hun sig meget villigt – idet hun åbenbart fornemmer, at han har genvundet fodfæstet – dumpe tilbage i hans favn og er nu tilsyneladende tryg nok ved at lade ham føre på gammeldags vis. Hun begynder endda at spjætte noget ud med benene. Næsten som levede der stadig i hende et levn af den Mary, der engang var den vildeste af alle piger.

De er blevet stående ved døren, de unge tresårige, og de står der alle fire med en slags smil på ansigterne. Som om de i forældrenes dans kan se noget sjovt eller rørende. Eller de arbejder måske på et billede de gerne ville kunne huske og glæde sig over. Det er under ingen omstændigheder helt nemt for dem.

Smilet visner først på Ulla og Jørn, og de vender sig om. Søren og Anne Marie vender sig et øjeblik efter. Og de går ud.

Litteraturhistorie

Staun blev aldrig nogen rig by. Der kunne i perioder, og på enkelte af gårdene, være tale om en velstand der tillod folkene at indrette statelige stuer med velsnedkererede møbler, at klæde sig præsentabelt og mere til ved festlige lejligheder, at holde en smuk kørehest til jumben og senere købe sig en ordentlig bil. Men det var en velstand der i det daglige forudsatte en ubønhørlig behovsdisciplin. Man måtte have stærke anlæg for nøjsomhed og nære kærlig omsorg for sine ejendele – så kærlig og trofast at den på ingen tid ville have kunnet smadre en moderne økonomi totalt. Man måtte frem for alt være opfyldt af en overvældende afsky for at hive pungen op af lommen, og da i nødsfald vende og dreje hver en øre, inden man vemodigt slap den.

For de fleste slog det ikke engang til. Både fiskerne og husmændene var – med særlige undtagelser der beroede på gamle penge – så arme at de knagede. Der havde for alle, gennem århundrederne, været lange, lurvede perioder med uafhjælpelig mangel på også det nødtørftigste. Staunboerne havde sultet. Der var dog én ting de aldrig nogen sinde kom i bekneb for, og det var litteratur.

Historier havde det aldrig, og lige så lidt som noget andet sted i verden, skortet på der i byen. Der havde altid været mere end rigeligt at fortælle om, og få mennesker havde levet som ikke hellere end gerne ville være den første til at fortælle så meget som muligt. Alene de føromtalte 'gamle penge' var utrætteligt sagnomspundne. Deres oprindelse fortabte sig i hemmelighedsfulde tildragelser, kampen for gennem generationer at bevare dem – trods talløse anslag fra tyve og bedragere og myndigheder, samt visse slægtleds forfærdelige hang til udskejelser – affødte stadig nye kæder af drabelige beretninger, og de anslåede formuer voksede alt imens støt. Nogle kunne måske i nøgterne øjeblikke tvivle på at de også eksisterede i nogen mere håndgribelig forstand, men ingen, næsten ingen, kunne i længden helt nægte sig den fortrøstningsfulde tro, at indehaverne af dette fabelagtige guld, uanset deres pjaltede fremtoning, var de rene krøsusser.

Når man ellers ikke var optaget af så mange andre historier. Det faste arsenal, som alle lå inde med, fra forældrenes og bedsteforældrenes tid, og så jo især de nye som hver evige eneste dag stod ud af halsen på enhver, der godt et øjeblik ville gøre sig bemærket, og måske – man kunne aldrig vide – blive husket og hædret for det samme. Og nogle havde i skoven eller nede ved fjorden mødt højst usædvanlige fremmede, om det så var rigtige mennesker af kød og blod eller dødninge og gespenster, og andre havde været på Hjallerup Marked og dér viklet sig ind i elskovseventyr og mægtige slagsmål, og fiskerne sejlede langt op ad fjorden og kom gang på gang ud for hændelser, som man egentlig ikke havde regnet med kunne forekomme i virkeligheden. Det lød alligevel til det.

Hvad angår den litteratur der er blevet skrevet ned, og dermed naturligvis har kunnet opnå videre udbredelse, står Staun næppe heller tilbage. Skønt byens indbyggertal vel ikke på noget tidspunkt er oversteget de tre hundrede, har den også til bøgernes verden leveret bidrag, som mange større bebyggelser kunne have grund til at misunde den.

Eksempelvis kom den kendte litterære figur Tordenkal-

373

ven også ret jævnlig på besøg i Staun. Han blev der modtaget med mere end almindelig gæstfrihed, for han medbragte nyheder fra hele det vestlige Himmerland. Et godt, varmt sengeleje stod altid til hans rådighed, og alle steder blev han selvfølgelig budt med ved bordet, og kunne da så bare lange til, hvilket alt sammen har forårsaget at han levede og holdt sig gående så længe, at Johannes V. Jensen (1873-1950) kunne beskrive ham i sine „Himmerlandshistorier". Denne forfatters kollega Johan Skjoldborg (1861-1936) begav sig for resten mange gange personligt til byen og satte sig ind hos den ene og den anden. Han var en hund efter historier. Kendt for at holde folk oppe til langt ud på natten og ikke alene for brændevinens skyld, nej, mere for at vride den sidste skrøne ud af dem.

Det lader sig vanskeligt efterspore hvor meget Skjoldborg tog med sig hjem til Løgstør for at benytte det i egne værker. Hans jævnaldrende landsmand, fra Øster Han Herred, Jakob Knudsen (1858-1917) tog i det mindste byens navn til sig, let fordrejet til Stavn, som betegnelse for det sted syd for fjorden hvor den vilde hanning Anders Hjarmsted, i romanen „Sind", slog sig ned.

Det kan herudover med lethed påvises at op til flere andre forfattere har beskæftiget sig indgående med den samme berømte staunbobegivenhed. En af dem var Christian Bartholdy (1889-1976), der nu i øvrigt også var medskyldig i dramaet. Han var i 1920'erne sognepræst i Barmer, og som kristen fundamentalist måtte han opfatte Staun som 'et halvhedensk udsted'. Han følte sig derfor forpligtet til at kristne indbyggerne og allierede sig i denne hellige hensigt med indremissionske kredse på Han Herred-siden af fjorden, især nogle fiskerfamilier der ikke så mange år før var kommet til egnen helt ude fra Harboøre. Som han langt senere skildrede det i sin erindringsbog „Ved vejs ende" foranstaltede han altså sammen med disse vesterhavsfolk et missionsmøde i Staun Skole. Det mislykkedes.

Staunboerne var mødt talrigt op i skolestuen, men forlod den meget hurtigt igen. De ville ikke høre tale om at de ikke skulle være lige så gode som andre mennesker. Og dagen satte ondt blod mellem syd og nord. Det kom i tiden efter til krigeriske episoder mellem fiskerne, ude midt på fjorden, hvor en strid om fiskepladser så let kunne skærpe den religiøse. Begge sider måtte tælle adskillige tilskadekomne.

Dette er da også bevidnet af Hans Kirk (1898-1962) i romanen „Fiskerne". Kirk iagttog det hele fra harboørefolkenes nordlige synsvinkel, men han formåede alligevel så fermt at sløre sin sympati, at den endelige dom i sagen tilsyneladende blev overladt læseren. Den samme rimelighed må man indrømme Bartholdy, hvor meget man end ville forvente hans ensidige favorisering af de hellige. Hvor dybt han end måtte forfærdes over de vantro staunboers gøren og laden, så ombølges de i hans bog af samme forsorne lune, som så mange, helt fra hans barndom, havde bebrejdet ham, og som han også i andre tilfælde formåede at holde i ave.

Et betydeligt antal forfattere har, i modsætning til de ovennævnte, opholdt sig i længere tid i Staun, og vel at mærke uden af den grund at inddrage den i deres skriverier. Knuth Becker (1891-1974) boede i mere end tredive år et par kilometer uden for byen, men vedblev dog troligt at betragte det fjerne Hjørring som verdens navle. Knud Erik Pedersen (1934-) har nu snart gennem årtier beboet Staun Forsamlingshus, hvor så mange af byens store begivenheder tidligere udspillede sig, og han har trods det været tilbøjelig til at lægge handlingen i sine bøger en halv snes kilometer sydvest for byen, i det Skarpsalling hvor han er hjemmehørende. En tilsvarende skriven udenom lader sig måske lettere forklare i tilfældet Gorm Rasmussen (1945-), idet han hovedsagelig har holdt til i byen som sommergæst. Ingen af dem kan dog tænkes ikke at være mærkede af byen. Den har utvivlsomt sat sig spor som i bund og grund, ja, netop i det gedulgte, men helt afgørende, præger deres litterære virke. Forbavsende nok kan noget lignende næppe siges om Susanne Staun (1958-). Denne forfatter hævder at have arvet sit navn efter en papforfader, og hun skulle således være bærer af noget mindre af byens genetiske materiale end så meget andet kunne tyde på.

Hvordan det nu end måtte forholde sig, så er det en navnefælle, der står som forfatteren til den bog, der af alle kendere fejres som det ubestridte hovedværk om Staun. Her tænkes naturligvis på C. Staun (1866-1950).

Hans døbenavn var Lars Christian Poulsen. Han tilhørte altså den i byen vidt udbredte Poulsen-slægt og var født på en af dens mindre gårde. Tidligt i sit liv måtte han ud som hjorddreng, blev senere tjenestekarl flere steder, indtil han som syttenårig rejste væk. Han kom på højskole og kunne derpå optages som elev på Blaagaard Seminarium i København. Her blev han gode venner med Jeppe Jensen, og da de to unge mænd begge drømte om at blive til noget som forfattere, har de måske sammen bestemt sig for at udskifte deres fortærskede Jensen og Poulsen med navnene på deres fødebyer, Aakjær og Staun. De engagerede sig også begge i samfundsproblemer, de blev socialister, og i sin første roman fremstillede Lars Christian, som en af de første i Danmark, storbyproletariatets levevilkår. Ikke før han nærmede sig halvtredsårsalderen vendte hans tanker for alvor tilbage til hjembyen. Det gjorde de da snart med så voldsom kraft at han igen så den lyslevende for sig. Han skrev „Under dommen".

Det blev en forfaldshistorie. Mens C. Staun ganske ubetinget var på ethvert fremskridts side når han skrev om arbejderklassen, så var han bagstræverisk i sit syn på alle nye tiltag i det gamle bondesamfund. Han foragtede andelsbevægelsen, han væmmedes ved effektive dyrkningsmetoder og moderne landbrugsmaskinel. Han så den gæve, muntre, sendrægtige, den hjertelige, uforstilte og sagtmodige bonde blive korrumperet og gå til grunde. Det forhindrede ham ikke i at levere håndsikre portrætter af enhver slags typer i Staun og omegn. Han holdt samtidig tungen lige i munden og undgik alt for mange folkloristiske sideblikke til det københavnske publikum. Til benefice for dette understregede han måske alligevel det frie og åbne kønsliv mellem den gamle landsbys unge. Det i egne øjne så avancerede borgerskab kunne da have godt af at høre at dets allerkæreste forestillinger om landligt snæversind og moralsk forkrampethed ikke var andet end indgroede selvbedrag. Blandt bogens mere sensationelle indslag finder man historien om den senile olding der holdes indespærret i et bur i et hjørne af dagligstuen. Da gården bliver solgt, får buret med oldingen af praktiske grunde lov til at blive stående, og han bliver da det måbende vidne til også de nye indehaveres mest intime, både ømme og hadske scener.

Det allerstørste udbytte af bogen får måske den der har kendt egnens sprog som det endnu taltes af de fleste op i 1960'erne. Den rigsdanskskrivende Staun tog flere gange på hver eneste side sin tilflugt til det himmerlandske modersmål. Blandt snesevis af andre forsvundne eller næsten forsvundne gloser kan „Under dommen" i dag minde om for eksempel disse:

brynning – favnfuld (halm eller hø)
burken – skorpet, grimet
end – men hvad så med
ganning – ønskemål, yndlingssag, hof

glib – tagformet stel af træstænger, beklædt med fiske-
net undtagen på den forreste flade

helmis – krikke, rallik

hjante – rave, dalre, hæfle

hubav – fy for pokker da

hvip – brøstholden, studs

hvælle – råbe, brøle, skråle

høs – kind, kæbe

janke – slimet klump

jørme – myldre, svirre, koge i sindet

kærresæt – trave, rad af sammenstillede neg (kærve)

krøje – træstang med tværstykke for enden

lide – fornøjelse, gavn

mandvolm – gal, stridslysten

mon, -net – evne, magt, sind, hjerte

nigre – virre, skudre

nøs – kostald

oprinke – vikle (reb) op, vinde (garn), blive færdig

overstilt – overdreven, vældig

pinnede – pinedød, så sandelig

rosom – fornøjelig, rar

rålling – gammelt stuehus

råne – tværbjælke, høloft

snallervorn – vrøvlet, sjusket, blakket

stredde – stiv, støt, stærk

tho – jamen, ih, ok, såmænd

trønge – trængsel

tælle – frossen skorpe

tålle – tam, skikkelig

unnen – middagsmad (om middagen)

villele – fremmelig, rask, dygtig

vissing – evne, forstand

Alle kvaliteter til trods må det aldrig glemmes at „Under dommen" ikke er andet og mere end en roman. Det kniber i uhyggelig grad med autenticiteten. Noget så grundlæggende som egnens geografi er der jasket gudsjammerligt med, og den der søger støtte i et kortblad fra Geodætisk Institut må snart føle sig holdt for nar. Selve byens navn er forvansket til det uigenkendelige. Få, måske ingen af personerne vil det være muligt at identificere. Man kan få indtryk af at forfatteren har taget hovedet fra én, kroppen fra en anden, arme og ben fra en tredje, for så endelig at kalde denne sammenkogte zombie Kræn Sivertsen, eller noget andet som ingen i byen nogen sinde har heddet. Overflødigt vel næsten at tilføje at bogens begivenheder ikke har fæstnet sig i andre staunboers erindring. Det kan selvfølgelig tænkes at forfatteren til nød har medtaget en smule fra sine egne, private barndomsminder, men meget andet må han have hørt alle andre steder fra, og langt det meste har han ganske givet bare fantaseret sig til.

Det er sådan noget der af visse æggehoveder benævnes kunst. I åbenlys modstrid med al fornuft postulerer de frækt at denne her slags uvederhæftige gøgl har mere med virkeligheden at gøre, end hvad der skrives endog i de bedste aviser. I kraft af dette fornærmelige nonsens har de så deres fede udkomme. Det er en skandale – løgn skal være sandhed! – som alt for sjældent når ud i offentligheden. Disse mumbojumbosnakkende litterater, hvortil beklageligvis må regnes størsteparten af forfatterne selv, skal nok vide at holde tæt med deres fiduser, og ingen almindelige mennesker kan ret længe holde ud at tænke på dem. Man kan omkomme af raseri.

Dermed naturligvis ikke være sagt at der slet ikke længere skrives og udgives sandfærdige bøger. Der findes stadig gode, danske forfattere der sætter en ære i at holde sig til kendsgerningerne. De skriver ikke om noget sted som ikke kan findes på landkortet, de kalder alle byer ved deres rette navn. De omtaler ikke andre personer end dem enhver kan efterspore i telefon- eller kirkebogen og i mange tilfælde desuden på nettet. De henviser omhyggeligt til andre forfattere og andre bøger hvis eksistens og hele ontologiske status kan verificeres i anerkendte opslagsværker. Og er alle disse forhold først på plads, kan læseren roligt og med den største fornøjelse gå ud fra, at hvad som helst, der ellers måtte stå, er virkelighed, og hvert eneste ord er sandt.

IV

Konfirmation

Forårsaftenen var kølnet hen omkring midnat. Ejnar Lund-
bæk havde stillet sig ud på forsamlingshusets trappe for at
give sine lunger et pusterum. Luften inde i salen var blevet
så tæt af røg og dunster at man kunne skære i den. Meget
snart kom han altså alligevel til at småfryse herude, og han
belavede sig på at retirere fra det friske, stjerneklare him-
melhvælv for igen at affinde sig med hørmen mellem de
andre, idet en af dem tog i døren derindefra.

Det var konfirmanden. Ejnar havde før lagt mærke til
at Peder rendte ud og ind, forpint som han vel var af de
halvtreds gram tobak han alt for hastigt havde røget, så
snart han der ved middagstid havde pakket sine gaver ud.
Nu måtte han så nok igen herud og have svalet sit bræn-
dende svælg, og Ejnar tænkte at værre var kulden da hel-
ler ikke for ham selv, end at han jo nu godt kunne holde
drengen en smule med selskab. Så meget desto mere som
han vist ikke havde fået sagt et ord til ham hele dagen.

Det er en vældig fest vi er kommet til, sagde han nu. Jeg
tror trods alt også at du selv inden så længe vil se tilbage
på den med tilfredshed. Vi andre véd i al fald at du har for-
tjent det hele, Peder. Det er en stor dag for os alle sammen!

Og han kiggede ned til ham, om han måske ville svare
på det. Men Peder skulle ikke have rørt tungen mere i dag.
Han stod og gabte ud i mørket.

Der er mange ting der nu bliver anderledes for dig, fort-
satte Ejnar. Du skal til at være mand, og det er der heller

ingen der kan være i tvivl om, at du bliver. Men den tid nærmer sig vel så også hvor du begynder at få øje for de unge piger. Det ville skam heller ikke komme bag på mig om du måske allerede har en af de allerkønneste i kikkerten. Men det jeg ville sige til dig, Peder, det var nu det at vi jo håber, du stadigvæk vil komme en gang imellem og se til vores stakkels Ellen. Selv om hun selvfølgelig da bare er en tøs. Men vi véd at hun har været glad, hver eneste gang du er kommet til os på Kristiansminde.

Peder stod bomstille og trak vejret helt forsigtigt. Og Ejnar tænkte på at han også gerne ville have sagt tak. Hvis Peder ikke længere kunne få tid til så tit at besøge Ellen, så skulle han alligevel have tak for alle de gange, han hidtil havde gjort det. Men de havde nu begge to hørt nogle højrøstede folk henne ad vejen, og de nærmede sig med deres bralren og skogren. Fire ·hjantende skikkelser ramlede frem imod dem derude fra mørket, og var de endnu ikke så tydelige at skelne, så var det ikke svært at gætte, hvem de var.

Forrest kom Raymond Sørensen, arm i arm med sin Ottilde. Bag ved dem humpede den etbenede Holger Høvl af sted med støtte fra den store Frede Andersen. En del af det slæng oppe fra fattighuset som Raymond jo var vokset op med, men som han slet ikke mere behøvede at pleje nogen omgang med. Når de bankede på hans dør og ville drikke, lukkede han dem alligevel mange gange ind, og Ottilde blev sendt til købmanden efter bajere og brændevin, og hun tog så for resten selv pænt for sig. Nu var de alle fire rigtig godt lakket til.

Godaften, råbte nu Raymond. Godaften! Godaften! Der har vi jo selveste Ejnarmanden! Og så sandelig da også den lille Pedermand!

Ottilde brød i grin, og Raymond måtte grine med. Noget så fælt endda, og stadig lige så ·snallervorn, selvfølgelig, gik han nu frem mod trappen og tog et trin op mod Ej-

nar. Stak hovedet op under hans hage, mens også Holger
og Store Frede blev færdige med at more sig.

Vi kan forstå her er mægtig basseralle, sagde Raymond.
Og vi tænkte så om der måske ikke skulle være en luns af
stegen tilbage til os andre! Vi er sådan gået hen og blevet
lidt brødflove, her i vores lille selskab, ja, sådan – for ikke
at sige skrupsultne, og det kan for fanden vel heller ikke
passe at I selv har ædt hver en bid? Der går jo rygter om
at de på Bisgaard har slagtet alle deres bedste både stude
og fedesvin!

Hvis I ikke er budt med, svarede Ejnar. Så synes jeg I
med det samme skal gå hjem til jer selv! Og I skulle aldrig
være kommet her og gøre den mindste blæst, og det tror
jeg da også du selv er helt klar over, Raymond Sørensen!
Du er jo alt for klog en mand til det her!

Alt for klog, knurrede Raymond. Alt for klog! Det kan
vi desværre ikke sige om visse andre her! Hvabehar, Ejnar
Lundbæk! Hvis ikke lige det drejer sig om at mele sin egen
kage og spille storsnudet og træde på småfolk!

Ejnar syntes ikke han kunne stå her og mundhugges
mere med Raymond. Han hidsede sig bare endnu tåbeli-
gere op, var jo allerede så gal og ·mandvolm at han snart
kunne risikere at komme til at gøre noget, der ikke var til
at glemme igen.

Og Ejnar tænkte så som altid på hvad Søren ville have
sagt. Hvordan Søren ville have båret sig ad med at komme
af med de her folk. Men da det nu var ham der holdt gil-
det, tænkte Ejnar ikke længe på ham, før han fandt det ri-
meligst simpelt hen at få fat i ham.

Gå ind og hent din far, sagde han til Peder. Så kan han
selv komme herud og gøre redelighed.

Ja, selvfølgelig, hylede Raymond. Det var da en rigtig
god idé! Vi må have manden selv herud så han kan tage
imod os, som det sig hør og bør!

Lad os hellere gå hjem nu, sagde Ottilde. Skal vi ikke det, Raymond?

Nej, nej! Vi må for fanden da først have hilst på Søren Godiksen!

Nå, jamen, så må du jo vente til han kommer, mumlede Ejnar Lundbæk.

Ja, og hvis du så ellers kunne opføre dig ordentlig så længe, Raymond! Og han skuttede sig, havde været ved at svede ud hvor kold han før var stået og blevet.

Søren havde sat sig op ved siden af spillemændene. Han ville høre den her Alfred Zachariassen på nærmeste hold. For det måtte han sige, der havde Stinne ikke ladet sig noget binde på ærmet, og hun havde gjort klogt i at ville have bengelen bestilt, hvor lidt han end selv havde turdet tro, at der kunne være den mindste ·vissing ved ham.

Men som han nu kunne få violinen til at synge, den samme Alfred Zachariassen. Det var virkelig en fornøjelse, og det var mere end det, det var endnu en påmindelse til ham selv. Han måtte tage sig endnu mere i agt for at dømme nogen alt for rask. Det par gange han i betryk havde brugt ham som daglejer og set at han ingenting var værd, at der var så lidt han magtede og endda ville snyde sig fra resten, det havde jo altså langtfra været nok til at han med nogen ret kunne vrage ham. Det var ham selv der var den usleste, det lærte han nu her, uden at begribe et korn af Herrens uransagelige veje havde han selv givet sig ud for Ham. Og nu måtte han gøre det godt. Og det ville ikke være gjort med at stikke Alfred en ekstra seddel. Nej, han måtte, inden han sendte ham hjem, lade ham vide at han aldrig mere skulle komme til at savne hans respekt.

Og med den bestemmelse kunne Søren helt og fuldt nyde musikken igen, og hans smil kunne ubeskæmmet stråle over salen og de dansende. Ikke mange kunne blive siddende, det sagde sig selv, til de her balstyrige toner, og en mand som Thomas Poulsen var jo uafladelig på gulvet. Han havde puttet butterflyen i lommen og knappet skjorten op og svang kvindfolkene til de svimlede. Og Frederik Halkjær havde endda et øjeblik lagt snadden fra sig og var gået med i sveksturen, og hans egen forkarl skulle nu også rigtig vise at han kunne være med. Hans Peter Selvbinder svedte så håret klistrede i øjnene på ham, og efterhånden var det vel ikke mere end lige til at Søren selv kunne holde sig i ro. Hans højre fod vippede lystigt op og ned.

Men så stod Peder der og rykkede i hans ærme. Og han trak så voldsomt i ham og gjorde fagter, som om helvede var brudt løs eller i det mindste ild i huset. Han måtte da nok rejse sig og følge med ham.

Peder kunne ikke nærmere forklare hvad der var galt. Men Ejnar Lundbæk fortalte om det så snart de var kommet udenfor. Han fortalte at Raymond Sørensen måske her i aften havde fået en tår over tørsten, og at han nu vistnok bildte sig ind, at han var budt med til konfirmationen.

Det havde hans far ikke længere nogen rede på. Hørte Peder ham sige. Og det gjaldt vel heller ikke så nøje om den ene og den anden sådan højtideligt var indbudt. Dem der ville være med til at feste for hans søn, skulle i alle tilfælde være velkomne. Og Peder kiggede på ham, og han stod der og smilede til Raymond og de andre, og det så ud til at han mente alt, hvad han sagde. Og Raymond gloede også bare op på ham som om han var blevet stum.

Lad os nu se, sagde hans far. I kan gå over til døren i gavlen og komme ind i køkkenet der. Der skal nok være føde nok tilbage til at I ikke kommer til at gå sultne derfra igen. Og noget at drikke til jer tror jeg også de har derude. Eller jeg skulle måske hellere følge med jer, så kogekonen

387

ikke tror at I – ja, hvad skal vi sige – kommer selvbudne og vil gøre nogen opstandelse.

Og hans far tog trinene ned ad trappen og et par stykker til hen mod gavlen. Men standsede så der og ville sige mere til dem.

Nu jeg tænker ved det, sagde han, det kunne ikke passe bedre end at I kom. Vi skal nemlig i morgen have kvier over på holmen, og så har vi altid brug for snart alle de folk vi kan skaffe. Så kan jeg nu ikke forlade mig på dig, Raymond, og på Ottilde også? Og I andre, er det ikke Holger, ja, og Frede Andersen, hvis I også regner med at kunne udrette en smule, så møder I alle fire på Bisgaard i morgen tidlig.

Hans far gik så videre, og Raymond og Ottilde luskede bare bagefter, og Store Frede tog i Holgers arm og skumplede af sted med ham også. Peder stod tilbage og håbede på at Raymond stadig kunne nå at svare noget. At han ville sige nej og gå sin vej. Men så forsvandt de om hushjørnet, og døren blev i det samme lukket bag ham. Ejnar Lundbæk havde skyndt sig ind.

Peder blev stående ude på trappen, og han følte sig som om han selv var Raymond Sørensen. Han var lige ved at komme til at græde af det. For det var som han var blevet slået, Raymond, og han skulle aldrig have fundet sig i det. Han skulle aldrig gøre det igen. Eller der måtte være en anden, der *måtte* være nogen, engang, der kunne sætte sig op mod hans far. Der måtte være nogen.

Sølvbryllup

Lige med ét ville de alle sammen hjem. Som havde de ventet på et signal til nu en sidste gang at rejse sig og knappe jakkerne, rette på skørterne og glatte på håret, for sådan næsten så præsentable som da de var kommet at nærme sig Orla og Emma og få sagt tak. Og signalet kom nok fra Axel og Mary.

Det havde ingenting betydet at nogle folk som Ingeborg og Knud Terkelsen var gået, eller Frida og Svenning Olufsen, heller ikke engang Søren Godiksen og moster Dagny, og enkelte andre af de ældste. Men Axel og Mary – og de gik nu også først rundt og ønskede godnat til flere fra familien og fra byen, og så skete det.

En hel del tøvede med at sætte sig igen, og der blev straks ført korte forhandlinger i adskillige af ægteparrene, og musikken gik så næsten med det samme i stå. Poul Poulsen blev ganske vist siddende bag sine trommer, men Alfred Zachariassen havde allerede lagt violinen i kassen og sat sig med en bajer. Og selv om Emma og Orla endnu nogle øjeblikke ville forsøge at lade som ingenting og igen slog sig ned ved deres bord, så vidste de som alle – stort set alle andre – at det nu var slut. Flere par rykkede resolut frem mod dem og, ja, de måtte op at stå og blive stående nu. Måtte måske også hellere så småt søge ned mod døren, så enhver uden videre kom forbi og kunne trykke deres hænder til allersidst.

Jens og Dagmar var fremme, og de havde da været godt

tilfreds med alting, efter hvad hun sagde, og maden fejle-
de i al fald ikke noget, lagde han til, og det kunne måske
godt lige misforstås, som om der var andet, der ikke havde
passet ham. Men Emma fik ham alligevel takket for talen,
og Orla nikkede til det. Det var godt det blev sagt, for hun
kunne vel ikke for alvor bebrejde ham, at han lod være,
når hun nu selv havde gjort det.

De var trætte, og det var de fleste andre heldigvis også.
De nøjedes med at stikke labberne frem og mumle et eller
andet og skyndte sig ellers ud af klappen. Alligevel var der
nu kø, og flere stod og gabte og strakte sig, som om de al-
lerede følte, de havde stået der i timevis og for længst
burde have været hjemme.

Else-Marie og Inge-Merete var nok, trods den alminde-
lige utålmodighed, nødt til at gøre mere ud af det, og de
omfavnede Emma, og de truede med meget snart at sende
en skriftlig invitation, nu hun ikke af sig selv kunne tage
sig sammen til at besøge dem. Karsten Svensson og Vagn
Juhl sagde også til Orla at de ærlig talt ville glæde sig til
at træffe ham igen.

Så maste alle de unge der havde serveret sig frem og
ville ud. Her til sidst var Anders og Winnie og Niels Jør-
gen og Majbrit også gået ud i køkkenet og havde hjulpet
dem med opvasken og med at få servicet pakket ned, og
Emma havde nu heller ikke mere ærgrelse tilovers for no-
gen af dem. Hun var endda sluppet nogenlunde nemt om-
kring ved aflønningen. For ved halvtolvtiden var hun gået
ud for at takke og betale Else Andersen, der som altid
holdt på at komme hjem inden midnat, og hun havde da
fundet på at række Anne Marie Lundbæk de sedler hun
havde tilbage i sin pung og bede hende fordele dem.

Så hun ikke selv skulle se nogen af de andre i øjnene
når de kradsede pengene til sig. Og Anne Marie og Hen-
rik og Søren drog nu også af sted med hele flokken, de

skulle feste videre hos en af de her piger, som både var alene hjemme og havde de nye plader med Beatles og Stones. De trængte alle sammen til at danse til sådan noget.

Men alt i alt, meget mere end et kvarters tid tog det ikke inden de sidste slappe hænder var trykket. Og så alligevel, da Orla ville over og afregne med Alfred Zachariassen, da stod endnu et par tilbage derovre, og det var mærkeligt nok Thomas og Hortense Poulsen.

Det kunne nu være fordi Thomas var faldet i snak med sin bror, Poul, mens han fik samling på sine bækkener og trommestikker, men Hortense plejede under alle omstændigheder at få ham trukket hjem, inden det blev så sent. Og nu så hun altså ikke ud til at have det mindste travlt med ham. Grunden kunne da muligvis være den at Thomas vist ikke hele aftenen havde været udenfor med nogen, og hun så tænkte, at var det på den måde, han ville til at opføre sig, så kunne han få lov at blive oppe til den lyse morgen.

Og Orla rakte Alfred fire hundredkronesedler, og Alfred rakte en af dem videre til Poul Poulsen og en anden til den unge guitarist, der så øjeblikkelig styrtede af sted. Emma bestemte sig derpå til selv at gøre en ende på det hele og tog Hortenses hånd.

Det har været den skønneste sølvbryllupsfest, sagde Thomas. Og bruden er selv endnu så skøn og prægtig som en pigelil på tyve!

Det er godt hvis I har moret jer, sagde Emma. Og tak da for resten for dansen, Thomas!

Hun var alene tilbage i salen med Orla. Hun havde stillet sig ved gavebordet. Der var en sølvkaffekande og tre sølvfade, et rundt, et ovalt og et firkantet. Flere sølvlysestager, to små lave og en to- og en trearmet. Et stueur af messing under en glasklokke og med fire roterende kugler som en slags pendul måske. Et stort billede der forestillede et par gamle mennesker fra landet i gamle dage, nok en aften i deres stue, og han sad der med et bundt garn om sine fremstrakte arme og røg så veltilpas på sin lange pibe, mens hun vandt det her garn op i et nøgle og smilede skælmsk til ham. En kongelig porcelænsfigur af en kalv der kløede sig bag øret med klovene på det højre bagben. Et par askebægre, tin og stentøj, og flasker med portvin og sherry. Og flere gavebreve.

Han havde sagt at de bare kunne lade det hele stå til i morgen aften, hvor de alligevel skulle ned og rydde det sidste til side. Han ville hjem i seng, han skulle tidligt op, var så stagende træt. Men havde så ikke haft mere at sige for sig, da hun sagde, at lade dem stå her, folks fine gaver, det kunne da virke som om de selv var fuldstændig ligeglade med dem, og hun ville desuden have dem alle sammen at kigge på fra morgenstunden.

Og hun havde en grund til. Som hun måtte holde for sig selv, hvis den skulle have nogen chance for at virke, for hun ville have ham til at sige noget til sig. Hun ville trække det ud her i forsamlingshuset, så han måske kunne gå og komme i tanker om noget, som han endnu kunne nå at sige til hende. Noget af det han jo ikke havde fået sagt ved bordet. Så alle havde kunnet høre det, men det gjorde heller ikke det mindste, hvis han så kom ud med det *nu*. Eller *noget* af det, lidt af det han ellers aldrig ville kunne få sagt til hende, og allerede når de kom hjem, var det for sent, han ville sove før han fik hovedet lagt på puden, og i morgen ville det ikke kun være for sent. Han ville da slet ingenting kunne få frem, og hun ville måske heller ikke længere gide høre det.

Derfor gik hun ud i lille sal og gav sig uden hastværk til at tømme et par kasser, med de store flade tallerkner, dem kunne de have det meste i. Hun bad ham så hjælpe med at pakke, men stoppede ham straks igen, han passede ikke på, det skulle gøres meget mere forsigtigt. Og hun holdt også hver eneste ting op for ham, og hun læste op af kortene, hvem det og det var fra, og hun spurgte ham om han ikke syntes, det var pænt, og om det ikke lige var hvad de havde ønsket sig, og om de ikke sagtens kunne være glade, når de altså havde så mange gode venner, der havde gjort alt, hvad de kunne for at glæde dem.

Orla hankede op i billedet og ville gå ud i bilen med det. Han mente det kunne stå mellem sæderne.

Da han kom tilbage, havde hun ikke kunnet gøre andet end at blive færdig med at pakke. Manglede kun at samle gavekortene og telegrammerne sammen, og hun spurgte så om han havde læst, hvad der stod i dem alle sammen. Kunne ikke rigtig indvende noget imod at det kunne han altid få gjort.

Er det ikke mærkeligt at tænke på at vi måske bliver de sidste, sagde hun. Dig og mig, Orla – til at holde fest her i Staun Forsamlingshus?

Jo, sagde han og ville til at have fat i en af de fyldte kasser.

For er det ikke noget med at de ikke længere kan finde nogen, der vil sidde i bestyrelsen, spurgte hun.

Jo, det tror jeg nok, sagde han.

Dem, der har siddet der sidst, har jo alligevel heller ingen ting foretaget sig, sagde hun. De har vel også bare siddet og set fjernsyn. Det er jo snart mange år siden her har været holdt høstbal. Og juletræ. For slet ikke at tale om dilettant! Kan du huske hvornår vi sidst havde dét?

Nej, sagde han.

Nej – men så var det da godt – hvis her virkelig aldrig skal ske mere – at det blev sådan en god fest for os to!

Ja, sagde han. Men jeg lod alle bildørene stå åbne.

Synes du ikke selv vi har haft en dejlig dag, Orla?

Jo, sagde han. Jeg tror også det kan blive en god dag i morgen.

Det tror jeg også!

Ja, efter vejrudsigten at dømme da. Jeg regner med at vi kan komme i Vesterkæret og få høstet havren. Det ville nu være rart.

Ja, det ville være rart! Det ville være skønt!

Han tog den ene kasse og gik med den. Råbte så halvvejs ude at hun skulle lade den anden stå, den var for tung til hende. Hun tog den alligevel og fulgte efter ham, og hun syntes nok alligevel hun havde fået noget ud af det.

Nej, ikke meget, selvfølgelig ikke. Men hun tænkte på om hun ikke skulle tage og sige til sig selv, at det – også sådan en dag – ville være dumt at presse ham for mere. Om hun ikke hellere med det samme skulle prøve at glæde sig, virkelig glæde sig til at de fik høstet havren i Vesterkæret.

Tresårsdag

Professor Ebbe Stensgaard var skidesur, og han følte sig mobbet, men desuden noget endnu meget værre. Og det var ikke alene bestemte personer der var efter ham, og det var heller ikke alene alverdens folkeslag der havde forenet sig for at chikanere ham. Det var gådefuldt ondartede kræfter der gennemstrømmede universet, og som netop denne morgen på netop dette hotel havde kastet sig over netop ham. Sådan havde han set det for sig, og så var han kommet til at sige til sig selv, at livet selv ville ham til livs.

Han indså dog i det samme at det var en meningsløs sætning. Det var ikke noget han kunne sige, for der gaves ingen mening af nogen kategori, som det ville være muligt at finde plads til i hans temmelig velorganiserede begrebsapparat. Alligevel kom han til at sige det igen. Livet selv ville ham til livs, og det blev ved med at gentage sig i ham, som en stump af en fjollet sang, og det var nu snart det værste af det hele.

Men han var faldet over en støvsuger. Og før det havde også et menneske insisteret på at vække ham. Alt, alt for tidligt.

Det var Henrik Lundbæk der som en besat havde banket på hans dør. Så meget mente han at kunne se da han fik den åbnet. Det var Henrik Lundbæk der stod der, i pyjamas, og så meget mente han at kunne høre, at Henrik Lundbæks onkel Jens ønskede at tale med ham omgående.

Men det kunne naturligvis ikke passe. Klokken var halv otte. Og hans onkel Jens? Her midt om natten!

Jens Vilsted, Farsø, havde Henrik så sagt, og noget dæmrede. Noget dæmrede, herunder også den mulighed at den gamle grandiose idiot måske virkelig kunne finde på at beordre hele hotellet til mønstring, før fanden fik sko på. Og Henrik havde så ligesom undskyldt sig lidt med at han selv var blevet vækket af Jens Vilsted klokken kvart i syv, og så igen klokken syv og her igen kvart over. Og han var jo også gået rimelig tidligt i seng, hans onkel, eller var blevet båret, måske rettere sagt, men der var nu under alle omstændigheder ikke noget at gøre. Han krævede en samtale, og han sad oppe ved morgenbordet og ventede aldeles utålmodigt.

Så havde han stillet sig ud under bruseren, og derpå havde han fået skældud af fruen. Mens han knappede sin skjorte forkert, og mens han arbejdede med at få en af sine fødder ned i det rigtige bukseben. Havde hun ikke derhjemme sagt hun vidste ikke hvor mange gange at det var komplet debilt at køre helt herop til Aalborg, og gik det ikke nøjagtig som forventet sådan at hun havde kedet sig som hun ikke vidste siden hvad, og han havde ødelagt deres weekend. Og der kom måske mere, han måtte koncentrere sig om sine snørebånd og tumlede så af sted.

Ganske få skridt henne ad gangen faldt han så lang han var. Det gjorde ondt alle vegne, og det var en støvsugerslange der var anbragt lige der for at gøre det af med ham, og et stykke længere henne stod der så en perker og stirrede på ham.

Nej, det var ikke et ord han anvendte, ikke perker. Og selv om han også nu havde holdt det i sig, ville han alligevel afsone en passende straf lige på stedet, og han smilede op til hende. Og han rejste sig heroisk og gav sig til at forklare at det var hans egen skyld. Han havde ikke været rig-

tig vågen, men nu havde han så heldigvis fået den lære-
streg.

Hun stirrede bare videre. Uden et ord. Og hun kunne
så nok ikke engang sproget, og han fordømte hotellet,
mens han gik videre, for hvad fanden var det for noget at
byde folk sådan et sted som her, og han burde nok have
sagt det direkte til hende, perker.

I elevatoren stod der så én til. Stor og fed og med hele
to kæmpemæssige køretøjer overlæsset med rengørings-
grej og sengetøj. Han kunne ikke klemme sig ind uden
smerteligt at blive mindet om samtlige sektioner af sit for-
slåede legeme.

Men han stod der da så og fortalte sig selv at han aldrig
havde forstået noget som helst af folks fremmed-, ja, hvad
skulle han i farten kalde det, frygt, had, mistro, ubehag.
Aldrig kunnet forstå det – oprigtigt og bogstaveligt talt
simpelt hen ikke kunnet *forstå* – at alle fordelene ved ind-
vandringen fra alle verdenshjørner ikke var indlysende for
enhver. At det også var *nødvendigt*, at det var den eneste
mulige fremtid, også for deres kære Danmark, og at det
endelig var den ubetingede forudsætning for at danskerne
fortsat skulle kunne opfatte sig selv som humanister og
demokrater. Nej, det var *ikke-forstået*, det var *mindre* end
ikke-forstået, at nogle endog – åbenbart i fuld alvor og af
hjertens lyst – ville bortvise de her fattige og forfulgte stak-
ler, ville sende dem ad helvede til. Men *først og sidst* var
det *fundamentalt* ubegribeligt for ham at man i offentlighe-
den ikke uden held kunne begrunde sådanne umenneske-
ligheder med henvisning til en form for *frygt* og det tilmed
for en lidt anderledes *religion*, som enhver jo kunne sige
sig selv, at den amerikanske filmindustri i løbet af få årtier,
og i lighed med alt andet uamerikansk åndsliv, ville få has
på. Nej, nej, nej – han *havde* aldrig fattet en tøddel af det.

Og alligevel måtte det vel være sådan noget i retning af

alt dette der lige nu foregik i hans indre. Siden han kunne stå her i elevatoren og ønske at hans medpassager med det samme ville rejse meget, meget langt væk og for al fremtid holde sig i sin hytte af klinet komøg.

Det var dér professor Stensgaard definitivt blev ramt af det onde. Idet han trådte ud af elevatoren og endelig lysvågen kunne gøre sig klart at en art forhistorisk bøhmand huserede i hans indre. Og idet han straks igen mindre klart så dette uhyre opvakt af dystre strømninger gennem hele atmosfæren, og livet selv uden videre startede med at ville ham til livs. Og det ville det fortsat, med den samme og den samme sætning, da han nåede ind til morgenmaden, og fortsat da han fik øje på den forhenværende landbrugs- og fiskeriminister, der allerede havde rejst sig fra sit bord og nu stod der med et stort grin og vidt udbredte arme.

Skønt den der ulidelige sætning med livet jo overhovedet ikke gav mening, og dette liv i skikkelse af Jens Vilsted, Farsø, nok snarere lignede noget, han burde behandle med alt, hvad han trods alt måtte have i sig af varsomhed og empati.

Henrik havde lagt sig tilbage i sin seng. Men efter tre vækninger og en rejse ned på fjerde etage og tilbage igen faldt han ikke længere i søvn. Og Pia var oppe. Ude på badeværelset. Han tændte fjernsynet. Fordi det nu stod der. Der var tegnefilm og genudsendelse af et skiløb på de danske. Han fandt frem til CNN.

Pia dukkede indimellem frem fra badeværelset, og han havde til hver gang fundet på et eller andet, han gerne ville have hende til at svare på. Om hun havde lagt mærke til det og det. Hvad hun mente om den og den. Hvem hun havde fået snakket med ud på natten.

Ellers var der billeder fra Jerusalem. Fem dræbt af en selvmordsbomber, ud over ham/hende selv, treogtyve såret, mindst. Og billeder fra Bruxelles, ekstraordinært møde i Det Europæiske Råd. Og fra Connecticut, ekstraordinær kulde.

Var det ikke pinligt med Klaus, spurgte han, nu hun så ud til at blive der lidt. For det var egentlig det han hele tiden havde været mest interesseret i at spørge hende om.

Klaus Kirkegaard, forklarede han. Så du ikke hvordan han rendte rundt og tog på alle og enhver? Af damerne i al fald?

Jeg hørte han lige er blevet skilt, svarede hun. Det må vel have været dét.

Ja, men for pokker da alligevel. Tænk sig han er sådan en åndssvag drengerøv. Og heller ikke kan tåle et par glas.

Hun gik over og trak gardinerne til side. Det var blevet tøvejr. Hun blev stående og kiggede på det. Og hun sagde så, stadig med ryggen til, at han hellere måtte se at lette sig. Hellere måtte se at komme op til sine gæster.

Men rigtig meget tø, så det ud til. Sneen på grenene klattede rask væk af dem. Hyggeligt i grunden at ligge og glo på. Omsider rejste han sig da.

Blev alligevel færdig før hende. Kørte alene op i restauranten.

Dér blev han stående, et par meter inden for døren. Hverken Marie eller Morten var oppe endnu. Eller Jacob og Cédric. Og han havde ikke lige mod på Johnny Bruun og hans kone. Og selvfølgelig burde han nok også snarere sætte sig op og snakke med Emma og Dagmar. Eller med Jørn og Anne Marie. Men de ville sikkert alle sammen spørge ham om det samme. Hvordan det føltes. Som han sikkert også selv ville have gjort, hvis det var en anden. Og de vidste det selvfølgelig også godt. At det ikke føltes. Men han orkede ikke at skulle sige det. Det føles ikke. Ikke så længe han ikke havde følt at det måske alligevel på en eller anden mærkværdig måde føltes meget godt. Og det gjorde det jo ikke.

Han kørte ned i receptionen. Han ville afregne med det samme.

Damen sagde at de sagtens kunne sende regningen. Nej. Han ville betale med det samme. Hun bad ham sætte sig. Hun kom i gang med at skrive og med at regne. Det tog tid, han fik rigelig tid til at sidde der og kigge ud på sjappet.

Om alle tog morgenmad, ja, mon ikke. Han vinkede med en træt lab, hun kunne bare regne videre, ja, og dem alle sammen og det hele, skriv nu bare det hele.

Efter en hel masse mere sjap derude nåede hun da også frem til et resultat. Hun rømmede sig og så lidt på ham, nævnte så beløbet. Og nej, det var ikke røget op over de hundrede og halvtreds tusind, det var helt i orden. Henrik gik frem og pillede sit Dankort op af pungen.

Måske forkert kode, foreslog hun, da betalingen ikke gik igennem. Han prøvede igen.

Om han nu havde husket at godkende? Nå, men der var åbenbart noget koks i systemet. Eller med ham, mente hun selvfølgelig, og han førte endnu en gang sit kort igennem den her forbandede maskine, med al sin manuelle omhu, med en halvkvædet bøn ud i elektronikkens hip som hap. Afvist, desværre. Og det var nu ligesom at pisse i bukserne på åben gade. Syntes han lige.

Pjat, tænkte han så og pudsede kortet i skjorten. Han var ikke et barn. Han var en voksen mand. Og han var heller ikke gammel. Han pissede som det passede ham. Når han skulle. Men han kunne når han skulle. Og han kunne lade være når han ville.

Han pudsede sit betalingskort meget længe og meget grundigt. Og hvor det føltes, da det nu selvfølgelig da og som han sgu da altid havde vidst det ville virkede. Jo. Det føltes helt godt.

Begravelse

Knokkelmanden havde lagt vejen omkring Staun. Axel Lundbæk så ham flere steder. Han var ikke rask, Axel, han hostede og havde smerter i mellemgulvet, deromkring, men han gik alligevel sine daglige ture, sidst på eftermiddagen, og der i oktober begyndte det allerede at blive halvmørkt, inden han nåede hjem, og så havde han fået øje på ham. Knokkelmanden, og han færdedes åbenbart helst på de gamle markveje, og helt ude i kanten, halvt nede i grøfterne nærmest, i en lang kavaj og med en mægtig – og lige en anelse blafrende – hætte oppe over hovedet, og han fortalte Mary om det. Knokkelmanden var i byen, og Mary troede som altid hvad han sagde, og hun skyndte sig da at dø først. Axel levede selv endnu fem dage.

Marys begravelse blev så i sidste øjeblik udsat. De fandt et kølehus i Løgstør hvor hendes kiste kunne stå, indtil hun sammen med Axel skulle i jorden.

Anne Marie og Jørn var naturligvis straks efter meddelelsen rejst fra Spanien, og de boede nu i ventetiden i deres sommerhus ude i Klitmøller. Cédric og Marie havde de derimod fået standset omkring Frankfurt da de i første omgang var på vej i bil fra Schweiz. Men selv om der nu var ekstra god tid, fik de ikke kontakt med Ellen. Hun var i Afrika igen og rejste vist for tiden omkring som turist.

Søren Lundbæk og hans familie var selvfølgelig med det samme kommet hjem, og han blev der nu alene i de dage. Boede i Axels og Marys hus. Og han gik mange ture, han gik fra morgen til aften, og han foretrak, nøjagtig som Knokkelmanden havde gjort, de gamle markveje.

Allerførst også for at følge hans spor. Sådan som hans mor i telefonen havde nået at fortælle om dem, efter hans fars angivelser. Han forestillede sig synet af ham, der i grøftekanterne, både op ad vejen til Trenne Lynge og ude ved Fiskestierne. Men han fortsatte så med alle de andre markveje, for han orkede ikke gå rundt nede i byen. Der var jo alligevel ingenting i den han kunne genkende. Butikkerne og værkstederne, dermed de daglige mødesteder, de var alle væk, erhvervsfiskeriet var væk, så mange andre huse og længer var revet ned. Resten var alt for moderniserede eller alt for forfaldne, hist og her stod nyere villaer som kunne have stået hvor som helst. Nej, hans fødeby fandtes nu kun i en skuffe på hans kontor ovre på Sjælland. Der lå en stak af de sorthvide og noget grynede fotografier han havde taget som konfirmand.

Markerne lå der trods alt, så nogenlunde. Eller de lå endnu så fast i hans hoved at han kunne kende dem under de ensartede, nytilsåede kæmpeflader. Og han gik ture gennem skoven og lange stræk langs fjorden, ud ad en af fjordvejene, ind ad en anden. Han gik ned i Østerengene og ud over Mosen. Op over Boelsjorden, ud forbi Håstevajret og over Højagrene ud i Rødkæret. Han gik alle vegne.

Og når han kunne finde ud af at stille sig de rigtige steder, belønnede hele landskabet ham øjeblikkeligt igen med sin fuldkomne og mageløse skønhed. Bakkernes krumning ned mod byen, udsynet over fjorden og holmene til Han Herred og det himmelblå. Og vejret blev alle dagene ved med at være det smukkeste. Solen satte ild i de visnende blade. Lyset spillede tempereret i duggen over spindelvævene.

Vejret holdt til begravelsen. Kirken blev pænt fyldt. Der lå masser af blomster hele vejen nede fra orglet og op over kisterne i korbuen. Det så godt ud.

Søren Lundbæk lod sig bare snart irritere af præstens sprogbrug og hendes grammatiske sjusk. Hun talte uafbrudt i nutid, som en ubehjælpsom tv-journalist, alligevel anvendte hun datidsformen 'lykkedes' når hun mente 'lykkes'. Hun havde desuden en rædsom uvane med pronominale genoptagelser, 'Mary, hun' og 'Axel, han'. Og Søren hviskede det gang på gang til Ulla, 'Mary, hun', 'Axel, han'.

Ulla ville ikke høre efter. Men det allerværste for ham var dog at denne her præst undlod at kasusbøje visse pronominer efter præposition. Hun talte 'for de der dengang har hele deres liv i landbruget', og hun talte 'til de der nu skal leve videre bare med minderne'.

Det hedder sgu da 'for dem der' og 'til dem der'!

Han hviskede nu ret hidsigt til Ulla. Men hun så stadig ud som om det ragede hende en høstblomst. Han sad tilbage og syntes alligevel hans forældre havde fortjent bedre.

Salmerne var i det mindste i orden, og de tog så kisterne en efter en. Bar dem ud gennem solen over kirkegården, Henrik og han selv forrest, så Morten og Jacob og bagest hans egne sønner, Peder og Axel.

Henrik stod for nedsænkningen i rebene, han signalerede, og de skulle da nøjagtig samtidig og i samme tempo begynde at fire. Også det gik i begge tilfælde perfekt. Selv om de unge mennesker bagefter kiggede sig noget i hænderne. Der skulle nok være kommet et par vabler.

Uden for kirkegården samledes de omkring Cédric Buyssens og hans smarte bil, alle de unge. Søren havde Emma i armen ud over gruset. Hun var på det sidste blevet dårligt gående. De tøffede af sted sammen med Jens og Dagmar. Hun blev ved med at smågræde, Dagmar.

Han kunne nu høre nogle af stemmerne. Den bil dér ville nok virkelig have interesseret Axel, var der én, der sagde. Det var en topersoners BMW, M3 cabriolet. I hvert fald mens han var yngre, var der en anden, der sagde. Som om sådan en interesse på en dag som denne burde underbetones en smule.

Vi har stået og snakket om hvordan vi nu kan blive ved med at ses, kom Marie og sagde til ham. Vi har bestemt vi vil holde en fætter- og kusinefest i Genève! Vi sender snart en invitation til hele flokken!

Ja. Det var jo nok en udmærket idé. Men nu skulle de i al fald alle sammen ned på Sebbersund Kro og have kaffe. Søren stod og memorerede sin tale. Den var måske blevet lidt lang. I de dage han havde gået på markvejene.

V

En tirsdag formiddag

Kort før jul kom Ellen Lundbæk nok en gang til Bazunga. På Pedershaab blev hun modtaget af en ny skoleleder. Han hed Abraham Baluku, og det var en stor ære for ham at møde hende. Han sagde det flere gange, og han havde sagt flere hundrede andre ting inden de nåede ind på hans kontor, og han kunne byde hende en stol. Hun trængte da virkelig også til den.

Men hun kunne vist meget godt lide ham, sagde hun til sig selv, selv om han var så trættende energisk. Han rev og flåede i sit metalskab, baldrede lågerne op og i. Hun havde hovedpine. Det havde hun haft nogle dage nu. Hun måtte tage sig sammen for at følge med i alt hvad han halede frem af mapper og albummer og smækkede ned på bordet foran hende.

De havde lavet en teaterforestilling på skolen. Der var mange billeder, og han havde mange flere på sin computer, og både her og der også en gudsvelsignelse af billeder fra kirken og skolens kor, der sang der.

Dér var noget han åbenbart gik endnu højere op i end alt andet. Han lagde den allerstørste vægt på kristendommen. Den var vejen for ham. Det var langt vigtigere end nogen lærdom at skolens børn med Jesus Kristus kunne gøre sig fri, blive hele og harmoniske mennesker, komme i stand til at leve et kristenliv i kærlighed med hinanden.

Ja, ja, tænkte hun. Den er god med dig, Abraham. Hun ville hellere ud i en klasse og høre hvad der faktisk foregik i timerne.

Selv om hun også gerne ville blive siddende på sin stol lidt længere. I fred og ro, om muligt. Og det blev det da. For der blev banket på døren. Der stod en lærer, hun bad hr. Baluku følge med sig.

Så fik hun lejlighed til at kigge lidt nærmere på gulvmalingen. En opfriskning af den ville vel ikke skade. Men ellers måtte hun så sandelig sige at Abraham havde stadset kontoret op, så det stod efter. Alt det julepynt hun engang, i et alvorligt anfald af tåbelighed, havde taget med fra Danmark, hang her nu alle vegne. Måske havde hun trods alt forestillet sig at det skulle være til børnene. Men det overlevede dog her i det allerhelligste, stjerner og hjerter og kravlenisser, og det ville da nu helt uden tvivl blive hendes varigste bidrag til Afrika.

Hun kiggede ud ad vinduet. Der gik et par drenge ude ved det store marulatræ. Den ene måske lidt over konfirmationsalderen, den anden måske lidt under. Den ældre havde en slags kjortel på, af patchwork, og på hovedet en flot, hvid hat. Den yngre bar en udslidt militærjakke der nåede en hel del længere ned over hans ·burkne ben end de grumsede shorts.

Af og til hoppede de begge to en gang rundt om stammen. Eller de stod og vekslede et par ord. Eller de pillede lidt i barken. De så ud til at have det rart, men skulle de mon egentlig ikke have siddet inde til undervisningen? Havde Abraham alligevel ikke fået styr på alting?

Det tog under alle omstændigheder lang tid med ham.

Jo, hun havde siddet her temmelig længe, syntes hun. Men hun kunne selvfølgelig også bare gå ud og snakke lidt med drengene. Den tanke tænkte hun færdig, før hun mærkede det.

Hendes fødder stod på gulvet hvor de stod. Og hun havde tænkt på at det kunne ske, i de sidste dage her. Vel fordi hun så let var blevet fuldkommen udmattet. Og nu var det virkelig sket. Nu kunne hun bare blive siddende.

Hun kunne bare blive siddende og kigge ud ad vinduet. Og hun kiggede efter drengene, kunne ikke få øje på dem nogen steder. Var de blevet hentet ind? Havde hun været væk nogle sekunder? Nogle minutter? Hun havde det i al fald bedre.

Det var ligesom lettet i hovedet. Og hun savnede ingenting. Heller ikke sine ben. Hun savnede ingenting. Ikke engang at kunne gøre noget. Og hvor mange år skulle hun tilbage i sit liv, siden hun sidst ikke havde ønsket at kunne gøre noget? Somme tider havde hun vel endda bildt sig ind at hun *gjorde* noget. Eller at hun *havde* gjort noget. *Meget*. Selv om det selvfølgelig ingenting var.

Og hun savnede jo altså heller ingenting. Og alligevel sad hun og var ved at glæde sig til regnen.

Der var nu ikke mere end et par timer til den ville falde. Til den tid måtte Abraham vel også være kommet tilbage, og han ville nok godt bære hende ud. Jo, han virkede i grunden som en ganske flink fyr. Jo, jo, han ville sikkert godt bære hende ud i regnen.

Bære hende ud og sætte hende i græsset derovre mellem figentræerne. Så hun kunne sidde dér under hele regnen. Hvor ville det blive dejligt.